MICHAEL WHITE

EQUINOX

VAN HOLKEMA & WARENDORF
Unieboek BV, Houten/Antwerpen

THRILLER *die leg je niet meer weg*

Oorspronkelijke titel: *Equinox*
Oorspronkelijke uitgave: Arrow Books, The Random House Group Limited, London

www.unieboek.nl
www.thrillervanhetjaar.nl

Vertaling: Jan Smit
Omslagontwerp: Wil Immink
Omslagfoto achterzijde: Corbis
Opmaak: ZetSpiegel, Best

ISBN-10: 90 269 8558 4
ISBN-13: 978 90 269 8558 4
NUR: 332

Voor de jongens:
Lisa, India, George, Noah en Finn

Proloog

Oxford, 20 maart, 19:36 uur

Vroeg in de avond, terwijl het meisje zit te eten bij een vriendin, snijdt hij de brandstofleiding van haar auto door en kijkt hoe de benzine over het asfalt spettert, de helling afstroomt en langzaam verdampt.

Een paar minuten later ziet hij haar naar buiten komen. Nadat ze is ingestapt, volgt hij haar een halve kilometer tot buiten de stad, waar ze de auto aan de kant zet omdat de motor afslaat.

Hij schakelt de lichten en de motor van zijn eigen auto uit en laat hem geruisloos nog een eindje doorrijden, tot vijftig meter achter haar. Daar wacht hij, terwijl het meisje tevergeefs de dorstige motor weer probeert te starten.

De man stapt uit zijn auto en loopt rustig het weggetje af in de vlekkerige schaduw van de maan.

Het meisje is niet meer dan een silhouet in het citroengele maanlicht dat over het dak van de auto valt en weerkaatst tegen de takken en bladeren van de bomen.

De plastic hoezen om zijn schoenen maken een soppend geluid over het zachte gras. Hij hoort zijn eigen rustige ademhaling tegen de binnenkant van het plastic vizier over zijn gezicht. Dan versnelt hij zijn pas.

Het meisje geeft haar pogingen met het contactsleuteltje op en kijkt door de raampjes om zich heen, maar ze ziet hem niet terwijl hij in het donker naar haar toe loopt.

Ze pakt haar mobieltje van de stoel naast zich. Nog twee stappen en de man heeft de auto bereikt. Hij opent het portier en duikt naar binnen, met het scalpel voor zich uit.

Het meisje gilt en laat het telefoontje los, dat op haar knieën valt en van haar schoot op de vloer van de auto rolt. In een soepele beweging buigt hij zich over haar heen en brengt zijn arm omhoog. Zijn gezicht gaat schuil achter het perspex.

Het meisje begint heftig te beven en opent haar mond, sprakeloos van angst. Op het moment dat ze wil schreeuwen, drukt hij zijn vrije hand met kracht over haar mond. Zijn gezicht is nu vlak bij het hare, en door het vizier ziet ze hoe groot zijn zwarte pupillen zijn.

De pijn begint als een speldenprik, maar zwelt dan aan in haar borst. Ongelovig voelt ze iets uit haar lichaam stromen wat haar blouse doorweekt. Het metaal van het mes lijkt dwars door haar hals omhoog te schieten, tot het zich in haar hersens boort.

Ze huivert. Een kreet welt op in haar keel, maar vindt geen adem meer en wordt gesmoord.

Het volgende dat haar mond verlaat, is een stroom bloed. Als een fontein spuit het uit haar slagader over de stoel en tegen de voorruit.

Een paar seconden later is ze dood.

1

Laura Niven werd naar de deur van de Bodleian Library gebracht door haar oude vriend James Lightman, het hoofd van de bibliotheek. Ze hadden elkaar de afgelopen drie weken veel gezien. Het was haar eerste bezoek aan Oxford in vier jaar. Ze stapten naar buiten en liepen een eindje de treden af. Laura bleef staan en kuste Lightman op zijn wang. Hij pakte even haar armen en bekeek haar van top tot teen. Ze was lang en slank, gekleed in een rood jasje met brede revers, verschoten jeans en suède instappers. Haar blonde haar was in een losse knot gebonden.

De bibliothecaris schudde zijn hoofd, langzaam en waarderend. 'Ik vond het geweldig om je weer te zien, kind,' zei hij. 'Blijf de volgende keer niet zo lang weg, oké?' Zijn schorre stem klonk bijna fluisterend.

Laura glimlachte tegen hem en nam zijn gerimpelde, vriendelijke gezicht aandachtig op. Lightman leek een beetje op een oude schildpad, met de Bodleian – de prachtigste boekencollectie ter wereld – als zijn schild. Ze legde een hand op zijn schouder voordat ze zich omdraaide en de trap afliep. Beneden bleef ze staan en keek nog eens om, maar de oude man was al verdwenen.

Laura hield van deze stad en voelde een steek in haar maag bij de gedachte dat ze binnenkort weer naar huis zou gaan. Ze had Oxford in haar hart gesloten sinds ze hier had gestudeerd, meer dan twintig jaar geleden. Het was een deel van haar geworden, zoals zij op haar eigen, bescheiden wijze ook bij Oxford was gaan horen, als onderdeel van dat uitgestrekte, complexe menselijke tapijt dat de historie vormde van de stad.

Ze liep door Broad Street, langs het Sheldonian, en wilde oversteken. Maar ze keek niet goed uit en werd bijna aangereden door een jonge vrouw in het grijs, op een oude zwarte Hercules-fiets. De vrouw kon haar nog op het laatste moment ontwijken, driftig bellend. Met een vreemd gevoel van blijdschap keek Laura haar na toen de vrouw doorfietste richting St.-Giles. Twintig jaar geleden zou zij dat zelf zijn geweest, opzettelijk agressief tegen Amerikaanse toeristen.

Misschien verlangde ze gewoon terug naar haar jeugd, dacht ze. Maar het was niet alleen haar eigen, persoonlijke verhaal, haar plek in dat tapijt, waarom ze zoveel van Oxford hield. Het was ook... ja, wat? Waar zat het eigenlijk in? Ze kon het niet definiëren. Het was een van die onbenoembare menselijke emoties, net zo mysterieus als eergevoel, mededogen, sentimentaliteit.

Toen ze hier nog studeerde, had Laura lange brieven geschreven aan haar vriendinnen in Illinois, South Carolina, en thuis in Californië, over alles wat ze hier meemaakte. Ze had grote verhalen over de stad, omdat ze zich er een deel van voelde. Voor Laura was Oxford een stad van dromen, een meer dan levensechte plek, die vreemdelingen verwelkomde met onmetelijke schatten en hun longen vulde met frisse lucht. Oxford, dacht ze, terwijl ze St.-Giles overstak naar het restaurant waar ze om halfnegen een afspraak had, was gewoon een plaats die het leven de moeite waard maakte.

Philip Bainbridge had op dat moment een heel ander beeld van Oxford. Hij was naar de stad gekomen vanuit zijn huis in Woodstock, een dorpje op ongeveer vijfentwintig kilometer van de oude stadsmuren, om zijn dochter Jo op te pikken bij haar kamer in St.-John's College aan St.-Giles. En onderweg had hij alleen de slechte kanten van de stad gezien. Op de snelweg was hij gesneden door een roestige Rover 216 met drie hyperactieve knullen uit de plaatselijke probleemwijk, Blackbird Leys, een uitgestrekt getto, slechts enkele kilometers verwijderd van de dromerige torenspitsen. Voor een stoplicht was hij vervolgens uitgescholden door de bestuurder van een Mini Metro, die Philip ervan beschuldigde dat hij hém had gesneden op de afslag naar de stad. En even later was er op Banbury Road een zuiplap recht voor zijn auto gestapt op het moment dat het licht op groen sprong en hij optrok. Terwijl het nog niet eens halfnegen 's avonds was.

Maar Philip was eraan gewend. Hij hield van deze stad, met al haar gebreken, al sinds de tijd dat hij hier in 1980 was gekomen om PPE, een combinatie van filosofie, politiek en economie, te studeren aan Balliol. Nu, meer dan een kwart eeuw later, kon hij zich niet voorstellen dat hij ooit ergens anders in de wereld zou wonen. Hij beweerde serieus dat Oxford, als het een mediterraan klimaat zou hebben, een aards paradijs zou zijn waar hij met liefde de eeuwigheid wilde doorbrengen.

En dat uit de mond van een man die zich, min of meer gedwongen, een groot deel van zijn tijd met de duistere kanten van die oude stad bezighield. Hij was al jaren freelancefotograaf en verdiende zijn brood vooral met forensische fotografie voor de Thames Valley Police. Hij had in die tijd oceanen van bloed gezien en was getuige geweest van de grootste gruweldaden. En dus wist hij dat Oxford in wezen niet verschilde van Los Angeles South Central of East End in Londen. Hij hield nog altijd van de stad, maar besefte dat het goddelijke aspect van Oxford, zoals van alle steden in deze sterfelijke wereld, was besmeurd met het bloed en de hersensresten van al die slachtoffers van geweldsmisdrijven. Zo zat de wereld nu eenmaal in elkaar, of het nu Venice Beach was, of Eighth Avenue, of The High op een Engelse zomeravond.

Hij parkeerde in St.-Giles en liep haastig naar de portiersloge van St.-John's, waar Jo al stond te wachten. Ze zag er ongelooflijk mooi uit, als een schilderij van Arthur Rackham, in gebleekt denim en een leren jasje van Ralph Lauren. Haar roodbruine haar golfde in natuurlijke krullen tot op haar schouders. Ze had ogen als houtskool, een bleke huid, hoge jukbeenderen en volle lippen.

‘Sorry dat ik zo laat ben.’

‘Pap, ik ken je nou toch wel?’ antwoordde Jo grijnzend. Haar stem klonk een beetje hees, genoeg om de laatste verdediging te slechten van iedere man die nog niet voor haar schoonheid gevallen was.

Philip haalde zijn schouders op en bood haar zijn arm aan. ‘Gelukkig maar. Dus we zijn klaar voor ons etentje met mams?’

‘Reken maar,’ zei ze met een klein lachje.

Ze liepen St.-Giles af.

‘En?’ vroeg Philip. ‘Mis je New York?’

‘Nog niet.’

‘Je zegt nooit veel over je oude leven.’

‘Er valt niet zoveel te zeggen, denk ik. En wat klinkt dat raar, pap, mijn “oude leven”. Hoe lang ben ik hier nou helemaal? Zes maanden?’

‘Het lijkt wel een heel leven.’

‘Nou, bedankt!’ Jo keek Philip met open mond aan.

‘Ik zal mijn mond maar houden.’

Jo schudde haar hoofd. ‘Nee, het bevalt me hier goed,’ zei ze toen. ‘Het werd, wat zal ik zeggen... een beetje benauwd in Greenwich Village. Wel cool, hoor, het appartement was ineens te klein voor een plotseling beroemde schrijfster met een puberende dochter. Begrijp je wat ik bedoel?’

‘Ja. Een veel voorkomend sociaal ongemak, in welke vorm dan ook. Blij dat ik daar niets mee te maken heb. Dat is een van de voordelen van het leven van een verstokte vrijgezel.’

Jo keek hem sceptisch aan. ‘Vind je? Maar dat weegt toch niet op tegen de nadelen, neem ik aan? Ik heb het je al eerder gezegd: een van mijn missies hier, voordat ik deze heilige hallen weer verlaat, is jou aan een geschikte vrouw te helpen. Iemand die voor jou kan zorgen.’

‘Nee, hè? Alsof ik nog niet dik genoeg ben!’ Philip klopte op zijn beginnende buikje.

Ze staken de straat over en liepen langs het oude Quaker Meeting House. De stoep was smal, met links een rij metalen hekken en rechts de straat. Overal stonden fietsen, die met hangsloten aan de hekken waren verankerd. Een straatartiest die zich deze stek had toegeëigend, jongleerde niet erg behendig met een stel sinaasappels. 'Kunt u wat missen?' vroeg hij hoopvol en met dubbele tong, toen ze voorbijliepen.

Twintig meter voor hen uit zagen ze Laura die stond te wachten voor de deur van Brown's Restaurant.

Hun borden waren afgeruimd en de serveerster schonk nog een glas wijn in. Laura bekeek kritisch de lijst van nagerechten en nam een slok wijn. Ze zaten vlak bij de keukendeuren, waar het personeel haastig in en uit liep, zodat ze een glimp konden opvangen van de georganiseerde chaos erachter. De lucht van sigarettenrook zweefde vanuit het rokersgedeelte naar hen toe en de gesprekken van de bijna honderd gasten vormden een nevel van menselijke stemmen tegen een achtergrond van zachte acid jazz uit de boxen.

'We zullen je missen, Laura,' zei Philip over de rand van zijn wijnglas, terwijl hij eerst haar en toen hun dochter aankeek.

Laura's verblijf in Oxford was in een flits voorbijgegaan. De volgende morgen zou ze naar New York terugvliegen. Hoewel ze zich erop verheugde haar eigen, lekkere appartement in Greenwich Village terug te zien, zou een ander deel van haar het liefst zijn gebleven om hier een vaste plek te zoeken. Ze wist dat ze Oxford – en de twee mensen die het meest voor haar betekenden in haar leven, Philip en Jo – zou missen.

'Ach, ik kom snel weer terug,' antwoordde Laura, terwijl ze een verdwaalde blonde lok achter haar rechteroor duwde. 'Al was het maar om een oogje te houden op deze dame hier.' Ze keek naar Jo.

'Ja, vast. Dat is hard nodig.' Jo wierp haar moeder een vermoeide blik toe.

'Nou, op een voorspoedige reis dan maar,' zei Philip, en hij hief zijn glas. Jo sloot zich daarbij aan, maar ging al rechtop zitten en keek op haar horloge. 'Hé, mam, het spijt me, maar ik moet weg. Ik had tien minuten geleden al een afspraak met Tom.'

'Goed hoor,' antwoordde Laura. 'Ga maar. En doe je vriendje de groeten.'

Jo kuste Philip op zijn wang en draaide zich met een scheef lachje naar Laura om. 'Ik zie je morgen nog wel. Om te controleren of je je ticket en je paspoort hebt,' zei ze. Toen zigzagde ze tussen de dicht opeen geplaatste tafeltjes door naar buiten. Bij de uitgang zwaaide ze nog even.

Laura's blik gleed door het restaurant en ze bedacht hoe dikwijls ze hier bij Brown's had gezeten. Het was een soort stamkroeg geweest in haar studententijd, de plek van haar eerste date met Philip en de plek waar ze hem had verteld dat ze in verwachting was van Jo. Ze hield van de ambiance, die nooit veranderde: de crèmekleurige muren, de oude spiegels, de glimmende eikenhouten vloer en de reusachtige palmen. Toen ze door de zaal keek, kon ze bijna zichzelf aan een aangrenzend tafeltje zien zitten, met een jonge Philip tegenover haar.

'En? Is je reis de moeite waard geweest?' vroeg Philip. 'Heb je gevonden wat je zocht?'

Laura nam nog een slok wijn, zette haar glas neer en speelde wat met de steel. 'Ja en nee,' zei ze met een zucht. 'Nee, om eerlijk te zijn. Ik ben behoorlijk vastgelopen.'

'O?'

'Nou ja, dat gebeurt soms.'

'Dus het was zonde van je tijd?'

'Absoluut niet,' zei ze met nadruk. 'Ik zal gewoon wat beter mijn best moeten doen.' Laura wachtte even voordat ze verder ging. 'Maar misschien was mijn idee gewoon niet goed. Ik moet het denk ik opgeven.'

Philip keek geschrokken. 'Het klonk juist zo veelbelovend.'

'Ja, maar zo gaat dat met schrijven. Soms denk je dat iets werkt, en dan werkt het ook. Maar soms leidt het helemaal nergens toe.'

Laura had jaren als journaliste in New York geploeterd en in haar vrije tijd vijf of zes romans geschreven, zonder veel succes. Maar een jaar geleden had ze opeens de juiste formule gevonden. *Restitution* was een historische misdaadthriller, gesitueerd in het zeventiendeeeuwse Nieuw-Amsterdam. *The New York Times* had het boek 'sprankelend' genoemd. Het had de White Rose Fiction Award gewonnen en had zo goed verkocht dat Laura eindelijk haar baan had kunnen opzeggen. De media waren dol op haar, niet alleen vanwege haar uiterlijk, maar ook om haar werk als misdaadjournaliste, waarin ze zich bezighield met de gruwelijkste kanten van New York. Laura greep haar kans en had zich onmiddellijk op haar volgende project gestort, een roman tegen de achtergrond van het veertiende-eeuwse Oxford, waarin de theoloog en wiskundige Thomas Bradwardine – een historische figuur – betrokken raakte bij een ingewikkeld complot om de toenmalige koning Edward II te vermoorden.

'Hoe moet het dan met die mysterieuze monnik, Bradwardine?'

'O, ik ben nog steeds in hem geïnteresseerd. Maar hij is nooit monnik geweest, Philip.' Laura glimlachte. 'Alleen ben ik tot de conclusie gekomen dat hij niets te maken kan hebben gehad met een samenzwering om de koning te vermoorden. Daar was hij het type niet voor. Hij was een diepgelovige man, de grootste wiskundige van zijn tijd, en later werd hij aartsbisschop van Canterbury. Een Rambo was hij zeker niet. Maar het geeft niet, ik had nog niet zoveel werk gestoken in het idee. En er zweven nog genoeg andere verhalen door de lucht, zo voor het grijpen. Het zou me niets verbazen als Bradwardine later nog eens op de radar opduikt. Voorlopig sla ik alle gegevens maar op.'

'Dat klinkt als iets wat ík had kunnen zeggen,' protesteerde Philip.

'Ja. Misschien heb ik al die jaren wel te veel kritiek gehad op jouw merkwaardige karaktertrekjes.' Laura leunde naar achteren in haar stoel en nam een slok wijn. Toen Philip opzij keek om de aandacht van een ober te trekken, zag ze zijn profiel. Ze verbaasde zich erover dat er al meer dan twintig jaar waren verstreken sinds ze elkaar voor het eerst hadden ontmoet. Philip was in al die tijd nauwelijks veranderd. Natuurlijk, er zat veel meer grijs in zijn warrige donkere krullen, zijn gezicht was wat vleziger en zijn ogen stonden vermoeider. Maar hij had nog altijd die zelfverzekerde, wereldwijze glimlach die ze zo aantrekkelijk had gevonden toen hij tweeëntwintig was. En diezelfde verpletterende bruine ogen.

Ze had vaak aan hem gedacht terwijl ze aan de andere kant van de wereld woonde. En ze was zo lang weg geweest, dat het onvoorstelbaar leek dat ze nu gewoon tegenover elkaar zaten in dit drukke restaurant, met het geluid van de regen tegen de ramen en het diffuse licht van de lantaarns op straat.

Nu ze Philip zo zag, wist Laura weer waarom ze ooit op hem gevallen was en zich aan hem had gegeven zoals ze nooit meer had gedaan. Heel even begreep ze zelfs niet waarom ze bij hem was weggegaan.

'Koffie?'

Ze keek hem wazig aan.

'Ben je daar nog? Wil je koffie?'

De ober stond bij hun tafeltje en Philip zwaaide met zijn hand voor haar ogen.

'O, ja... sorry. Doe mij maar een latte décafé. Dank je.'

'Je was mijlenver weg. In het land van Bradwardine en de Plantagenets?'

'Zoiets,' loog ze.

'Wat ga je nu doen?' vroeg Philip toen de ober was verdwenen.

'Ik zou het zo gauw niet weten. Maar ik bedenk wel iets.' Laura was bewust ontwijkend en Philip merkte het. Hij wilde het gesprek net op een ander onderwerp brengen toen zijn mobieltje ging. 'Philip Bainbridge,' zei hij. 'Ja... ja.' Hij klonk voor zijn doen erg kortaf aan de telefoon, vond Laura. 'Oké, ik zit er maar een kilometer of drie vandaan. Ik kan er binnen... zeg vijftien minuten... zijn. Ja? Goed.' En hij klapte het toestel weer dicht.

'Problemen?'

'Nee, maar wel vervelend. Dat was het bureau. Ze willen dat ik foto's maak van een incident bij The Perch. Meer zeiden ze niet. Het spijt me. Laten we maar afrekenen.'

2

Philip had geen tijd meer om Laura eerst nog thuis af te zetten. Het was ijzig koud in zijn dertig jaar oude MGB en Laura was blij toen ze de blauwe zwaailichten zag opdoemen. Philip draaide de weg af en reed over een modderige berm voordat hij stopte, op tien meter van een helder verlichte, vierkante witte tent van ongeveer vijf bij vijf meter, die de plaats delict aangaf.

Philip zette de motor af en Laura tuurde door de vuile voorruit toen een gedaante in een wit pak met in het groen de tekst TECHNISCHE RECHERCHE op zijn rug langs hun auto naar de tent liep.

'Laura, je zult hier moeten wachten, ben ik bang. Alleen politiemensen mogen verder.' Philip stapte uit, liep naar de kofferbak, haalde er een stevige leren tas met zijn fotoapparatuur uit en slingerde die over zijn schouder. Hij zocht iets in de tas terwijl hij terugliep naar het portier van de auto. Prutsend aan de lens van zijn digitale Nikon boog hij zich naar het raampje. 'Red je het wel?' vroeg hij. 'Het zal geen prettig tafereel zijn, vrees ik.' Voordat ze kon antwoorden had hij zich alweer omgedraaid.

Laura bleef een paar minuten in de auto zitten, maar toen werd de nieuwsgierigheid haar te machtig. Ze stapte uit en liep door de modder naar de opening van de tent. Er was niemand om haar tegen te houden. Ze wilde alleen maar een blik werpen, hield ze zichzelf voor.

Toen ze de plastic tentflap een eindje opzij trok en door de kier naar binnen keek, zag ze niets anders dan de ruggen van twee politiemensen en de technische rechercheur, die gehurkt op de grond zat en met een pincet iets onduidelijks in een doorzichtig plastic zakje liet zakken. Achter hem stond een kleine rode auto, met de portieren open en modder tegen de zijkanten.

Laura liet de flap weer zakken en liep op haar tenen om de tent heen. Daar hurkte ze bij een gaatje in het tentzeil en keek erdoor naar binnen. De auto stond nu maar een meter bij haar vandaan en ze kon recht door het open portier kijken.

Op de achterbank lag het slappe lichaam van een jonge vrouw, met haar armen en benen gespreid en haar hoofd naar achteren. Haar dode ogen staarden naar het dak van de auto. Ze droeg een simpel topje en een rok, allebei met bloed doorweekt. Haar huid was griezelig wit, alsof al het bloed eruit was gestroomd. Die bleekheid werd nog versterkt door de krachtige schijnwerper in de tent. De binnenkant van de auto zat onder het bloed; bloed uit een slagader was tegen de voorruit en over het crèmekleurige dashboard gespoten.

Het meisje leek nog erg jong, van Jo's leeftijd. Ze was knap geweest, met lang, blond haar, dat in een waaier over de rug van de bank lag. Maar ook haar haar zat vol geronnen bloed en plakte in klonten tegen haar schouders. Er liep een diepe rode snee over haar hals, van oor tot oor, en nog een andere van haar keel tot aan haar navel. Haar borstkas was opengesneden en haar ribben waren gebroken.

Laura richtte zich op. Ze dacht dat ze al genoeg misdrijven had gezien om niet meer onpasselijk te worden van zo'n tafereel, maar opeens voelde ze een golf van misselijkheid opkomen en was ze bang dat ze moest kotsen. Ze haalde een paar keer diep adem, en langzaam nam het gevoel weer af. Ze wilde al haastig teruglopen naar de MGB toen ze opeens een stem naast zich hoorde. 'Goedenavond.'

Laura draaide zich abrupt om en stond oog in oog met een jonge agent, die haar strak aankeek. Ze zag er niet uit, dacht ze onlogisch. Haar huid voelde koud en ze wist dat het bloed uit haar gezicht was weggetrokken. Zweet parelde op haar voorhoofd.

'Ik, eh...'

'Wilt u met mij meekomen, alstublieft?' De politieman pakte haar bij haar arm.

Zodra ze de tent binnenkwamen riep hij een rechercheur in burger, die vlakbij stond. Laura was gebiologeerd door het dode meisje in de auto, slechts een paar meter bij haar vandaan.

'O, hallo.' De rechercheur nam haar van hoofd tot voeten op. 'En wat hebt u hier te zoeken, op zo'n akelige, koude avond?'

Ze wilde net antwoord geven toen Philip haar kant op keek, zijn camera liet zakken en diep zuchtte. 'Shit,' hoorde ze hem mompelen.

'Inspecteur Monroe,' Philip zorgde ervoor dat hij Laura niet aankeek, 'dit is een vriendin van mij, Laura Niven.'

John Monroe was een lange, vlezige, breedgeschouderde man van begin veertig, in een slechtzittend bruin pak met een mosterdgele das die betere tijden had gekend. Hij was kaal, afgezien van een randje donker haar aan weerskanten van zijn schedel, dat tot stoppels was afgeschoren. Ooit was hij een veelbelovende sprinter geweest, maar hij had zijn conditie laten versloffen. Zijn grote hoofd rustte op een korte, dikke nek. Het meest opvallend waren zijn grote, zwarte ogen, die hem nog enigszins aantrekkelijk maakten en de suggestie wekten van een scherp verstand, doorzettingsvermogen, maar zonder een spoor van mededogen of humor. 'Aha, een vriendin van meneer Bainbridge.' Monroes stem was een klassieke bariton, gekleurd door permanent sarcasme.

'Ja, neem me niet kwalijk. Ik had haar gevraagd...'

'Ach, verdorie, Philip,' snauwde Laura opeens. 'Ik kan zelf wel praten. Ik ben geen kind meer.' Ze keek Monroe aan, die een moment van zijn stuk leek gebracht. 'Agent...'

'Inspecteur...'

'Inspecteur... Monroe? Het spijt me. Philip zei dat ik in de auto moest blijven, maar ik was...'

'Nieuwsgierig?'

'Ja, zoiets.'

'U begrijpt nu wel, mevrouw Niven, dat dit de plaats van een misdrijf is, een bijzonder gruwelijk misdrijf zelfs. Het gewone publiek...'

'Inspecteur, ik kan voor Laura instaan,' zei Philip met klem. 'Ze weet wel dat ze hier niet had moeten komen, maar...'

Hij kreeg niet de kans zijn zin af te maken. Iemand in een wit pak riep vanuit de auto: 'Inspecteur? Ik denk dat u dit moet zien.'

Monroe draaide zich haastig om en was in twee stappen bij de auto. Philip keek Laura woedend aan en wilde net iets zeggen toen ze tot zijn schrik achter Monroe aanliep.

'Dit zat in de wond,' zei de technische rechercheur. Hij had witte handschoenen aan en tussen zijn duim en wijsvinger hield hij een muntje omhoog, besmeurd met bloed.

Monroe pakte het aan, ook met een handschoen, en bekeek het in het licht. Laura keek mee, totdat Monroe haar een nijdige blik toewierp en ze een stap terug deed. Het muntje was niet groot en versierd met een prachtige afbeelding van vijf naakte vrouwenfiguren die een schaal omhooghielden.

'Het lijkt massief goud,' zei de technische rechercheur, 'maar dat zal ik nog laten vaststellen in het lab.' Monroe borg het muntje zorgvuldig in een plastic zakje dat de rechercheur voor hem openhield. Toen hij zich omdraaide, zag hij dat Laura nog steeds vlakbij stond. Hij keek ontstemd naar Philip.

'Meneer Bainbridge,' zei hij, terwijl hij een vinger tussen zijn nek en het boordje van zijn hemd liet glijden, 'zou u, als u hier klaar bent, zo vriendelijk willen zijn uw vriendin mee naar uw auto te nemen en te vertrekken?'

'Goedenavond dan maar, inspecteur,' zei Laura vinnig toen Monroe haar zijn rug toekeerde. 'Het was me een genoegen.'

3

'Wat bezielde je in godsnaam?' riep Philip nijdig. Laura had hem nog nooit zo kwaad gezien. 'Dit is mijn werk, Laura. Om zo'n stomme actie kunnen ze me ontslaan.'

'Stel je niet zo aan, Philip. Ik keek alleen maar door een tentflap. Die agent maakte het allemaal veel erger door me naar binnen te brengen, of niet soms?'

Philip draaide even zijn hoofd naar haar toe voordat hij weer door de voorruit tuurde. 'Weet je, soms denk ik...'

'Wat?'

'Een plaats delict is niet toegankelijk zonder uitdrukkelijke toestemming van de politie. Dat weet je verdomd goed, Laura.'

'Oké, oké, het spijt me. Ik had best mijn excuses willen aanbieden, maar ik kreeg de kans niet.'

'Je had geluk dat Monroe wel wat anders aan zijn hoofd had.'

Ze zwegen een moment.

'Nou? Wat denk jij ervan?'

'Ik mag er niets over zeggen, Laura.'

'Toe nou, Philip – ík ben het, weet je nog?'

Hij staarde naar de weg en Laura zag de spanning in zijn kaak.

'Dus dat is het? Je wilt niets tegen me zeggen omdat ik de regeltjes heb overtreden?'

Hij bleef haar negeren.

'Altijd hetzelfde,' zei ze nijdig.

Opeens trapte Philip op de rem en zette de auto in de berm. Zonder de motor af te zetten keerde hij zich naar Laura om.

'Luister, Laura,' zei hij, niet in staat de woede uit zijn stem te houden. 'Hoeveel ik ook van je houd, soms kun je een ongelooflijk arrogant en vervelend kreng zijn.'

Ze wilde protesteren.

'Nee, luister nu eens een keer naar mij!' zei Philip met enige stemverheffing. 'Ik heb mijn eigen leven hier. Jij kunt morgen weer terug naar New York, terug naar je boeken en je eigen wereld. Ik moet met deze mensen samenwerken, een paar dagen per week. Daar verdien ik mijn brood mee. Maar jij hebt nooit begrepen wat respect is, of wel soms?'

'Wát?' sneerde Laura.

'Je hebt altijd gedaan wat jij wilde. Je kon komen en gaan zoals het jou uitkwam.' Hij zweeg abrupt. Opeens had hij spijt dat hij al zoveel had gezegd, omdat hij wist dat een deel van zijn woede niets te maken had met Laura's optreden van die avond, maar veel meer met het verleden. Het bleef een hele tijd stil.

'Dat vind ik niet eerlijk,' zei Laura ten slotte. 'Het klinkt veel te eenzijdig, zoals jij het zegt. Als je het over Jo hebt, en over onze keus, dan heb jij net zo'n groot aandeel gehad in die beslissing.'

'O ja?' antwoordde Philip, wat kalmer nu. 'Is dat zo? Zou jij met haar in Engeland zijn gebleven, als ik dat had gevraagd? Dat denk ik niet.'

Laura wist niet wat ze daarop moest antwoorden. Ze waren nog kinderen geweest, zo simpel lag het. Ze kwam uit een gebroken gezin van gescheiden ouders. Haar moeder Jane was actrice geweest in B-films, voordat ze na een periode van verslaving en afkicken in een commune in San Luis Obispo terecht was gekomen. Haar vader was een dure advocaat in Los Angeles. Laura had een Rhodes-beurs gekregen om geschiedenis te gaan studeren aan Magdalen in Oxford. Ze had talent gehad, ambitie.

Maar toen was ze zwanger geworden. Vlak voor haar laatste tentamens begon ze zich 's ochtends misselijk te voelen. En terwijl de anderen na de tentamens champagne dronken uit de fles, was zij naar haar kamer gegaan om te huilen en over te geven. Haar ouders waren overgekomen voor haar afstuderen en met veel moeite had Laura het aan haar moeder verteld. Jane Niven had het stoïcijns aangehoord en nooit geprobeerd haar dochter een beslissing op te dringen. Ze had jarenlang met haar eigen demonen gevochten. Een dochter die zwanger werd op haar eenentwintigste was slechts een ondergeschikt probleem. Nu pas vroeg Laura zich af of haar moeder haar niet beter een dringend advies had kunnen geven.

Philip had geprobeerd om heel volwassen te reageren, maar hij was zelf nog maar zo jong. Hij was een jaar eerder afgestudeerd, maar hij woonde op kamers, verdiende wat geld met foto's van bruiloften en baby's en droomde van exposities die in werkelijkheid nog meer dan tien jaar in het verschiet lagen. Hij was platzak, onvolwassen en had geen idee hoe het nu verder moest. Na de bevalling had Laura overwogen om in Engeland te blijven en een baantje te zoeken. Misschien hadden zij en Philip iets kunnen bedenken, samen een leven kunnen opbouwen, maar haar gevoel zei haar dat ze geen toekomst hadden. Voordat hun dochtertje zes maanden oud was, had Laura besloten naar Amerika terug te gaan, met Jo.

Toch waren Laura en Philip altijd vrienden gebleven. Zo vaak mogelijk kwam Philip naar Amerika. En toen Laura een aanstelling kreeg als misdaadverslaggeefster bij *The New York Post* en wat meer verdiende, reisde ze ook naar Engeland met Jo. Drie jaar later trouwde ze met Rod Newcombe, een vastberaden, ambitieuze documentairemaker, met wie ze geweldige plannen maakte voor een grote serie over historische misdrijven. Rod was een goede vader voor Jo, die dol op hem was, en korte tijd vormden ze een heel gelukkig gezinnetje. Maar in 1994 was Rod naar Rwanda vertrokken en teruggekomen in een bodybag. Jo was zeven. Ze kon niet bevatten wat er met haar stiefvader was gebeurd en dat er niets anders van hem restte dan wat beelden op een videoband.

Voor Laura kwam het vreselijke verlies in een toch al moeilijke periode. Ze werkte nog maar pas als misdaadjournaliste en was nog niet gewend aan de smerigheid en ellende waarmee ze dagelijks werd geconfronteerd. Na een zaak waarin een prostitué eerst de penis van een klant had afgebeten voordat ze zichzelf door haar hoofd had geschoten, had Laura haar toevlucht genomen tot antidepressiva en kwam ze wekelijks bij een therapeut.

Maar ook die fase was ze te boven gekomen. Geleidelijk was Laura gewend geraakt aan de grimmige realiteit van het werk waarmee ze haar brood verdiende. Toch had ze dikwijls spijt van de keuzes in haar leven. En als ze weer bij Philip was, besefte ze hoe anders haar leven had kunnen verlopen, hoeveel ze eigenlijk van hem hield en welke andere mogelijkheden er waren geweest. Maar tegelijk wist ze dat met elk bezoek hun wegen verder uiteenliepen en dat het steeds moeilijker – niet makkelijker – werd om nog te denken aan een alternatieve werkelijkheid waarin zij met hun drieën, Jo, Philip en zijzelf, ooit samen konden zijn.

Vreemd genoeg leken haar optreden en haar woorden van die avond bijna symptomatisch voor de situatie. Een geweldig verdriet overstelpte Laura en ze had moeite haar tranen te bedwingen. Ze had geen antwoord op Philips vraag. Zou ze een andere keus hebben gemaakt?

Eindelijk haalde ze diep adem en zei: 'Het spijt me, Philip. Dat was heel onredelijk van me.'

Philip keek haar een paar seconden aan. Ze had hem geen antwoord kunnen geven op zijn vraag, maar dat begreep hij. Hij had zelf ook geen antwoorden. Hij vermoedde dat Laura soms ook wilde dat het allemaal anders was gelopen. Hij wel, in elk geval, vaker dan hij wilde toegeven, ook tegenover zichzelf. En als hij er wél over nadacht, maakte een dringende stem een einde aan de discussie in zijn hoofd met het logische argument dat het nu toch te laat was en dat gedane zaken geen keer namen.

Opeens glimlachte hij. 'Ach, Monroe zal er wel overheen komen. Hij is een goede politieman, maar een irritante klootzak.'

Laura boog zich naar Philip toe en kuste hem op zijn wang toen hij weer de weg op draaide.

'Ga je me nu vertellen wat je weet?'

Philip zuchtte diep, maar zijn woede was gezakt. 'Allemachtig, mens, jij geeft ook nooit op, of wel?'

'Nee,' antwoordde Laura met een lachje. 'Meestal niet.'

'Eerlijk gezegd weet ik niet veel meer dan jij. Ze was nog jong, een meisje van twintig, en ze kwam terug van het huis van een vriendin. Ze is gestorven ergens tussen zeven uur en halfacht vanavond. Het lichaam werd ontdekt door een man die zijn hond uitliet. Het dichtstbijzijnde huis staat een paar honderd meter verderop. Niemand heeft iets gehoord of gezien.'

'Maar die wonden...' begon Laura, maar toen zweeg ze weer. 'Ik heb vijftien jaar als misdaadverslaggeefster in Amerika gewerkt, maar zoiets heb ik nog nooit gezien.'

'Nee, heel onprettig.'

'Aan "onprettig" ben ik wel gewend: klanten die hoertjes de tong afsnijden, hoofden die uiteenspatten door een salvo uit een halfautomatisch wapen... dat soort dingen. Maar bij dit meisje hadden ze haar hart eruit gesneden! Goeie genade. Alsof het een operatie was, zo zorgvuldig en nauwgezet.'

'Ik weet het. Ik heb de foto's gemaakt.'

'Geen gemiddelde moord, zou ik zeggen, Philip. Meer... ik weet het niet, een ritueel of zoiets.'

'Ja, dat zou kunnen,' antwoordde Philip, nog steeds met zijn ogen op de weg gericht. 'Ik ben geen politieman.'

Het bleef weer even stil. Toen zei Laura: 'En dat muntje. Wat had dat te betekenen?'

'Waarom ben je zo geïnteresseerd?' vroeg Philip ongeduldig.

'Geen idee. Omdat ik in mijn hart nog altijd misdaadjournaliste ben, denk ik.'

4

De wind rukte aan de ramen van Laura's kamer in het huis van Philip. Ze sliep onrustig en droomde wat ze altijd droomde in dit soort nachten: geen echte droom, maar een verwrongen herinnering.

Het begon ermee dat ze in een vliegtuig boven Los Angeles zat. Het was avond en ze ging naar haar vader en moeder, op hun verschillende adressen in Californië, kort nadat ze zelf naar New York was teruggegaan. Ze vlogen al boven de eerste voorsteden voordat de piloot aankondigde dat ze gingen landen. Tien minuten later kwam de stad in zicht en maakte het toestel een trage bocht naar het noorden, evenwijdig aan de kust. Beneden zich zag ze Los Angeles, helemaal verlicht, als de melkweg op zo'n ongelooflijke opname van de hubbletelescoop. Elke auto was een ster, elk huis een apart zonnestelsel van lichtjes. Door de luchtvervuiling glinsterden ze met rafelige randjes.

Natuurlijk had Laura deze vlucht wel eerder gemaakt, misschien wel tien keer, maar nooit bij avond. Het was adembenemend. En toen zag ze het. Ze staarde naar al die lampen, dat uitdagende lichtspel, alsof de mensheid haar middelvinger opstak naar de goden – schaamteloze overmoed. De I-405 strekte zich eindeloos uit met zijn miljoenen auto's. Van duizend meter hoogte was de snelweg nauwelijks herkenbaar omdat de vangrails, het asfalt en de bermen niet te zien waren. Een zwarte strook in een zee van licht. Al die lampjes, dat konden toch geen auto's zijn? Ze leken nergens bij te horen, alsof ze zich op eigen kracht verplaatsten, losse lichtpuntjes boven de grond. En opeens zag Laura het grotere beeld, het overzicht, al die lange stroken met lampjes, in strakke kolommen, zes banen, twee kanten op. Een ononderbroken lint van puntjes, die allemaal synchroon bewogen. Het ene moment waren het nog blikken dozen met Stan, Jim of Tabitha, op weg naar huis, naar kleine Jimmy, Dorothy of Delores – duizenden kleine eilandjes, menselijke cocons van warmte en muziek. Laura zag ze voor zich, al die aparte bundeltjes van gedachten, verlangens, herinneringen, zorgen en zwakheden. Maar dat moment verstreek en plotseling werden de puntjes iets heel anders. De autoweg veranderde in een bloedvat, met de achterlichtjes als rode en de koplampen als witte bloedlichaampjes, heen en weer stromend door de slagader van een donker lichaam dat ergens moest liggen, daar beneden, onzichtbaar in het felle schijnsel.

Laura schrok wakker, schoot overeind en tuurde naar de wekker, die 05:32 aangaf. Buiten stormde het. Toen herinnerde ze zich dat Jo nog niet terug was toen ze vlak voor middernacht waren thuisgekomen. En ze had de voordeur nog niet gehoord.

Opeens was ze klaarwakker en werd ze overspoeld door de beelden van het bleke lichaam dat ze in die auto had gezien. Bloed en weefselresten, overal. Daar was ze inmiddels wel aan gewend, maar toen herinnerde ze zich de opengespleten borst van het meisje, het lichaam dat ze had gezien toen ze vlak bij de auto had gestaan, naast Monroe. Het leek of de ribben waren doorgezaagd met speciaal gereedschap, zoals een chirurg dat gebruikte. De incisie was uiterst trefzeker gemaakt, zonder verspilde energie. Ze zag weer het beeld van de doorgesneden slagaders en bloedvaten, de afgehakte randen van de omgeving van het hart. Ook al zo vakkundig en nauwgezet.

Laura liet haar hoofd op het kussen zakken en probeerde te slapen. Ze verjoeg de lugubere beelden en concentreerde zich op haar eigen leven. Haar koffers waren gepakt en stonden aan het voeteneinde van haar bed. De volgende morgen om tien uur zou ze naar het vliegveld vertrekken. Morgenavond zou ze terug zijn in Greenwich Village, terug in haar appartement, om haar planten te reanimeren en een andere invalshoek te vinden voor haar nieuwe boek. Het nieuwe boek. Daar zat totaal geen schot in, herinnerde ze zich abrupt. En bij die gedachte viel het haar nog moeilijker om de slaap te vatten.

Ze probeerde greep te krijgen op het plot dat ze had uitgewerkt en zo naar een fantasiewereld te ontsnappen. Die truc paste ze wel vaker toe; dikwijls hielp het tegen slapeloosheid. Maar deze nacht leek niets de harde realiteit te kunnen verdoezelen.

Het volgende moment was ze weer terug op de plek van de moord... Monroe die met zijn latexhandschoenen het muntje aanpakte. Het glinsterde in het licht van de schijnwerpers, behalve waar het bloed was aangekoekt en opgedroogd. Ze had zo'n munt nog nooit eerder gezien. Hij leek heel oud, en van goud – oud goud, hoewel ze er geen verstand van had. Waarom zou de moordenaar dat geldstuk hebben achtergelaten? Behalve dat het een gevaarlijk spoor kon vormen, moest het ook heel kostbaar zijn.

Philip was terecht zo kwaad op haar geworden, maar Laura wist dat er meer achter stak. Het kon geen toeval zijn dat hij zo was uitgevallen op de avond voor haar vertrek naar New York. Het was de oude irritatie die weer bovenkwam. Hij vond dat ze hem in de steek had gelaten, al die jaren geleden, ook al hadden ze allebei geweten – en dat wisten ze nu heel zeker – dat ze het samen nooit zouden hebben gered. De afgelopen drie weken waren heerlijk geweest en ze moest toegeven dat ze soms fantasieën had waarin ze werkelijk een gezinnetje vormden en hier in dit zeventiende-eeuwse huis woonden, in een dorpje vlak bij Oxford. Dat Jo hier was opgegroeid, bij haar vader en haar moeder. Het was een prettige droom.

Laura was zo verdiept in haar eigen fantasie, dat het even duurde voordat het geluid van de telefoon in de hal beneden tot haar doordrong. Philips deur ging open en ze hoorde zijn zware voetstappen toen hij half struikelend de gang door liep en de steile, bochtige trap afdaalde. Hij zei iets, maar Laura kon het niet verstaan. Toen werd de hoorn op de haak gesmeten en rende hij de trap op, in grote haast. Even later werd er dringend geklopt en vloog haar deur open.

'Het is Jo,' zei Philip. Hij zag doodsbleek. 'Ze heeft een ongeluk gehad. Ze ligt in het John Radcliffe.'

5

Cambridge, februari 1689

De vorige avond was Isaac Newton te vermoeid geweest om zelfs maar zijn bagage uit te pakken. Zijn bediende, Elias Perrywinkle, had de zware hutkoffer met de nieuwe aankopen over de binnenplaats van Trinity College gesleept, de stenen wenteltrap op, naar de kamers die Newton deelde met zijn oudste collega, John Wickins.

Nadat Newton de bediende had weggestuurd met een fooi en een gemompeld bedankje, had hij nauwelijks energie gehad om de koffer naar het laboratorium naast zijn privévertrek te brengen, zijn laarzen uit te trekken en zijn mantel vol modder over een stoel te gooien. Daarna had hij zich op zijn matras uitgestrekt en was meteen in een diepe slaap gevallen.

Kort voor het zevende uur was hij wakker geworden, net toen de eerste stralen van de zwakke winterzon door de ramen aan de oostkant van zijn kamers vielen. Een paar minuten later verscheen Perrywinkle met een tinnen kom met warm water en een schone linnen doek. Het water was welkom. Newton voelde het in zijn droge huid dringen. Toen hij een glimp van zichzelf opving in de kleine spiegel die hij op de vensterbank had gezet, schrok hij een beetje. Hij zag eruit als een man voor wie een gezonde nachtrust, zonder warrige dromen, al een hele tijd geleden was.

De bediende haalde het grijze water weg en liet hem weer alleen.

Newton trok een ander hemd aan, toen zijn laarzen, en haalde de sleutel van zijn laboratorium uit zijn zak. Op weg erheen nam hij het verzilverde bord en de beker mee die Perrywinkle had achtergelaten. Op het bord lagen een appel en een homp brood; in de beker zat vers, lauw water.

Het laboratorium was niet bijzonder groot. Hoewel Newton nu al twintig jaar Lucasiaanse professor in de wiskunde was aan de universiteit van Cambridge, was het bestuur niet scheutig met voorzieningen. Maar het volstond. Hij ontstak de toortsen aan weerskanten van de deur, die doffe poelen van licht vormden in de kamer. Ramen waren er niet. Hij deed de deur achter zich op slot. Wickins was op bezoek bij familie in Manchester, maar Newton kon geen indringers of nieuwsgierige blikken riskeren in zijn privédomein. Hij liep naar de haard, stapelde wat hout op en stak het aan met een van de toortsen. Al vlot laaide er een vuurtje op dat de schaduwen verjoeg, zodat hij voldoende zicht had ondanks de zware chemische dampen waarmee de ruimte altijd was gevuld.

De muren gingen schuil achter hoge kasten. Newtons bibliotheek was inmiddels gegroeid tot zo'n driehonderd exemplaren, die zich bijna uitsluitend bezighielden met alle aspecten van de alchemie en de hermetische traditie. De jaarlijkse inkomsten van het familielandgoed bij Woolsthorpe in Lincolnshire en een groot deel van zijn toelage als professor waren in de collectie geïnvesteerd. Het was misschien wel de beste bibliotheek op dit gebied in de gehele christelijke wereld. Hier waren boeken te vinden als *Avondmaal op Aswoensdag* van Giordano Bruno, persoonlijke vertalingen van Galileo's ketterse werken die door het Vaticaan in de ban waren gedaan, transcripties van de Smaragden Tafel, de Rozenkruisersmanifesten, *Septimana Philosophica* van Michael Maier en werken van Raymundus Lullus, Robert Fludd en Jakob Böhme.

Maar de kasten bevatten meer dan Newtons boeken alleen. Er lagen ook stapels papieren: zijn aantekeningen en verslagen van experimenten. In de kasten was niet eens genoeg ruimte, zodat een deel was opgestapeld op een tafel aan één kant van de kamer. En ongeveer een derde van de kastruimte werd in beslag genomen door flessen en glazen potten. Enkele van de flessen bevatten gekleurde vloeistoffen. Ze hadden allemaal een kurk en een etiket. In een hoek van de ruimte was een ingewikkelde glazen stellage opgesteld – een distilleerapparaat – en in een andere hoek een telescoop op een statief. In de grote stenen haard was een metalen ketel opgehangen aan haken die in de muur waren verankerd.

Voor een vreemde die de kamer binnenkwam zou de mengeling van geuren overweldigend zijn geweest. Maar Newton was zich nauwelijks meer van die lucht bewust, en zelfs als er een bijzonder opdringerige geur boven het vertrouwde aroma uitsteeg, verwelkomde hij die als een alledaags verschijnsel.

Het was ijzig koud, maar de warmte van de haard zou de kamer snel veranderen in een sauna. Jaren eerder had Newton een paar werklui betaald om speciale ventilatiegaten in de buitenmuur van het laboratorium te hakken, een eenvoudige aanpassing die hem waarschijnlijk meer dan eens voor de verstikkingsdood had behoed. Hij liep nu naar de tafel, maakte een plek vrij en zette het bord en de beker neer voordat hij zich omdraaide en bij de koffer hurkte die hij de vorige avond midden op de vloer had gezet.

Terwijl hij aan het slot prutste, dacht hij aan zijn laatste reis naar Londen, op jacht naar de ontbrekende schakel die daar te vinden moest zijn; daar was hij van overtuigd. Al bijna een kwart eeuw was hij nu op zoek naar het fundamentele geheim van het bestaan, de *prisca sapientia*. De wetenschap was zijn grootste liefde, maar hij perste haar uit als een citroen. Twee jaar geleden had hij zijn *Principia Mathematica* gepubliceerd, waarmee hij een autoriteit was geworden in de academische wereld. Maar al die tijd had hij geweten dat het heelal meer was dan bouten en moeren, meer dan het mechanische bouwwerk dat hij had geobserveerd en beschreven in zijn beroemde werk.

Bijna vanaf het moment dat hij in 1661 aan de universiteit van Cambridge was gekomen, had hij zich aangetrokken gevoeld tot de wereld van de alchemie en het occulte. Isaac Barrow, zijn oude mentor en voorganger als Lucasiaanse professor, had de eerste vonk bij hem gewekt, die tot een laaiend vuur was aangewakkerd door de geschriften van de grote adepten uit het verleden, mannen als Cornelius Agrippa en Elias Ashmole, John Dee en Giordano Bruno. Hun zoektocht stond bekend als het Grote Werk of *Magnum Opus*. Jarenlang hadden deze grote geesten van het occultisme ingewikkelde alchemistische experimenten uitgevoerd in hun rokerige laboratoria. Ze hadden hun leven in dienst gesteld van hun zoektocht naar de Steen der Wijzen, de legendarische stof die de alchemist in staat moest stellen om elk eenvoudig metaal in goud te veranderen. De magische schakel tussen de fysische en metafysische wereld, waarmee de adept ook het *elixir vitae* zou kunnen maken en de eeuwige jeugd verwerven.

Zoals iedere alchemist vóór hem had Newton zijn ideeën gebaseerd op de 'bijbel van de hermetische onderzoeker', de doctrine van de Smaragden Tafel. In zijn jeugd had Barrow hem alles verteld over het bestaan van die wonderbaarlijke tekst, die de gids was van alle alchemisten. De tekst dateerde uit de oudheid, had Barrow uitgelegd, een tijd waarin de mensen nog veel meer wisten over de werking van het heelal dan al die intellectuelen en filosofen uit hun eigen tijd. De Ouden hadden hun kennis vastgelegd in de Smaragden Tafel. Niemand wist waar de oorspronkelijke tafel zich nu bevond. Hij was verdwenen voor het oog van de sterfelijke mens, maar vertalingen van de inscripties waren door alchemisten doorgegeven van generatie op generatie, en iedereen had zich gehouden aan die absolute waarheid van de Ouden. De tafel beschreef de weg naar de Steen der Wijzen: hoe ze hun eigen ziel moesten voorbereiden en de grove fysieke materie waarmee ze werkten moesten prepareren. Volgens Newton lag het niet aan de Ouden dat geen enkele alchemist er tot nu toe in was geslaagd het voorwerp van hun dromen te realiseren. Het probleem was dat geen enkele filosoof of alchemist zijn ziel voldoende had gezuiverd en dat niemand nog met voldoende inzet en vastberadenheid naar de Waarheid had gezocht.

Anders dan bijna alle andere alchemisten, van Hermes Trismegistus zelf tot aan zijn kleine kring van adepten, ging het Newton niet om de vervaardiging van goud als zodanig. Onmetelijke rijkdom zei hem niet zoveel. Voor hem was het goud aan het einde van de regenboog de zuivere kennis van de goden. Om die te verwerven, was hij tot alles bereid. Het was de reden voor zijn bestaan. Al zoveel jaar had hij bij zijn smeltoven gestaan om de microkosmos te bestuderen en in verband te brengen met de macrokosmos die hij door de lenzen van zijn telescoop kon zien. Hij had verbanden gelegd en het principe van het holisme op een veel hoger plan gebracht. Geleidelijk was hij tot de overtuiging geraakt dat hij zelf half goddelijk was en slechts met één doel hier op aarde was gezet: om de Steen de Wijzen te vinden en de Waarheid te doorgronden. God had hem uitverkoren voor die unieke rol en hem begiftigd met het grootste verstand van zijn generatie, zodat hij, Isaac Newton, Lucasiaanse professor aan de universiteit van Cambridge, in opdracht van zijn Vader de rest van de mensheid de werkelijke zin van het bestaan, het diepste geheim van de Natuur en het mechanisme van het heelal zou kunnen openbaren.

De hengsels knarsten toen Newton het deksel optilde. De grote koffer bevatte een aantal glazen flessen, zorgvuldig in wol gewikkeld om ze te beschermen tegen de schokken van de hobbelige rit vanuit Londen. De flessen waren gevuld met chemicaliën. In een ervan zaten metalen cilinders met een grijze beschermlaag, ondergedompeld in een gele olie. Daarnaast lag een buis met poeder, zwart als roet, en verderop een koker met rode talk. Op zijn kant, verpakt in een dikke wollen doek, lag een grote zandloper.

Een derde van de hutkoffer was gevuld met keurig opgestapelde, in leer gebonden boeken. Newton pakte het bovenste en wierp een blik op de rug: '*The Fame and Confessions of the Fraternity of the Rosicrucians*, door Thomas Vaughan,' las hij hardop, voordat hij het voorzichtig op de vloer naast de koffer legde. De titel van het volgende boek was in goudreliëf op de band gedrukt: *The Sceptical Chemyst*. De naam van de auteur, Robert Boyle, stond in grote letters onder de titel. Newton bladerde het even door voordat hij het boek op dat van Vaughan legde.

Vervolgens haalde hij de rest van de boeken uit de koffer. Hij droeg ze naar een tafel die tegen de muur rechts van de haard stond, waar hij ze sorteerde en overbracht naar de boekenkast. Toen hij een bijzonder fraai boek oppakte, gebonden in groen leer, *The Compound of Alchymy: The Twelve Gates Leading to the Discovery of the Philosopher's Stone*, geschreven door George Ripley, viel er een klein stukje perkament uit de achterkant van de band. Het kwam terecht voor Newtons voeten.

Hij raapte het op en vouwde het voorzichtig open. Het perkament was droog en vergeeld, maar de letters in verbleekte bruine inkt waren nog leesbaar. Newton liep naar de haard en hield het perkament dicht bij zijn gezicht, zodat hij de tekst kon ontcijferen. Het was Aramees, een oude Semitische taal die hij wel kende. Newton vertaalde het in zijn hoofd en fluisterde de woorden hardop bij zichzelf:

O, gij zoeker, zoeker naar de waarheid, wanhoop niet. Want terwijl wij ons op de knieën werpen voor de groene tafel, is er een andere, nog diepere waarheid. Mijn vrienden, ik heb het slechts gezien als in een droom, maar de goden staan voor de waarheid in. Zoals de velden groen zijn, zo rood is het bloed des Heren, rood als de robijn. En zoals de tafel zijn eigen vorm heeft, zo ook de robijnsteen, die een bol is. Want voorwaar, ik heb het gezien als in een droom. En als de macht van de tafel gelijk staat aan één, is de macht van de robijnsteen het miljoenvoudige daarvan. De roemrijke tafel wijst de weg, de robijnsteen opent de deuren tot de wereld. Als uw ziel zuiver is, zoek dan de robijnsteen, waarmee u de glorie van de Ouden zult verwerven. Zoek de robijnsteen onder de grond, gevangen in steen. Daarboven wijsheid, daaronder aarde.

GR

Eronder was een afbeelding getekend van een bol, met een regeltje minuscuul schrift, in een strakke spiraal van pool tot pool. En helemaal onder aan het blad zag Newton een enkele rij van letters, cijfers en alchemistische symbolen, waarvan hij wist dat het een coderegel van occulte instructies moest zijn. Ten slotte, in de rechterbenedenhoek, ontdekte hij een kleine illustratie, een ingewikkeld motief van elkaar kruisende lijnen, als een klein labyrint.

Hij kon nauwelijks geloven wat hij gelezen had. Als dit werkelijk van Ripley afkomstig was (hij had het handschrift van de man al eerder gezien, en dit leek hetzelfde), dan moest dit een vondst van onschatbare waarde zijn. Voor hem, zoals voor iedere alchemist, was de Smaragden Tafel de belangrijkste gids op de weg naar de Steen der Wijzen. Maar volgens Ripley moest er dus nog iets zijn: deze robijnsteen, die veel belangrijker was. Misschien, concludeerde Newton toen hij weer terugliep naar de tafel voor de boekenkast, was dit een aanwijzing waarom de ultieme geheimen hem steeds waren ontglipt. Als dat zo was, moest het Gods wil zijn dat hij dit exemplaar had gekocht in de boekwinkel van William Cooper in Little Britain, dicht bij St.-Paul's, waar hij de dag voor zijn terugkeer naar Cambridge het grootste deel van de middag had doorgebracht. En als het Gods wil was, kon hij niet falen. Hij wist dat de Heer hem bij de hand zou nemen op dit nieuwe traject van zijn reis, die onverbiddelijk zou leiden tot de Waarheid.

6

Later zou Philip zeggen dat hij zich bijna niets kon herinneren van de rit naar het ziekenhuis door de bijna doodstille nacht. Maar zijn gedachten tolden door zijn hoofd, zijn hart bonsde van angst en hij werd bestormd door akelige herinneringen.

Meer dan twintig jaar geleden was zijn vader Maurice omgekomen bij een auto-ongeluk. Het was de belangrijkste, meest ingrijpende gebeurtenis geweest in Philips leven, een gebeurtenis die de richting van zijn bestaan een totaal andere wending had gegeven. Hij was toen tweeëntwintig en had twee weken eerder gehoord dat hij cum laude was afgestudeerd. Op de dag dat hij zijn bul kon halen, zat hij te ontbijten met zijn huisgenoten in een armoedig huis bij Cowley Road toen de telefoon ging. Het was oom Greg geweest, de broer van zijn vader. Zijn vader was met zijn auto frontaal op een vrachtwagen gebotst die door de middenberm was geschoten. Maurice was op slag dood geweest.

Philip had altijd gedacht dat hij niet echt van zijn vader hield, dat hij hem niet zou missen als hij dood was. Hij had te veel bittere herinneringen aan de man. Hij kon het autoritaire gedrag van zijn vader niet vergeten, de manier waarop hij het leven van Philips moeder tot een hel had gemaakt en zich daarna in zichzelf had teruggetrokken, achter een muur van stilte, op het moment dat ze bij hem was weggelopen.

Philip had alles gedaan om het zijn vader naar de zin te maken. Voordat hij ging studeren was hij al een enthousiast fotograaf geweest en had hij prijzen gewonnen met zijn werk; hij begon zelfs al foto's te verkopen. Maar het was een deel van zijn leven waarover zijn vader altijd kleinerend had gedaan. Daarmee kon je nooit iets verdienen, beweerde hij. Dus had Philip zijn camera's opgeborgen en was naar Oxford gegaan om te studeren. Zijn eigen dromen en ambities had hij weggestopt om het pad te volgen dat zijn vader voor hem had uitgestippeld.

En toen Philip op de dag van de begrafenis in het rouwcentrum bij de open kist van zijn vader stond, kon hij alleen maar bedenken hoe ironisch het allemaal was. Zijn hele leven had hij de goedkeuring van die man gezocht; en nu, op de dag van Philips grootste triomf, had de klootzak zich doodgereden. Het leek bijna, dacht hij heel irrationeel, of zijn vader opzettelijk was verongelukt om hem een hak te zetten.

Maar later, toen hij weer helder kon denken, begon Philip te begrijpen dat er meer achter stak dan dat simpele emotionele oordeel. De man was een bullebak geweest, maar had ook een overdreven behoefte gehad aan privacy. Dat was een obsessie voor hem. Hij werd voortdurend achtervolgd door de angst dat de buitenwereld probeerde zich met zijn leven te bemoeien. Toen Philip daar stond, bij die kist met de huls van een menselijk wezen, kon hij de gedachte niet van zich afzetten dat daar de man lag die nooit iemand had vertrouwd, die zijn correspondentie door de papierversnipperaar haalde en elke nacht drie grendels voor alle deuren schoof. En daar lag hij nu, beroofd van al zijn waardigheid.

Dat, meer dan iets anders, was voor Philip de reden geweest om helemaal opnieuw te beginnen. Zijn hele jeugd had hij onder de knoet van zijn vader geleefd, maar diep vanbinnen wist hij dat hij veel meer op zijn moeder leek. Joan Bainbridge, geboren als Joan Ghanmora, was een van de succesvolste kunstenaars uit het Caraïbisch gebied. Haar zwarte vader was verdwenen toen ze nog heel jong was en ze was opgevoed door haar Schotse moeder Elizabeth, die haar vanaf haar zesde had aangemoedigd om te gaan schilderen.

Ze had Philips vader ontmoet toen hij in 1957 door zijn baas was uitgenodigd voor Joans eerste expositie in New York. Philip had nooit begrepen wat zijn moeder in Maurice zag. Hij was zakenman zonder al te veel begrip voor kunst of andere culturele zaken. Zijn hele leven was gewijd aan getallen in een grootboek, terwijl Joan zijn absolute tegenpool was: een vrije geest, die geen interesse had in geld en zelfs niet in roem.

Philip had altijd contact gehouden met zijn moeder en soms bij haar gelogeerd in Venetië, waar ze vijfentwintig jaar had gewoond met haar tweede man, een operazanger. Toch had hij zich nooit laten meeslepen in Joans wereld, hoe verleidelijk hij dat ook vond. Maar na de dood van zijn vader hadden zich opeens een paar deuren in Philips hoofd geopend. Binnen een paar maanden nadat hij cum laude was afgestudeerd in PPE, had hij alle plannen die zijn vader voor hem had gemaakt overboord gegooid. De City en het vooruitzicht van een salaris van zes cijfers spraken hem niet meer aan. Hij had zijn camera weer uit de kast gehaald en zich voorgenomen om met fotografie zijn brood te verdienen.

Maar de veranderingen gingen nog veel dieper. Philip had nooit enige belangstelling getoond voor paranormale zaken, maar tegen het einde van dat jaar was hij gefascineerd geraakt door het concept van het aura en de Kirlian-fotografie. Hij had alle boeken over het onderwerp gelezen die hij te pakken kon krijgen en workshops en cursussen gevolgd. Nadat hij zich twee jaar volledig in die wereld had ondergedompeld, was hij er abrupt weer mee gestopt. Later had hij zich eigenlijk nooit afgevraagd waarom hij dat alles achter zich had gelaten om zich volledig te richten op het fotograferen van misdaden en lijken. Het was gewoon een manier om aan de kost te komen, terwijl hij ook doorging met zijn creatieve werk, exposities hield en droomde van internationale erkenning. De mensen om hem heen hadden zijn motieven wel degelijk begrepen, maar hun theorieën voor zichzelf gehouden. Door lijken te fotograferen, beseften ze, probeerde Philip op de een of andere manier iets te vinden dat hij niet had teruggezien in het lichaam van zijn vader: de suggestie van een ziel.

Het begon weer te regenen toen ze vlak bij het ziekenhuis waren. Dat wekte Philip uit zijn overpeinzingen en confronteerde hem met de kille werkelijkheid van het moment. Ze reden het parkeerterrein op, zetten de auto op de eerste de beste plek die ze tegenkwamen en renden naar de helder verlichte receptie. Geen van beiden hadden ze oog voor de prachtige rode zonsopkomst voor hen uit.

Het telefoontje was afkomstig geweest van een van Jo's vriendinnen, Samantha, die samen met Jo en haar vriend Tom in de auto had gezeten. Samantha had zelf enkel wat schrammen en kneuzingen opgelopen, maar ze wist niet hoe de andere twee eraan toe waren. Ze troffen haar bij de receptie, waar ze in gesprek was met een jonge dokter die hen meenam door een gang naar een kleine kamer met vier bedden. Jo lag in het laatste, met een gordijn afgescheiden van de rest.

Tot grote opluchting van Laura en Philip zat ze overeind. Ze had een gemene snee boven haar rechteroog, en haar arm, die op het laken lag, zat tot aan de elleboog in het verband.

'Ze heeft een hersenschudding,' zei de arts, met een blik op Jo's kaart. 'Maar de CT-scan was goed. Ze had een paar hechtingen nodig, maar ik denk dat ze het wel redt.'

Laura sloeg voorzichtig haar armen om haar dochter heen en Jo keek glimlachend op naar Philip, die naast het bed bleef staan.

'Mijn god, Jo,' zei Laura. 'Ik dacht...'

'Nee, mam, ik ben er nog,' fluisterde Jo en ze raakte Laura's wang aan.

'Hoe is het met Tom?' vroeg Philip. Hij draaide zich om keek vragend de dokter aan.

'Die heeft ook geluk gehad. Een paar gebroken ribben, twee gebroken vingers en nog wat builen en schrammen. Hij ligt in een kamer verderop, waar ze nog met hem bezig zijn.'

'Wat is er in godsnaam gebeurd, Jo? Tom had toch niet gedronken?'

'Nee, mam, hij drinkt niet,' antwoordde Jo en ze keek haar moeder geërgerd aan. 'Bovendien zat *ík* achter het stuur, niet hij.'

Laura keek een moment verbaasd, maar glimlachte flauwtjes tegen haar dochter en pakte haar hand.

'We reden net over St.-Aldate's, terug naar Carfax, toen er een auto uit een zijstraat kwam. Ik denk dat ik te hard aan het stuur rukte. Daardoor raakten we in een slip op de natte weg en raakten we een lantaarnpaal.'

'Dan zijn jullie er nog goed vanaf gekomen.' Philip slaakte een zucht en ging op de rand van het bed zitten, tegenover Laura.

'Maar mam, moest jij niet naar Heathrow?'

Laura keek haar dochter aan met een blik alsof ze zich plotseling iets herinnerde uit een ver verleden. Vermoeid wreef ze zich in haar ogen. 'Nee, daar is geen sprake van. Ik ga hier niet weg voordat jij er weer helemaal bovenop bent.'

Jo wilde protesteren, maar op dat moment ging Philips mobieltje.

Philip keek haastig naar de dokter. 'Sorry, ik had het uit moeten zetten. Momentje graag.' Hij liep naar het raam en sprak zachtjes in het toestel.

De arts keek geïrriteerd. Hij draaide zich weer om naar Jo en zei: 'Zodra u zich goed genoeg voelt, mag u weer naar huis.'

'En Tom?'

'Dat gaat nog wel een paar uur duren. We willen wat tests doen. Maar u kunt wel naar hem toe als u wilt.' En hij liep naar de deur.

De dokter wierp een blik naar Philip en maakte een gebaar langs zijn keel. Philip knikte schaapachtig en maakte haastig een eind aan zijn gesprek. Toen hij terugliep naar het bed zei hij: 'Ik ben bang dat ik ook weg moet. Er is weer een moord gepleegd.'

7

De plaats van de moord lag ruim tweeënhalve kilometer van het ziekenhuis, maar de ochtendfile naar Oxford vanaf de M40 door Headington was al op gang gekomen en het kostte Philip bijna twintig minuten om er te komen.

Laura was in het ziekenhuis gebleven bij Jo, en dat kwam hem goed uit; hij had geen behoefte aan een herhaling van de vorige avond met Monroe. Nog steeds half versuft door de schrik om zijn dochter probeerde hij zich te concentreren op zijn werk. Hij zette zijn auto op een parkeerplaats aan de voet van Cave Street, dicht bij de rivier, legde zijn politiepasje achter de voorruit, haalde zijn tas uit de kofferbak en liep naar het jaagpad langs een zijtak van de rivier de Cherwell.

Het pad naar de oever was glibberig en Philip deed het rustig aan. Het begon weer te regenen en voor zich uit zag hij het troebele grijze water van de rivier. Ongeveer tien meter verderop stond een verfomfaaid groepje politiemensen: twee agenten in uniform, Monroe met zijn rug naar het pad en een brigadier die een paraplu boven het hoofd van de inspecteur hield. Een eindje verder zag hij twee mensen van de technische recherche naar een huis lopen dat op palen in de rivier stond. Het begon harder te regenen en Philip kwam in de verleiding om terug te rennen om een paraplu te halen. Maar juist op dat moment kreeg Monroe hem in de gaten.

'Meneer Bainbridge. In uw eentje, vandaag?'
Philip zuchtte, stak zijn handen in zijn zakken en waagde een lachje.
'Nou, we hebben een fijne klus voor u vanochtend. Zet u maar schrap.'
'Wat? Nog erger dan gisteravond?'
'Dat hangt ervan hoe sterk je maag is. Een vrouw die ging joggen heeft haar vanochtend gevonden, om een uur of zeven. Volgens de politiearts is ze al vier tot zes uur dood. Kom mee. Het zal niet gemakkelijk zijn om een goede hoek te vinden. En pas op.'
Voorzichtig zocht Monroe zijn weg over het pad. Er hingen wat plastic zeilen over de takken van een boom aan de oever, en een schijnwerper verlichtte het klotsende water onder de laagste tak. Philip volgde Monroe op de hielen en zag de rode achtersteven van een roeiboot. Even later, toen de afschuwelijke werkelijkheid van het tafereel tot hem doordrong, voelde hij zijn maag in opstand komen.
Een jonge vrouw zat half onderuitgezakt aan één kant van de boot. Ze droeg jeans en een T-shirt en ze staarde met holle ogen naar de oever.
Het meisje leek helemaal leeggebloed. Ze had haar armen gespreid en haar linkerhand hing over de zijkant van de roeiboot. Aan de binnenkant van haar armen en over haar schouders waren strepen bloed te zien. Haar ogen waren open, maar het wit was bijna volledig rood verkleurd; de bloedvaatjes waren gebarsten. Over haar ogen lag een slijmerig waas dat het bloed een doffe kleur gaf. Haar keel was doorgesneden en de bovenkant van haar schedel deskundig en efficiënt verwijderd. De bovenste helft, bot en hoofdhuid, waren weggezaagd. Waar haar hersens hadden gezeten, was nog slechts een roodzwarte holte zichtbaar. Op enkele plaatsen was het dode weefsel weg geschraapt boven het onthutsend witte, schone bot.
In de schedel van de vrouw lag een glinsterend muntje, dat het licht ving: precies dezelfde, maar dan in zilver, als de gouden munt die Philip de vorige avond in de hand van inspecteur Monroe had gezien.

Philip wendde zich af en haalde een paar keer diep adem.

'Ik gun u een paar minuten de tijd,' mompelde Monroe, terwijl hij terugklom naar het pad. 'Maar binnen een uur wil ik de foto's hebben, op het bureau.'

Philip nam niet de tijd om op verhaal te komen. Uit lange ervaring wist hij dat dit de beste manier was om met dit soort situaties om te gaan. Hoe gruwelijker de beelden, des te sneller hij afstand moest nemen van het onderwerp. Als een robot concentreerde hij zich op zijn werk; hij dwong zichzelf te vergeten wat hij precies voor de lens van zijn camera had.

Hij maakte een serie foto's vanaf de voorkant van de roeiboot: een paar close-ups met de telelens en enkele met de groothoeklens. Daarna liep hij langs de oever, fotografeerde de boot vanaf de zijkant en hurkte toen dicht bij de achtersteven, waar het bootje tegen de kant lag en de afschuwelijkste foto's moesten worden gemaakt, gedigitaliseerd en op de chip in zijn camera opgeslagen; een mensenleven teruggebracht tot pixels.

Pas toen Philip de oever weer had beklommen, met een nonchalante groet naar de twee agenten die bij de plaats delict waren achtergebleven, en om de hoek naar Cave Street was verdwenen merkte hij hoe zijn handen trilden. Bij de auto gekomen wilde hij de kofferbak openmaken toen hij een golf van misselijkheid voelde opkomen. Hij kotste in de goot en keek hoe het braaksel werd weggespoeld door het snelstromende regenwater.

8

Londen, oktober 1689

Gresham College in het hart van de City was een oase te midden van alle armoede en smerigheid van Londen. Hoewel de gebouwen al oud en vervallen waren en de roep om het ontwikkelen van de plek steeds luider werd, had het College een rust en betoverende charme die in schril contrast stond met de beklagenswaardige toestand van het complex. Toch was dit armzalige decor de vaste ontmoetingsplaats voor enkele van de grootste geesten aller tijden.

Bijna dertig jaar geleden hadden Christopher Wren en een paar goede vrienden hier hun Royal Society opgericht, een genootschap dat snel was gegroeid en de koninklijke erkenning had gekregen die in de naam tot uitdrukking kwam. Helaas was die reputatie de laatste jaren wat achteruitgegaan. Deel van het probleem voor deze illustere groep mannen was dat ze zich nooit ergens langdurig konden vestigen. Hun wortels lagen hier, binnen de verbleekte grandeur van Gresham College, maar na de dubbele tragedie van de verwoestende pestepidemie van 1665 en de Grote Brand een jaar later was het College gevorderd door de kooplui uit de City, die hun eigen gebouwen hadden verloren. Daarna was het gebruikt als tijdelijke Beurs, in afwachting van de bouw van een nieuw financieel centrum. De Royal Society, met al haar boeken, experimentele instrumenten, sextanten, kaarten, telescopen en microscopen, kreeg onderdak in de bibliotheek van Arundel House, op uitnodiging van de eigenaar, de hertog van Norfolk. Dit huis lag een paar kilometer naar het westen, in een zijstraat van de Strand. Hier kwam de Society enige tijd bijeen om de nieuwste wetenschappelijke denkbeelden te bespreken en wetenschappelijke proeven uit te voeren, georganiseerd door de Curator van Experimenten, Robert Hooke. Terwijl ze verblijf hield in Arundel House, begon de Society boeken uit te geven, zoals *Micrographia* van Hooke zelf en *Sylva* van John Evelyn. In de traditie van de eerste wetenschappelijke genootschappen in het Italië van Galileo publiceerde de Society bovendien een tijdschrift, *Philosophical Transactions*, waarin ontdekkingen werden beschreven en verslagen van lezingen en het werk van leden van het genootschap werden opgenomen. Na een verblijf van enkele jaren in Arundel House was de Society echter gedwongen om terug te keren naar Gresham College, waar een paar kamers ter beschikking werden gesteld door de invloedrijke Hooke, een van de bestuurders van het College.

Hoewel Isaac Newton dit allemaal wel wist toen hij om twee minuten voor zes het voorplein van Gresham College overstak, terwijl de ondergaande zon de hemel in het westen oranje kleurde, voelde hij nauwelijks nog enige affiniteit met de Society waarvan hij zeventien jaar eerder, als jongeman van negenentwintig, lid was geworden. Ondanks het feit dat het illustere genootschap zijn *Principia Mathematica* – een boek dat hem tot de belangrijkste wetenschapper ter wereld had gemaakt – had uitgegeven, was hij de afgelopen tien jaar maar een handvol keren bij een vergadering van de Royal Society aanwezig geweest. Hij had er eigenlijk geen vrienden en vertrouwde hooguit drie andere figuren binnen dat wetenschappelijke wereldje. De al wat oudere Robert Boyle was een van hen, het jonge genie Edmund Halley een ander, en de derde was de man die hem had overgehaald om vanavond zijn besloten wereld van Trinity College in Cambridge te verlaten voor een bezoek aan Londen: Christopher Wren.

Maar de belangrijkste reden voor Newtons opvallende afwezigheid op de bijeenkomsten van de Society was de opvallender áánwezigheid van Robert Hooke. Bijna vanaf hun eerste ontmoeting was de man een bittere vijand van Newton geworden, en toen het genootschap Hooke in 1676 tot secretaris koos, als opvolger van Henry Oldenburg, had Newton willen terugtreden als lid. Anderen, die hem niet voor de Society wilden verliezen, hadden hem ten slotte overgehaald te blijven. Maar vanaf dat moment had Newton zich heilig voorgenomen alleen nog de vergaderingen te bezoeken als hij daar zelf het nut van inzag.

Newton begreep wel dat mensen hem als een lastige figuur beschouwden. Hij hield niet van het gezelschap van anderen en kon zich niet beroemen op een groot gevoel voor tact. Newton had genoeg aan zichzelf en daar was hij trots op. Hij had niemand nodig, maar omgekeerd deden anderen vaak een beroep op hem, en dat zou in de toekomst alleen maar erger worden, daar was hij van overtuigd. En zulke overwegingen waren reden genoeg om zich op te sluiten in zijn laboratorium in Cambridge. De enige met wie hij een enigszins vertrouwelijke band onderhield was de theoloog John Wickins, met wie hij al meer dan vijfentwintig jaar een kamer deelde. Maar zelfs Wickins, peinsde Newton toen hij het voorplein was overgestoken en onder een poort linksaf sloeg naar een stenen gang, begreep maar een fractie van wat er in hem omging en bijna niets van wat zich afspeelde in het laboratorium dat zo dicht bij zijn eigen slaapkamer lag.

Onwillekeurig dacht Newton terug aan die ochtend, zo'n zes maanden geleden, toen hij de hele richting van zijn onderzoeken had moeten wijzigen: de ochtend van de robijnsteen. Dat was zijn grootste geheim, dat hij met niemand kon bespreken. De verklaring voor die boodschap van George Ripley had hem dagen en nachten beziggehouden. Hij had alle teksten doorgewerkt die hij bezat. Hij was naar Londen teruggegaan om de klamme spelonk van Coopers boekwinkel in Little Britain te doorzoeken en hij had de boekverkoper zelfs omgekocht om toegang te krijgen tot zijn schimmelige opslagruimten.

Ripley schreef over een heel oud en belangrijk voorwerp, dat was duidelijk. De robijnsteen moest de ontbrekende schakel zijn, de sleutel tot het universum. De tekst met de beschrijving van dit wonder was in Ripleys handschrift gesteld. Ripley zelf, die twee eeuwen geleden was gestorven, was een integere man geweest, met grote gaven. Maar ondanks deze aanwijzingen kon Newton weinig beginnen zolang hij de robijnsteen niet zelf in zijn bezit had. Dus moest hij ontdekken waar het artefact verborgen was.

Een week eerder had hij een uitnodiging gekregen van Christopher Wren voor deze bijzondere bijeenkomst van de Royal Society in Gresham College, ter ere van de bouw van het Sheldonian Theatre in Oxford, die twintig jaar geleden was voltooid. Het was Wrens eerste opdracht geweest en een briljant begin van zijn carrière.

In eerste instantie had Newton de prachtige, in reliëf geperste invitatie op een stapeltje papieren op zijn bureau willen gooien om hem verder te vergeten, zoals bijna alle uitnodigingen, verzoeken en correspondentie van collega's. Maar behalve Wickins was Wren nog de enige vriend die hij had, een man voor wie hij meer respect koesterde dan voor wie ook.

Bij de dubbele deur van de collegezaal gekomen, haalde Newton diep adem en duwde de kruk omlaag. Het zaaltje was niet meer dan tien vierkante meter, en Wren – voormalig voorzitter van het genootschap en een van de beroemdste mannen in Engeland – trok heel wat publiek, dus was de ruimte afgeladen. Newton kon alleen nog een staanplaats vinden, vlak bij de deur.

Hij liet zijn blik door de zaal glijden. Het was een rechthoek, met langs drie wanden boekenkasten, van de vloer tot aan het plafond, tjokvol met boeken, waarvan de leren ruggen niet te lezen waren in het flakkerende licht van de kroonluchters. De vierde wand was grijsblauw geschilderd, maar het stucwerk was hier en daar gebarsten, en een grote, grillige scheur liep als klimop over de muur en het plafond.

Er waren zo'n honderd leden op de avond afgekomen. Newton kende bijna iedereen wel van gezicht, maar had met de meesten nog nooit een woord gewisseld. Vooraan ontdekte hij Halley, en naast hem Samuel Pepys, gekleed in een fel oranje jasje. John Evelyn zat een rij achter hen en stak zijn vingers in een versleten leren zak met snuiftabak. Naast hem zat Godfrey Kneller, de schilder van het genootschap, die Newton een paar maanden geleden voor het eerst had ontmoet toen de kunstenaar naar Cambridge was gekomen als voorbereiding op zijn nieuwste opdracht, een portret van de Lucasiaanse professor. Aan de andere kant van de zaal herkende hij Robert Boyle, een opvallend lange, broodmagere man met een witte pruik die bijna bovennatuurlijk glinsterde in de door kaarsen verlichte ruimte. Een paar rijen naar achteren zag Newton de twee Italianen die op dit moment te gast waren bij de Society, Giuseppe Riccini en Marco Bertolini. Ze waren drie maanden geleden uit Verona aangekomen en er werd over hen geroddeld vanwege hun voorliefde voor *mollies*, jongens die zich als meisjes kleedden en bepaalde erotische diensten aanboden. Links van hen herkende hij het innemende profiel van Nicolas Fatio du Duillier, een bijzonder interessante jongeman aan wie Newton een paar weken eerder was voorgesteld. De jongen draaide zich om, zag Newton en lachte warm en hartelijk.

Op een podium aan de andere kant van de zaal zaten Robert Hooke en de voorzitter van het genootschap, John Vaughan, derde graaf van Carbery, prachtig uitgedost in een tuniek van paars en goud brokaat en een weelderige poederpruik. Hoewel de graaf in Newtons ogen de beste eigenschappen en deugden van de Engelse adel belichaamde, zag hij in de onaangename kleine man naast de graaf niets anders dan een rat van de ergste soort. Robert Hooke, gebocheld en mismaakt, en zelfs op hakken slechts één meter vijfenveertig lang, zat diep in zijn stoel weggedoken. Newton haatte de man met alle vezels van zijn lijf en wist dat die afkeer wederkerig was. De secretaris zou alles doen om hem in diskrediet te brengen en zijn naam door het slijk te halen. Met genoegen herinnerde Newton zich een bijzonder dubbelzinnige brief die hij aan de dwerg had geschreven en waarin hij had opgemerkt dat hij, Isaac Newton, zijn wetenschappelijke reputatie alleen had kunnen vestigen omdat hij op de schouders van reuzen stond.

Abrupt liep Christopher Wren naar het podium toe. De leden kwamen als één man overeind en applaudisseerden voordat ze weer gingen zitten.

Met enige tegenzin moest Newton erkennen dat Wren er prachtig uitzag en een bijna koninklijke uitstraling had. Hij was een man die waardering verdiende, een veelzijdige geleerde, professor in de astronomie, internationaal vermaard architect, medisch onderzoeker en begenadigd schrijver. Toch was hij altijd bescheiden gebleven. Jaren geleden, toen Newton nog maar een jongen was, had Wren als eerste de ringen rond de planeet Saturnus waargenomen. Maar de Hollandse sterrenkundige Christiaan Huygens had zijn eigen waarnemingen als eerste gepubliceerd en de eer voor de ontdekking gekregen. Wren had dat stoïcijns en grootmoedig geaccepteerd. Dat was een houding die Newton maar moeilijk kon begrijpen, maar diep in zijn hart wist hij dat Wren een beter mens was dan hij, juist omdat hij zo'n gebaar kon maken.

In het halfuur dat volgde hing de zaal aan Wrens lippen. Zijn stem, zacht en melodieus, maar nooit slaapverwekkend, hield de luisteraar in zijn ban en maakte ook de specialistische aspecten van zijn verhaal boeiend en gemakkelijk voorstelbaar. Bovendien illustreerde hij zijn beschrijving met schetsen die hij had gemaakt. Eerst vertelde hij zijn gehoor hoe hij het Sheldonian Theatre had ontworpen en daarna ging hij in op de technische uitdaging die het project had gevormd voor een jonge architect als hij, die heel nerveus was en graag indruk wilde maken op zijn opdrachtgevers. Hij had perfecte tekeningen gemaakt van elke fase van de bouw van het theater, vanaf de plattegrond waarmee hij zijn opdracht had binnengesleept, via de talloze stadia van het bouwproces tot aan de grote opening van het theater in 1669, vijf jaar na het begin van het werk.

Newton genoot van de lezing, maar na een tijdje dwaalden zijn gedachten toch weer af naar het probleem dat hem al in beslag nam sinds februari: de betekenis van Ripleys cryptische boodschap. De zaal om hem heen leek te verdwijnen, Wrens stem vervaagde, en hij zag Ripleys woorden weer voor zich, het codebericht met die vreemde tekening, net zo duidelijk alsof hij het document in zijn hand hield. Zijn fotografische geheugen reproduceerde het vel perkament tot aan het laatste vouwtje, maar frustrerend genoeg hielp die bijzondere gave hem weinig bij zijn pogingen om te begrijpen wat de boodschap inhield.

'Het was een verbijsterend moment...' hoorde hij Wren zeggen. 'De funderingen waren bijna voltooid en ik had geen behoefte aan nog meer uitstel, maar toch was mijn nieuwsgierigheid gewekt. Dus gaf ik toestemming om één dag te besteden aan het blootleggen van die vreemde constructie. Dat leek me het oponthoud wel waard. En tegen het einde van die dag was het duidelijk. Er lag een natuurlijk en misschien wel uitgebreid grottenstelsel onder dat deel van Oxford. Ik noteerde het in mijn dagboek en met permissie van de rector van Hertford College liet ik een smalle gang graven vanuit deze onderaardse ruimte naar de kelders onder het naburige College, met de gedachte om ooit eens terug te gaan voor nader onderzoek. Helaas is dat nu alweer vijfentwintig jaar geleden, en door mijn verplichtingen aan Zijne Majesteit is er van mijn enthousiaste plan nooit iets gekomen.'

De zaal lachte en Wren haalde diep adem. 'Vergeef me deze uitweiding. Wat de constructie van het dak betreft...'

Een tinteling die onder aan Newtons rug begon, kroop langzaam omhoog. Hij stond als aan de grond genageld en staarde met grote ogen naar de beroemde architect. Het leek alsof hij Ripleys woorden niet zozeer hóórde in zijn hoofd, maar ze door zijn schedel voelde resoneren: *Zoek de robijnsteen onder de grond, gevangen in steen. Daarboven wijsheid, daaronder aarde.*

Toen Newton op de deur klopte en een blik naar binnen wierp, trof hij Wren alleen in een zijkamertje van de collegezaal, waar hij zijn pruik afzette en probeerde zijn warrige grijze haar weer in model te krijgen. 'Ach, wat een plezierige verrassing,' zei hij met een glimlach.

'Mag ik u een momentje storen, Sir Christopher?'

'Maar natuurlijk, mijnheer. Komt u binnen. Gaat u zitten. Hebt u mijn lezing op prijs gesteld?'

'Jazeker. In hoge mate,' antwoordde Newton ernstig. Hij probeerde zijn opwinding te verbergen.

'Ik voel me bijzonder vereerd door uw aanwezigheid, mijnheer.

Overigens hadden we vanavond een uitgelezen publiek, vond u niet? Maar hoe kan ik u van dienst zijn?' Wren liet zijn haar met rust en begon zijn jasje uit te trekken. Newton zag dat het zweetplekken vertoonde.

'Ik vond uw beschrijving van de bouw van het Sheldonian Theatre heel boeiend. Maar...' Hij aarzelde een moment. 'Ik was vooral gefascineerd door uw verhaal over de onderaardse grotten.'

'O, werkelijk? Dat stelt me teleur, meneer,' zei Wren met een stalen gezicht. 'Ik had gehoopt dat u nader wilde ingaan op de technische prestatie, het geniale ontwerp, de buitengewone toepassing van de krachten der natuur.'

'U moet het me niet euvel duiden.' Newton leek een moment in verwarring. 'Ik bedoelde zeker niet...'

'Ik maak maar een grapje, jonge vriend Isaac. God, ze hebben gelijk met wat ze zeggen: dat je nooit lacht en zelfs nooit op een glimlach bent betrapt.'

Newton zweeg een beetje nors. Wren, die bang was dat hij de wetenschapper had beledigd, legde een hand op de schouder van de jongere man. 'Neem me niet kwalijk. Ik wilde je niet kwetsen.'

Newton deed een stap terug en maakte een kleine buiging. 'Ik voel me ook niet gekwetst, mijnheer. Ik was onder de indruk van uw hele lezing, maar die spelonk sprak me bijzonder aan. Misschien grijpt het terug op een onverklaarbaar oerinstinct, diep in mijn binnenste. Wat ook de reden is, ik zou er graag wat meer over weten.'

'Helaas kan ik weinig toevoegen aan wat ik vanavond al heb gezegd. Het is inmiddels al een kwart eeuw geleden. Ik was nog jong, vol idealen, en ik dacht dat ik terug zou kunnen gaan om de grotten op mijn gemak te onderzoeken.'

'Dus er zijn echt grotten onder het Sheldonian?'

'Jazeker. Maar niemand heeft ze ooit verkend.'

'Hebt u nog een plattegrond getekend?'

'Nee.'

'Maar wat zag u dan precies?' Newton had moeite zijn toenemende opwinding uit zijn stem te houden.

Wren fronste zijn voorhoofd. 'Er waren twee openingen, dat weet ik nog. Ik heb de arbeiders een hele dag laten graven, zoals ik al zei. Ze legden een platte zoldering bloot, met een bochtige gang en een paar tunnels. Ik heb nog twee mannen naar beneden gestuurd met een lantaarn. Ja, nu herinner ik het me weer. Ze bleven heel lang weg. We wilden net een reddingsexpeditie organiseren toen ze weer terugkwamen, enigszins verfomfaaid en vol zelfmedelijden.'

Newton trok een wenkbrauw op. 'Wat was er gebeurd?'

'Ik wist maar een paar feiten van hen los te krijgen. Blijkbaar lag er een soort labyrint achter de opening. Maar zelfs daarover waren ze het niet eens. Een van de mannen zei dat de tunnels van nature zo kronkelden, maar de ander dacht dat het een duivelse schepping was. Het waren natuurlijk onnozele, bijgelovige arbeiders, maar ik kon op dat moment geen mensen missen met wat meer verstand. Het was misschien dom van me om het werk aan de bouw te vertragen voor zoiets. Blijkbaar liepen er natuurlijke gangen in de richting van Hertford College in het zuidoosten en naar een punt onder de Bodleian Library, bijna pal zuidelijk. Uit eigen ervaring wist ik dat de kelders van Hertford College zich ver onder de grond uitstrekken, met tunnels naar buiten, in de richting van mijn theater. Het zou maar een kleine moeite zijn om ze met elkaar te verbinden. Maar ik had mijn nieuwsgierigheid bevredigd, mijn muze tevredengesteld. Begrijp je?'

Newton leek diep in gedachten verzonken en staarde Wren zwijgend aan. Toen vermande hij zich.

'Neem me niet kwalijk,' mompelde hij. 'Ik stond nog na te denken over uw woorden. Ja, ik begrijp het. We moeten onze muze tevredenstellen, anders zouden we verdorren en sterven.'

'Precies.'

Newton scheen niets meer te zeggen te hebben en er viel een ongemakkelijke stilte tussen de twee mannen.

'Als dat alles is, Isaac...' begon Wren.

'Ik ben u heel dankbaar,' antwoordde Newton abrupt. 'Heel dankbaar. Tot ziens, Sir Christopher.' Hij boog nog eens en liep naar de deur.

9

Laura zat in Philips huis met de Aga zo hoog mogelijk en een laaiend vuur in de open haard. Voor de zoveelste keer die avond vroeg ze zich af hoe iemand zonder centrale verwarming kon leven, toen ze Philips auto hoorde stoppen.

Hij hing zijn kletsnatte jas aan de kapstok in de gang en kwam de huiskamer binnen.

'Je ziet er belazerd uit,' zei ze.

'Zo voel ik me ook,' antwoordde hij, zonder haar aan te kijken. 'Hoe is het met Jo?'

'Ze ligt boven te slapen. Bont en blauw, maar verder niets ernstigs.'

'En ze heeft het koud?' vroeg Philip sarcastisch. 'Niet te geloven, het lijkt wel een sauna hier.'

'Ha!' zei Laura. 'Niet te geloven dat jij nog in het stenen tijdperk leeft. Nooit gehoord van die geweldige nieuwe uitvinding, de radiator?'

Philip liet zich zuchtend in een stoel vallen, steunde zijn ellebogen op het tafeltje en legde zijn hoofd in zijn handen. 'Ja... het zal wel.'

'Zware dag gehad?'

Hij keek op. Zijn ogen waren bloeddoorlopen. 'Ik zou wel een borrel lusten.'

Even later reikte Laura hem een grote maltwhisky aan en ging in de stoel naast hem zitten. 'Je kijkt alsof je je hart wilt luchten.'

Philip nam een flinke slok van zijn whisky. 'Ja. En jij geeft het niet op voordat ik je er alles over heb verteld, zeker?' antwoordde hij luchtig.

'Precies. Dus wat is er gebeurd?'

Hij keek over haar schouder naar de tv. Het lokale nieuws stond aan en inspecteur Monroe werd ondervraagd door een verslaggever. 'Ik wil dit zien,' zei Philip en hij pakte de afstandsbediening om het geluid wat harder te zetten.

'Dus, inspecteur,' zei de journalist, 'u kunt bevestigen dat er een tweede moord is gepleegd?'

'Ja. Vanochtend is het lichaam van een jonge vrouw gevonden in een zijtak van de Cherwell, dicht bij het centrum.'

'En was deze moord vergelijkbaar met de eerste, die gisteravond is ontdekt?'

'Er zijn bepaalde overeenkomsten,' antwoordde Monroe behoedzaam.

'Juist. Er gaan al geruchten dat we te maken hebben met een seriemoordenaar. Kunt u dat bevestigen of ontkennen?'

'Het is nog veel te vroeg om conclusies te trekken. U zult begrijpen dat we ons uiterste best doen om...'

'Maar,' viel de reporter hem in de rede, 'klopt het dat de moorden een ritueel aspect hebben?'

Monroe keek vermoeid. 'Op dit moment kunnen we alleen maar zeggen dat er bepaalde feiten overeenkomen.'

De verslaggever gooide het over een andere boeg. 'En wat gaat er nu gebeuren, inspecteur? Hebt u misschien nog adviezen voor het publiek?'

'Jazeker. Ik herhaal nog eens dat we alles in het werk stellen om de dader of daders van deze moorden op te sporen. Wij vragen alleen van het publiek om kalm te blijven en ons zoveel mogelijk bij ons onderzoek te helpen. Als iemand informatie heeft die van belang kan zijn, laat hij of zij zich dan melden.'

Philip zette de tv uit.

'Weinig mededeelzaam,' zei Laura.

'Hij moet wel. Dat is de vaste procedure bij een politieonderzoek:

nooit bijzonderheden prijsgeven. Als iemand zich meldt met informatie over bepaalde feiten die opzettelijk voor het publiek verborgen zijn gehouden, weet je zeker dat je een bruikbaar spoor te pakken hebt. En het verkleint het risico dat een of andere gek die moorden gaat imiteren.'

'Ja, dat weet ik, Philip. Herinner je je nog wat ik voor werk deed in New York?'

Philip glimlachte. 'Sorry.'

'Dus ik hoop dat je wat meer te vertellen hebt dan Monroe.'

'Natuurlijk, Laura,' antwoordde Philip. Hij leunde naar achteren in zijn stoel, strekte zijn benen en haalde diep adem voordat hij haar vertelde over de vrouw in de roeiboot. Na een beschrijving van de foto's die had moeten nemen, zweeg hij en dronk zijn glas leeg.

'Mijn god,' zei Laura langzaam. 'En ik dacht dat New York keihard was. Hoe lang denken ze dat het lichaam daar gelegen heeft? Vier uur?'

'Ze werd gedeeltelijk aan het zicht onttrokken door de takken van een boom. Een vrouw heeft haar vanochtend gevonden.'

'Leuk om zoiets tegen te komen.'

Philip trok zijn wenkbrauwen op.

'Dat betekent dat ze vroeg in de ochtend moet zijn vermoord; drie of vier uur 's nachts.'

'Dat zal wel,' zei Philip en hij keek Laura vermoeid aan. 'Ze woonde in een huis aan de rivier. Het is een afgelegen deel van de Cherwell. Geen toeristenboten. Daar is het ook het seizoen niet voor. Haar ouders zitten in het buitenland. Maar het punt is dat ze daar niet is vermoord. Monroe is meteen naar het huis gegaan. De slaapkamer van het meisje leek wel een slachthuis. Ze is pas later in die boot gelegd, die toen naar een plek onder de bomen aan de oever is getrokken.'

'Zorgvuldig voorbereid. Net als die moord bij The Perch. En er lag een zilveren muntje in de schedel van het meisje, zei je?'

'Ja.'

'Weet je ook waar dat gouden muntje lag op de plaats van de eerste moord? Heb je het gezien voordat Monroe het in zijn hand had?'

'Nee.'

'Ze zouden toch niets aanraken voordat jij foto's had genomen?'

'Daar heb je gelijk in, maar die wond was echt verschrikkelijk. Ik kreeg de indruk van de technische recherche dat het muntje in de borstholte zat en dat ze het pas ontdekten toen ze de wond onderzochten.'

'Zie je wel: weer een ritueel element.'

'En wat wil je daarmee zeggen?'

'Die moorden zijn vlak na elkaar gepleegd; er lag maar een paar uur tussen. Twee jonge vrouwen, afschuwelijk verminkt, met vakkundige precisie.'

'En?'

'Ik ken een soortgelijke zaak; en jij ook. Whitechapel, Londen, omstreeks 1885? Jonge vrouwen vermoord en verminkt?'

'O, geweldig.' Philip hield zijn glas omhoog om zich te laten bijschenken. 'Daar zit Oxford echt op te wachten: een moderne Jack the Ripper.'

10

'Waar heb ik dit aan verdiend?' vroeg Philip aan Laura, die op de rand van zijn bed zat en hem wakker schudde.

'O, daar had ik gewoon zin in,' antwoordde Laura luchtig, terwijl ze het ontbijtblad op het dekbed tussen hen in zette.

'Je wilt iets van me.' Philip ging rechtop zitten en wreef in zijn ogen.

'Philip...'

'Je wilt je met het onderzoek bemoeien. Ja of nee?'

Laura kon hem niet lang voor de gek houden. 'Ik heb er de hele nacht over nagedacht. Ik heb nauwelijks een oog dichtgegaan.'

'Maar Laura, dit is *politiewerk*. Jij hebt geen enkel gezag om... verdorie, ik heb zélf niet eens gezag!'

'Ik wil me ook niet melden bij de politie, Philip. Ik zeg alleen dat ik een schaduwonderzoek wil starten.'

'Een "schaduwonderzoek"?' schamperde Philip. 'Dit is *Kojak* niet.'

'Ik denk dat ik van nut kan zijn.'

Philip zei niets. 'Mag ik thee?'

Laura schonk melk in zijn kopje.

'Gadver... Amerikanen en thee! Ik doe het zelf wel. En vertel me nou maar wat je vannacht hebt bedacht.'

Ze stapelde een paar kussens aan de andere kant van het bed en liet zich tegen het smeedijzeren hoofdeinde zakken. 'Het bleef maar steeds door mijn hoofd spoken wat ik gisteravond had gezegd... je weet wel, over Jack the Ripper. Totdat ik besefte dat er maar heel weinig overeenkomsten zijn tussen dit geval en de moorden in Whitechapel. Goed, de Ripper had ook organen uit de lichamen van zijn slachtoffers verwijderd en de moorden hadden rituele elementen. De politie in die tijd ontdekte een bizarre connectie met de vrijmetselarij, maar daar zijn nooit harde bewijzen voor gevonden. En zelfs nu is nog altijd niet duidelijk wie de moordenaar was.'

'Waar wil je heen?'

'Om te beginnen waren alle slachtoffers van de Whitechapelmoorden prostitués, net als de vrouwen die veel later, omstreeks 1985, werden vermoord door de Yorkshire Ripper. En de manier waarop de organen van de huidige slachtoffers zijn verwijderd is heel anders dan in die historische gevallen. Bij de vrouwen in Whitechapel was ook de keel doorgesneden, van links naar rechts, maar elke volgende moord was nog bruter dan de vorige. Het laatste slachtoffer van de Ripper, Mary Kelly, was bijna aan stukken gescheurd. De moorden hadden ook een duidelijk seksueel element. Maar de werkwijze was totaal anders.'

'Je hebt je huiswerk gedaan,' zei Philip half spottend.

Laura haalde haar schouders op. 'Ik heb wat boeken over de Ripper gelezen. Het heeft me altijd gefascineerd.' Ze haalde diep adem. 'Deze twee zaken vertonen een heel specifiek ritueel aspect: een gouden munt, een zilveren munt, het hart weggesneden, de hersens weggesneden. Misschien heeft het ook een betekenis dat het tweede meisje op het water is gelegd en het eerste slachtoffer bij The Perch, op het land. Maar erg veel wijzer word je er niet van, natuurlijk. Heb jij gisteren nog iets meer ontdekt?'

'Niet echt, Laura. Ik ben politiefotograaf. Het grootste deel van de dag ben ik bezig met het maken van afdrukken en het opslaan van digitale bestanden. Ik stuur materiaal naar Scotland Yard en zoek naar foto's in de databank van de politie.'

'Maar je hebt toch wel vrienden op het bureau? Je hebt vast wel iets gehoord. Allemachtig! Ben je dan niet nieuwsgierig?'

Philip schonk zich nog een kop thee in. Hij pakte een sneetje toast en zei: 'Natuurlijk heb ik geïnformeerd. Maar waarom zou ik dat aan jou vertellen?'

Laura keek geschokt.

'Je gaat toch terug naar New York? Wat heeft het voor zin?'

'Ik heb besloten nog een tijdje te blijven.'

'O ja? Is dat zo?'

'Ik hoef niet bij jou te logeren, hoor, als je dat liever niet...'

'Ach, Laura, natuurlijk kun je hier logeren, zo lang je maar wilt... Als je de ongemakken voor lief neemt.'

Opeens glimlachte ze. 'Het was Jo's ongeluk...'

'Dat begrijp ik. Maar nu?'

'Nu ben ik geïnteresseerd geraakt in die moorden. Thomas Bradwardine wordt toch niets. Misschien kan ik beter een modern mysterie nemen.'

'Aha! Dat is in elk geval eerlijk.'

'Ik wilde niet...'

'Oké,' zei Philip zacht. 'Wat wil je horen?'

'Het hele verhaal, Philip.'

Hij lachte nu hardop en liet zich in de kussens zakken. 'Je bent een rare.'

'Nou?'

'Eigenlijk weet ik niet zoveel... of weten zíj nog niet zoveel. Die twee meisjes studeerden allebei. Het eerste slachtoffer, het meisje in de auto, was Rachel Southgate, achttien jaar, eerstejaarsstudente, dochter van een bisschop, Leonard Southgate, een weduwnaar die in Surrey woont. Rachel had drie oudere zussen. Het meisje in de roeiboot was Jessica Fullerton, negentien, net begonnen aan haar tweede jaar. Haar ouders wonen in Oxford, in een huis op ongeveer honderd meter van de plek waar haar lichaam is ontdekt. Ze is enig kind en haar vader en moeder waren heel trots op hun studerende dochter. Zoals ik gisteravond al zei, was ze op dat moment alleen thuis. Haar ouders zaten in het buitenland. Er is gisteren contact opgenomen met haar vader en moeder; ze zullen inmiddels wel terug zijn in Oxford.'

'Bestond er enige connectie tussen de slachtoffers? Afgezien van het feit dat ze allebei studente waren? Waar studeerden ze eigenlijk?'

'Nee, geen connectie. Jessica studeerde rechten aan Balliol, Rachel deed Engels aan Merton.'

'Fysieke kenmerken, misschien? Hun familie? Vrienden of vriendinnen? Kenden ze elkaar?'

'Rachel was blond, lang en slank; Jessica een brunette, kleiner en steviger. Ze kwamen allebei uit een *middle class* gezin, om die vage aanduiding te gebruiken. Ik weet niet of ze elkaar kenden, maar dat zoeken Monroe en zijn mensen nog wel uit, dat spreekt vanzelf.'

Laura knikte en keek uit het raam van de slaapkamer. Het was een frisse, heldere lenteochtend; de regen van gisteren was verdwenen. 'Dat zegt dus allemaal niet veel.'

'Gisteravond heb ik nog iemand op het bureau gebeld voor het laatste nieuws,' zei Philip na een tijdje. 'Het lab heeft vastgesteld dat die twee muntjes uit massief edelmetaal bestaan. Maar ze zijn niet oud. Ze zijn vrij recent gemaakt en een beetje bewerkt om ze oud te laten lijken.'

'De oorspronkelijke munten moeten heel zeldzaam zijn. En heel belangrijk voor de moordenaar, anders zou hij geen replica's hebben achtergelaten.' Laura zweeg een moment. 'Kun je ze voor me tekenen. Staan er afbeeldingen op?'

'God, daar vraag je me wat.'

Ze liep naar een ladekast en pakte een potlood en een velletje papier.

'Dat is niet nodig. Ik weet iets beters, als je ertegen kunt.'

'Je camera.'

'Hij ligt in de hal, als je lichaamsbeweging wilt.'

Een paar minuten later had Philip de close-ups gevonden, opgeslagen in de geheugenchip van zijn Nikon. Hij koos er een, zoomde in op het muntje en draaide de camera om, zodat Laura het schermpje aan de achterkant kon zien. 'Dit is de beste, denk ik. Ik kan hem wel voor je printen.'

Laura probeerde het rauwe vlees in diverse schakeringen van rood rondom het muntje te negeren en zich te concentreren op het midden van het beeld. Het geldstuk toonde het profiel van een hoofd, een mager, hoekig, androgyn gezicht met een lange, nobele neus. De figuur die was afgebeeld op het zilveren geldstuk dat in Jessica Fullertons schedel was achtergelaten droeg een soort rechthoekige hoofdtooi. 'Ik weet zeker dat er op de achterkant van de eerste munt een paar vrouwenfiguren stonden.'

'Volgens mij ook,' beaamde Philip.

Laura pakte haar aantekenboekje. 'Ongeveer zo. Ja toch?' Ze liet Philip haar tekening zien van twee figuren in een mantel, met een schaal in hun handen.

'Nou, je bent geen Rembrandt, maar dit klopt wel ongeveer.'

'En wat zou het voorstellen?'

'Geen idee.'

'Deze figuur komt me toch vaag bekend voor,' zei Laura, wijzend naar het digitale beeld. 'Hij of zij doet denken aan een oude Egyptenaar, een farao. Vind je ook niet?'

Philip haalde zijn schouders op. 'Zou kunnen. En de andere kant is misschien een religieuze voorstelling. De Egyptenaren waren toch zonaanbidders? Deze schaal,' hij wees op Laura's tekening, 'zou ook de zon kunnen voorstellen.'

Laura vergeleek de foto nog eens met de ruwe schets die ze zelf had gemaakt. 'Ik wil hier graag een afdruk van.' Ze tikte tegen het scherm. 'En ik moet wat speurwerk doen.'

11

'De oude Fotheringay van St.-John's vertelde me over Jo's ongeluk,' zei James Lightman. Hij keek Laura even aan toen ze door de gang naar zijn kantoor liepen. Hun voetstappen echoden tegen het zandsteen van de muren, de vloeren en het plafond. Laura volgde Lightman een brede marmeren trap op. Door een deuropening ving ze een glimp op van boekenkasten tegen de wanden van een grote ruimte waar brede banen zonlicht naar binnen vielen.

'Het spijt me dat ik je niet heb gebeld, James. Het was allemaal nogal... hectisch.'

'Lieve hemel, Laura, dat begrijp ik best. In elk geval blijf je nog wat langer hier, dat is een geluk bij een ongeluk. Een paar dagen geleden namen we nog afscheid.'

'Ik heb nu wat meer tijd voor onderzoek; minstens een week.'

Ze kwamen bij het kantoor van de hoofdbibliothecaris en Lightman hield de zware eikenhouten deur voor Laura open. Ze stapte naar binnen en keek om zich heen, getroffen door al die vertrouwde indrukken die ze zich nog herinnerde van de eerste keer, toen ze achttien was. Het kantoor was een kamer met een gewelfd plafond, volgestouwd met oude boeken, antiquiteiten en curiosa: een opgezette uil in een glazen vitrine, een koperen piramide, vreemde snaarinstrumenten en doosjes met inlegwerk uit Noord-Afrika.

Nauwelijks een week nadat ze als studente in Oxford was aangekomen had Laura haar eerste ochtend in de Bodleian doorgebracht, genietend van het besef dat ze een pasje had voor de meest exclusieve bibliotheek ter wereld. Het was een gedenkwaardige ervaring geworden. Ze zat in de zojuist gerenoveerde sectie kunstgeschiedenis toen er recht boven haar hoofd een kast instortte en ze werd bedolven onder een stapel zware boeken.

Ze mocht van geluk spreken dat ze er alleen wat blauwe plekken op haar rechterarm aan overhield, maar James Lightman was bijna onmiddellijk naast haar opgedoken. Hij had meteen de leiding genomen op die vriendelijke maar ferme manier van hem en haar gedwongen om rustig te gaan zitten totdat hij zeker wist dat ze niets mankeerde. Daarna had hij haar in ditzelfde kantoor een kop sterke thee met een koekje aangeboden en haar naar haar achtergrond gevraagd. Dat was het begin geweest van een hechte vriendschap die Laura's hele studietijd in Oxford in stand was gebleven en zelfs haar verhuizing terug naar Amerika en haar onregelmatige bezoekjes aan Engeland had overleefd. Tijdens haar studie was Lightman een soort plaatsvervangende oom voor haar geweest, een vaderfiguur die veel dichterbij was dan haar eigen ouders, tienduizend kilometer naar het westen. Hoewel ze heel ander werk deden, klikte het intellectueel. James Lightman, een veelzijdig en eminent geleerde, was een internationale autoriteit op het gebied van oude talen, met een bijzondere belangstelling voor de hellenistische en Romeinse literatuur. Laura's favoriete periode was de renaissance, met zijn herleving van de classicistische invloed in de kunst. De naam van James Lightman kende ze al uit een boek over classicistische schilderkunst dat ze had gelezen toen ze een vroegrijpe leerlinge van vijftien in Santa Barbara was.

Pas toen ze hem een paar maanden kende, ontdekte Laura dat Lightman getrouwd was geweest met een rijke vrouw, Lady Susanna Gatting of Brill. Zij en hun dochter Emily waren in 1981 omgekomen bij een auto-ongeluk, nog geen jaar voordat Laura in Oxford was aangekomen. Als Emily niet was verongelukt zou ze bijna net zo oud zijn geweest als Laura.

Lightman liet zich in een versleten chesterfield voor zijn bureau zakken en wees Laura ook een stoel, toen ze opeens zag dat er nog iemand anders in de kamer was. In een fauteuil bij de muur aan de andere kant van Lightmans bureau zat een jongeman in een keurig zwart pak met een wit overhemd. Hij had een haviksneus, scherpe jukbeenderen en lang haar, een beetje vettig, dat achter zijn oren was weggestreken.

'Laura, je kent Malcolm denk ik nog niet? Malcolm Bridges, mijn persoonlijke assistent. Malcolm, dit is Laura Niven.'

Bridges stond op en stak een knokige hand uit. 'Ik heb veel over u gehoord,' zei hij met een uitdrukkingsloos gezicht. Zijn stem was verrassend diep, met de suggestie van een Welsh accent, waardoor hij een beetje klonk als Anthony Hopkins. De stem leek totaal niet bij zijn verschijning te passen.

'Ook goede dingen, mag ik hopen?' Laura nam Bridges' gezicht onderzoekend op. Hij wekte onmiddellijk haar antipathie, maar ze wist niet precies waarom. Toen draaide ze zich om naar Lightman. 'Ik hoop niet dat ik ongelegen kom.'

'Welnee, natuurlijk niet,' antwoordde de oude man. 'Malcolm, we zijn toch klaar met de details voor die borrel?'

'Ja, we hebben alles wel besproken. Ik zal het regelen.' Bridges pakte wat papieren van een koffietafeltje. 'Ik hoop u snel nog eens te zien,' zei hij tegen Laura voordat hij vertrok.

Lightman leunde naar achteren in de chesterfield. 'Wat kan ik voor je doen, kind?' vroeg hij. 'Je klonk vanochtend nogal opgewonden door de telefoon.'

Laura keek naar zijn vertrouwde gezicht. Hij had donkerbruine ogen, zware oogleden en lang, warrig, wit haar. Soms deed hij denken aan een oudere W.H. Auden, dan weer aan een bijbelse aartsvader, zonder baard. Ze wist dat hij nog geen zeventig was, maar hij leek ouder. Zijn huid was getaand en zijn voorhoofd zo bedekt met rimpels en groeven dat het wel een NASA-foto van het oppervlak van Mars kon zijn.

'Het gaat om het boek waar ik aan werk,' zei ze.

'Die roman over Thomas Bradwardine?'

'Eh nee, dat niet.' Ze voelde zich een beetje opgelaten. 'Ik heb besloten om dat thema voorlopig te laten rusten. Ik wilde iets schrijven tegen een eigentijdse achtergrond: een moordmysterie.'

'O?'

'En ik denk erover om het verhaal hier in Oxford te situeren, of misschien in Cambridge, dat weet ik nog niet.'

'Lieve god, Laura, je kiest toch niet voor die "andere stad"? De hemel beware ons. Het is een gat!'

Ze glimlachte. 'Ik wil de moorden in verband brengen met een ritueel element. Bij elke moord laat de dader een voorwerp met een speciale betekenis achter. Eerst dacht ik aan een ceremonieel mes, maar gisteren kwam ik op het idee van muntjes. Die had de politie hier gevonden bij de lichamen van de slachtoffers.'

'Muntjes?'

'Ja, oude munten. Helaas is dat een onderwerp waar ik helemaal niets van afweet.'

Lightman boog zich naar voren en pakte een merkwaardig V-vormig voorwerp van een bijzettafeltje naast de chesterfield. Het was een strak opgerolde veer met twee handvatten. Laura keek verbaasd.

'Artritis,' zei Lightman. 'Ik moet van de dokter vijf minuten per uur in dit ding knijpen om mijn polsen een beetje soepel te houden.' Hij rolde met zijn ogen. 'Ik ben niet overtuigd.' Na een paar keer knijpen stopte hij ermee en keek Laura weer aan. 'Maar hoe kan ik je helpen? Munten zijn niet mijn specialiteit.'

'Ik... nou, ik dacht dat er genoeg over te vinden zou zijn in de Bodleian. Jammer genoeg ben ik geen lid meer. Eh... kunnen Amerikaanse toeristen zich ook inschrijven?'

Lightman lachte. 'Alleen heel bijzondere toeristen. Ik neem aan dat je haast hebt, zoals gewoonlijk?'

Laura hield haar hoofd schuin. 'Ik kan er niets aan doen.'

'We hebben inderdaad een uitstekende numismatische sectie. Ik kan je naar beneden brengen, dan kun je vast een begin maken. Laat de formulieren vandaag maar zitten.'

Toen Lightman opstond, zag hij voor het eerst wat ze om haar hals droeg. 'Lieve hemel, Laura. Dat is de hanger die ik je ooit heb gegeven... hoe lang geleden al?'

Het was een opaal aan een fijn zilveren kettinkje. Laura had het die ochtend omgedaan zonder er bij stil te staan dat ze het van Lightman had gekregen. 'Toen ik nog studeerde,' zei Laura. 'Dat moet in 1983 zijn geweest. Lang geleden, ja. Maar ik draag het bijna elke dag.'

'Heb ik je ooit verteld dat het de geboortesteen van mijn dochter was?'

'Nee.'

'O. Nou, kom mee dan.'

Beneden in de grote zaal van de bibliotheek volgde Laura hem over de parketvloer door de gangpaden tussen de onafzienbare rijen eikenhouten boekenkasten. Ze staken de zaal over naar de andere kant, waar Lightman haar voorging door een hoge deur. Ze sloegen linksaf en liepen een gang door naar een vestibule aan de rechterkant, die toegang gaf tot een kleinere versie van de grote zaal. Halverwege het centrale looppad sloeg Lightman weer rechtsaf en bleef toen staan bij een rij boekenkasten tegen de muur. Ervoor stond een grote tafel met een computer. Er was geen mens te zien in dit deel van de bibliotheek.

'Dit is de afdeling waar je moet zijn,' zei Lightman en hij liet zijn blik langs de kasten glijden. 'Hier zul je wel vinden wat je zoekt, Laura. En als je iets nodig hebt zit mevrouw Sitwell hier vlak om de hoek.' Hij wees naar de andere kant van de zaal. 'Zij kent deze afdeling als geen ander. En natuurlijk kun je altijd bij mij terecht met je vragen. Ik moet boven nog wat bureaucratisch gezeur afwerken.' Hij boog zich naar voren en gaf haar een kus op haar wang. 'Kom nog even gedag zeggen voordat je vertrekt.'

Laura ging zitten en keek op naar de reusachtige verzameling boeken. Opeens voelde ze zich schuldig dat ze de oude man iets op de mouw had gespeld. Aan de andere kant, ze had niet veel keus gehad.

Ze wist niet precies waar ze naar zocht, dus trok ze op goed geluk een boek uit de kast met de titel *Ancient Coins*, uitgegeven door de Oxford University Press. Daarna pakte ze de afdruk die Philip voor haar had gemaakt en haar aantekenboekje met de ruwe schets van de andere kant van het muntje.

Binnen een paar minuten had Laura vastgesteld dat muntgeld weliswaar als een Griekse vinding werd beschouwd, maar dat de oudst bekende munten uit de Lycische streken van Klein-Azië kwamen, waar ze waren aangetroffen onder een tempel van Artemis uit de zesde eeuw v.Chr. De muntjes die bij de vermoorde meisjes waren achtergelaten leken afkomstig uit Egypte, maar dit boek zei niets over vroege munten uit dat deel van de wereld. Laura pakte een ander boek, *Coins of Antiquity*, door Luther Neumann.

Bijna meteen vond Laura een paar alinea's waarin werd gespeculeerd over Egyptische munten en valuta uit de periode nadat Egypte in het Romeinse Rijk was opgenomen. Maar het leek niet erg belangrijk en de schrijver beperkte zich tot de korte suggestie dat sommige van de vroegste Egyptische munten misschien waren ontworpen door alchemisten en occultisten met een obsessie voor goud en andere edelmetalen. Die mannen hadden als magiërs gewerkt aan het hof van enkele farao's.

Laura wilde het boek alweer terugzetten toen er een vreemde gedachte bij haar opkwam. Het was die opmerking van James over haar hanger. 'Die opaal was de geboortesteen van mijn dochter,' herhaalde ze Lightmans woorden zachtjes. Ze sloeg het boek weer open en bladerde naar de pagina die ze zojuist gelezen had. Het woord 'alchemist' leek van de bladzijde te springen.

Met bonzend hart pakte ze haar notitieblokje, sloeg een blaadje om en noteerde: 'Alchemist, magiër, oude Egyptenaren, geboortestenen, goud en zilver', gevolgd door vier grote vraagtekens.

Ze zette *Coins of Antiquity* en *Ancient Coins* weer in de kast, opende de catalogus op de computer en zocht naar boeken over de allereerste munten. Ze vond er maar één, een negentiende-eeuws boek met de titel *Lost Numismatics*, geschreven door een professor Samuel Cohen. Toen zocht ze naar 'Egyptische alchemisten'. Afgezien van een serie moderne, sensationele titels die niet erg betrouwbaar overkwamen leverde ook deze zoekactie maar één oorspronkelijk wetenschappelijk werk op, weer zo'n belachelijk obscuur victoriaans boek: *The Black Arts of the Pharaohs*, van de hand van ene Erasmus Fairbrook-Dale.

Laura begon er plezier in te krijgen. Het deed haar denken aan haar studententijd: dierbare herinneringen aan middagen die ze had doorgebracht in zaaltjes zoals deze, om sporen te volgen die haar van het ene concept naar het andere leidden, op een kronkelpad door een intellectueel labyrint. Misschien, dacht ze toen ze *Lost Numismatics* opende en de grote pagina's overdreven voorzichtig omsloeg, was dit wel haar eerste inspiratie geweest om als misdaadjournaliste aan de slag te gaan: de spanning om de aanwijzingen van een mysterie uit te pluizen. Als dat zo was, had het haar onontkoombaar op het pad van thrillerauteur gebracht.

Opeens zag ze het, midden op bladzij negen: een afbeelding van twee schijven, de twee kanten van een munt. Op de ene kant waren vijf vrouwen in lange, golvende gewaden afgebeeld, die een grote, diepe schaal op armlengte voor zich uit hielden. Daarnaast, op de andere kant van dezelfde munt, stond de beeltenis van een jonge farao. Het gezicht verschilde iets van de kop op Philips foto, maar verder kwam alles overeen. Met toenemende opwinding las Laura de tekst onder de twee afbeeldingen:

Deze zogeheten Arkhanon-munten (ca. 400 v.Chr., gebied van Napata) werden met de hand geslagen door de hofmagiërs van koning Alara. Elke munt toont afbeeldingen die verband houden met de visie van de oude Egyptenaren op de eenheid van alle dingen, de holistische combinatie van complementaire elementen. Dit voorbeeld is een gouden munt, met de afbeelding van een kwintet vrouwen die een voorstelling van de zon in hun handen houden. Op dezelfde plaats zijn nog twee andere, soortgelijke Arkhanon-munten gevonden: een zilveren munt met de afbeelding van vijf vrouwen die een schaal dragen met een voorstelling van de maan, en een derde, ijzeren munt met een bol (volgens sommige deskundigen de planeet Mars), die door een ander vijftal in mantels geklede vrouwen omhoog wordt gehouden.

'Wat slim van mij,' zei Laura. Ze pakte het andere negentiendeeeuwse boek, *The Black Arts of the Pharaohs*, bladerde het door en las wat willekeurige fragmenten, totdat ze bij een hoofdstuk kwam met de titel 'Het ontstaan van het holisme'.

Drie uur later stond Laura weer buiten, in de heldere middagzon die door de laaghangende donkere wolken brak. De straat voor de bibliotheek glinsterde van de regen en boven de Radcliffe Camera was een vage regenboog te zien, maar Laura lette er nauwelijks op. Ze was totaal verloren in een oude wereld van magie en occultisme, maar ook dolgelukkig dat ze misschien een belangrijke aanwijzing had gevonden.

12

De Acoliet was trots op zijn werk. Het was de vervulling van een lang gekoesterde droom. Hij had zich in dienst gesteld van een van de grootste mannen op deze aarde en zijn werk kon het verschil betekenen. Het had betekenis, het had een doel. En hij maakte deel uit van het grote plan, het Grote Werk, zoals het ooit was genoemd, honderden jaren voor zijn tijd.

Hij had zich jarenlang voorbereid op de taken waarvoor hij nu verantwoordelijk was. Het was een zware opleiding geweest. Hij had gestudeerd aan de beste medische faculteiten, ervaring opgedaan in de operatiezalen van drie internationaal vermaarde ziekenhuizen en zich de noodzakelijke disciplines en vaardigheden aangeleerd, terwijl hij zijn grote, aangeboren talent steeds verder ontwikkelde. Hij had natuurkunde, psychologie en wiskunde gestudeerd, maar zich ook verdiept in occulte studies zoals numerologie, astrologie en alchemie.

Hij zette zijn onopvallende zwarte Toyota op een vrije plek voor bezoekers op het parkeerterrein van Somerville College in Oxford en stapte uit. De zolen van zijn handgemaakte zwarte brogues knerpten over het grind. Hij klopte wat denkbeeldige stofjes van zijn onberispelijke Cerruti-pak, streek wat haren glad boven zijn oren, trok zijn perfect gestrikte zijden Hermès-das nog wat rechter en bekeek zichzelf in de achterruit van de dichtstbijzijnde auto voordat hij naar het voorplein van het College liep.

De Acoliet wierp een blik op zijn Patek Philippe. Het was bijna drie uur. Hij wist dat Samantha Thurow, derdejaarsstudente geschiedenis en politicologie, elk moment van trap nummer 7 kon komen. Vanaf het moment dat ze hier verscheen tot vanavond exact acht minuten over negen zou hij haar bewegingen blijven volgen. Globaal wist hij al wat die bewegingen zouden zijn. Hij had microfoontjes geplaatst in haar kamer in een studentenhuis in Summertown, even ten noorden van het centrum van de stad, en hij luisterde haar telefoon af.

Toen hij daaraan dacht en de eerste prettige tinteling van verwachting voelde, zag hij Samantha uit de duistere portiek van trap nummer 7 komen. Ze was in gesprek met een andere studente, een klein Aziatisch meisje. Samantha was een lange, opvallend knappe brunette met sensuele amandelvormige ogen en volle rode lippen. Haar haar was zorgvuldig gestileerd in een nonchalante coup. Ze droeg een kort geruit rokje, een zwarte wollen panty, zwarte Doc Martens, een strakke rode sweater en een zwart vest. Ze had een stapeltje boeken onder haar arm en een kleine leren tas over haar linkerschouder. De Acoliet kon haar kledingkeuze maar matig waarderen toen hij langzaam om het voorplein liep en de twee meisjes langs de portiersloge zag verdwijnen, de straat op.

Hij kende alle bijzonderheden van het dossier dat hij over Samantha Thurow had aangelegd nu bijna uit zijn hoofd. Ze was geboren op 19 mei 1986 in Godalming, Surrey. Haar vader had een toeleveringsbedrijf voor Defensie, haar moeder was lerares. Ze had twee oudere broers en een jongere zus. Samantha studeerde met een beurs en zat nu in haar derde jaar op Somerville. Ze was een veelbelovende studente, een hoogvlieger. Haar gezondheid was uitstekend. Ze had de gebruikelijke kinderziekten gehad en een keer haar arm gebroken toen ze negen was. Haar nieren waren in perfecte conditie. Haar huidige vriendje was Simon Welding, een aanstaande leraar van vierentwintig. Hij huurde een huis in East Oxford, samen met twee andere studenten, en Samantha bleef minstens twee keer per week bij hem slapen.

Het meisje haalde haar fiets van het slot, reed hem bij de muur vandaan, zwaaide naar haar vriendin en sloeg rechtsaf, over St.-Giles in de richting van het centrum. De Acoliet wist waar ze heen ging en had geen haast om bij zijn auto terug te komen. Toen hij weer naast de Toyota stond, trok hij zijn handschoenen aan, haalde een reinigingsdoekje uit het pakje dat hij altijd bij zich had en veegde de stoel schoon voordat hij achter het stuur ging zitten. Hij haalde het doekje over het dashboard en het stuur en borg het toen op in een plastic zakje dat op de linkerstoel lag. Daarna streek hij zijn broek en jasje glad en ging zodanig zitten dat zijn pak het minst zou kreuken. Hij stak het sleuteltje in het contact en vertrok.

Ergens op St.-Giles haalde hij Samantha in. Ze reed tussen een hele groep andere fietsers. De Acoliet nam alle tijd voor zijn omweg rond het centrum via Cowley Road, tot hij in Princes Street aankwam en tegenover nummer 268 parkeerde. Tien minuten later zag hij Samantha naderen vanuit Cowley Road. Ze reed de smalle straat met de gerenoveerde rijtjeshuizen door en stapte af voor het huis dat de Acoliet in de gaten hield. Ze duwde haar fiets het pad af, zette hem op slot tegen de gevel van het huis en pakte haar sleutel om de deur te openen.

Volgens het schema zou haar vriendje Simon Welding pas over een uur of vier verschijnen. Samantha had de hele middag om te studeren. Een groot deel van de avond zouden ze het huis voor zich alleen hebben. De andere bewoonsters van nummer 268 werden verwacht op een feestje, een paar straten verderop. Een paar minuten voor negen zou hij het huis binnenglippen met zijn instrumenten. Om kwart over negen moest het gebeurd zijn. Een kwartier later zou hij zijn opwachting maken bij de Meester, in de wetenschap dat de voltooiing van het Grote Werk weer een stap dichterbij gekomen was.

13

'Dus je gaat hier echt mee door?' vroeg Jo ongelovig.

'Je hoeft niet zo'n laatdunkende toon aan te slaan. Ik ben geen groentje in de misdaad, of was je dat vergeten? Weet je nog waar we ons brood aan te danken hadden voordat ik een beroemd schrijfster werd?' protesteerde Laura.

Jo was weer uit bed, voor het eerst sinds het ongeluk. Ze zat op de bank in Philips huiskamer met een plaid om zich heen en een kop soep in haar hand. Ze droeg een pyjama met koetjes, die haar minstens drie maten te groot was. De oude klok op de gang had net zes uur geslagen en Laura en Philip hadden haar alles verteld wat er de afgelopen twee dagen was gebeurd, tot het moment waarop Laura die middag naar James Lightman was gestapt.

'Bovendien,' voegde Laura er opgewekt aan toe, 'heb ik waarschijnlijk iets belangrijks ontdekt.'

Philip ging rechtop zitten. 'Iets belangrijks? Wat dan?'

'Het resultaat van vier uur intensief onderzoek in de Bodleian! Die munten blijken replica's te zijn van een Arkhanon. Dat is ongeveer de oudste Egyptische munt die ooit is teruggevonden, uit circa 400 v.Chr. Voor die tijd dreven de Egyptenaren gewoon ruilhandel. Maar het belangrijkste is dat die Arkhanons waren ontworpen door alchemisten die voor de farao's werkten. Volgens een van de bronnen zou de afbeelding van die vrouwen met de schaal verband houden met de obsessie van de alchemisten voor het holisme: het verband tussen ogenschijnlijk losstaande zaken.'

'Ja, natuurlijk. Er waren alchemisten in het oude Egypte, dat is zo,' zei Philip. 'Ik geloof dat ik ooit gelezen heb dat die hele obsessie voor het maken van goud en het elixer van het eeuwige leven daar zelfs begonnen is.'

'Maar mam! Ik bedoel...' Jo fronste haar voorhoofd. 'Is dat alchemistische gedoe niet allemaal grote flauwekul?'

'Luister nou even, oké?' zei Laura.

Philip en Jo keken elkaar aan en zwegen.

'Goed. Nou, het zit als volgt. Een van de verbanden waar die alchemisten zich blijkbaar mee bezighielden, was de connectie tussen de mensheid en het universum. De meeste alchemisten probeerden parallellen te trekken tussen het menselijk lichaam, de sterren, de planeten en de bewegingen aan de hemel. Ze zagen de menselijke gedaante als een weerspiegeling van de hemelbol. Ze geloofden dat God die patronen – repeterende motieven, zou je kunnen zeggen – bewust zo had geschapen en dat het hun taak, een bijna heilige plicht, was om die verbanden te ontrafelen.'

'En volgens jou heeft dat iets te maken met die moorden?' Philip staarde haar verbijsterd aan.

'Alchemisten dachten dat ze pas goud konden maken als ze de legendarische Steen der Wijzen hadden ontdekt: een magische stof die elke gewone metaalsoort in massief, zuiver goud kon veranderen. De Steen der Wijzen was alleen te vinden door iemand die zuiver was van geest, een alchemist die werkelijk het holistische aspect van het universum begreep en zijn gedachten kon vrijmaken om één te worden met de Universele Geest. Het belangrijkste daarbij is dat de alchemisten bepaalde schakels legden tussen metalen en delen van het menselijk lichaam.'

'Laat me raden,' viel Philip haar in de rede. 'Goud hoorde bij het hart en zilver bij de hersens?'

'Meneer Bainbridge mag door naar de volgende ronde. Maar is er nog veel meer. Alchemisten geloofden dat het lichaam en de hemelbol elkaars spiegelbeeld waren. Dus ook de planeten kunnen met menselijke organen worden geassocieerd...'

'Mam? Begrijp ik het nou goed?' zei Jo. 'Jij hebt de hele middag in de bibliotheek gezeten om alchemistische connecties te vinden tussen... Wat was het nou?... goud, de zon, en het hart? Waarom haal je de kerstman er ook niet bij?'

'Het punt is,' zei Laura, 'dat er wel degelijk verband zou kunnen bestaan tussen al die hocus pocus en de moorden. Enkel en alleen omdat de moordenaar erin gelooft. Het maakt niet uit of het allemaal onzin is.'

Jo keek een beetje beschaamd. 'Sorry, mam...'

'Er is nog meer,' zei Laura. 'Als jullie het willen horen.'

'Nou, graag!' Jo rolde met haar ogen.

Laura grinnikte. 'Als je dit al een raar verhaal vond, maak dan je borst maar nat. Sommige alchemisten besteedden hun hele leven aan de ondankbare opgave om de Steen der Wijzen te produceren. Ze gooiden allerlei chemische bestanddelen door elkaar om een magische stof te krijgen waarmee je volgens hen metaal in goud zou kunnen veranderen. Daar hebben mensen eeuwenlang op gehoopt, van de oudheid tot aan... nou, er schijnen nog altijd alchemisten te bestaan. Maar wat ik wil zeggen is dat er ongelooflijke inspanningen zijn gedaan om die Steen der Wijzen te vinden. De leerling moest een hele serie instructies volgen, uit allerlei bronnen, en één enkel experiment kostte soms wel maanden of zelfs jaren.

Hoe dan ook, toen ik dat allemaal zat te lezen begon ik me af te vragen waardoor ze zich lieten leiden. Ik dacht aan de belangrijkste verbanden die de alchemisten legden en besefte opeens dat de meesten ook astroloog moesten zijn geweest. En toen ik studeerde heb ik me nog een tijdje in de astrologie verdiept. Niet lang, hoor. Ik was er snel mee klaar.' Laura wierp een schichtige blik naar Jo, die haar hoofd schudde. 'Alchemisten deden alles volgens de sterren. Alle fasen van het proces moesten worden uitgevoerd op bijzondere data en bij specifieke astrologische verschijnselen.'

Laura's publiek zweeg.

'Voor de alchemisten was één dag van het jaar het allerbelangrijkst: de voorjaarsequinox.'

'De wat?' vroeg Jo.

'De voorjaarsequinox, het lentepunt, de eerste dag van de lente, als de dagen weer langer worden dan de nachten,' zei Philip.

'Precies. Alchemisten zagen dat als de gunstigste dag van het jaar voor nieuwe plannen. Dat was de tijd dat de meesten van hen met nieuwe experimenten begonnen om de Steen der Wijzen te vinden. Dat was dus op 20 maart, twee dagen geleden; de dag van de eerste moord.'

'Laura, wat denk je nu eigenlijk?' vroeg Philip na een paar seconden. 'Het is, nou... griezelig, dat wel. Maar hoe kan het ons helpen om de moordenaar van die meisjes te vinden?'

'Daar breek ik me ook het hoofd over, al sinds het moment dat ik vanmiddag uit de bibliotheek terugkwam. Ik weet niet hoe het direct van nut kan zijn, maar misschien kan het nieuwe moorden helpen voorkomen.'

'Hoe dan?'

'Ik zal erover nadenken. Monroe zei tegen jou dat de technische recherche ervan uitgaat dat Rachel Southgate op de avond van de twintigste is vermoord. Dat was het moment waarop de zon in Ram kwam te staan en de aarde het lentepunt passeerde. Voor de moordenaar was dat een nieuw begin, de start van een nieuw project.'

'Gezellig!' riep Jo uit. 'Leuk project.'

'Wat ik bedoel,' ging Laura verder, 'is dat het tijdstip van de tweede moord waarschijnlijk ook een astrologisch aspect heeft. God mag weten wat. Maar als dat zo is, en als er nog een derde en vierde moord op het programma staan, zouden die ook verband kunnen houden met bepaalde data en tijden.'

'Daar zit misschien wat in,' mompelde Philip.

'Natuurlijk,' snauwde Laura. 'Het probleem is dat ik er nog niet genoeg van afweet.'

'Nou, kijk maar niet naar mij,' riep Jo. 'Ik studeer wiskunde.'

'Neem me vooral niet kwalijk,' lachte Laura.

'Maar... wat ik zeggen wilde: misschien heb je geluk.'

'Hoezo?'

'Tom is wel in die dingen geïnteresseerd, helaas. Ik begrijp er niets van, want verder is het toch zo'n intelligente jonge knaap,' imiteerde Jo een bekakt Engels accent. 'En hij zou hierheen komen. Ik verwacht hem elk moment.'

'O ja?' vroeg Philip.

'Dat vind je toch niet erg, pap? Hij wilde zien hoe het met me ging.'

Philip spreidde zijn handen. 'Nee hoor. Geen probleem.'

'Maar hij moet wel werken voor zijn eten,' zei Laura.

Tom arriveerde twintig minuten later. Hij zag er verrassend gezond uit, afgezien van de aluminium *brace* om de twee vingers van zijn linkerhand die haarscheurtjes hadden opgelopen bij het auto-ongeluk. Tom speelde rugby voor Oriel, studeerde medicijnen, was bijna één meter negentig en woog meer dan negentig kilo, zonder een onsje vet. Hij had een vierkante kaak, grote blauwe ogen en golvend, goedgeknipt bruin haar. Een knappe vent. Hij ging naast Jo op de bank zitten en Laura vertelde wat er aan de hand was, terwijl Philip naar de keuken verdween om iets te drinken te halen.

'Wauw,' zei Tom toen Laura uitgesproken was. 'Wauw! En dit is serieus?'

'Ik ben bang van wel,' zei Philip, die weer binnenkwam met een glas cranberrysap voor Tom. 'Laura heeft je de gruwelijke details niet bespaard, neem ik aan?'

'Dat hoop ik niet!' lachte Tom. 'Dus jij denkt dat de dader die moorden pleegt volgens een astrologisch tijdschema?'

'Dat weet ik nog niet.'

'Maar je weet wel zeker dat hij voor het eerst heeft toegeslagen omstreeks de tijd van de voorjaarsequinox, dat hij een gouden muntje heeft achtergelaten en...' hij aarzelde even, 'het hart van dat meisje uit haar lichaam heeft gesneden? De tweede moord volgde nog geen twaalf uur later. Toen liet de dader een zilveren muntje achter en verwijderde de hersens van het slachtoffer.'

'Klopt.'

'Nou, wat die associaties betreft heb je gelijk. De hersens zijn verbonden met zilver en met de maan. Dus het ligt voor de hand dat de maan in Ram kwam te staan op het tijdstip van de tweede moord.'

'Wat bedoel je?' vroeg Jo.

'Natuurlijk!' riep Laura uit. 'Waarom heb ik dat niet bedacht?'

'Wat?' vroeg Philip.

'Nou, nu begrijp ik het pas. De zon, de maan en de planeten bewegen zich allemaal langs de hemel, nietwaar?' legde Laura uit. 'De beweging van de zon door de dierenriem in de loop van het jaar geeft betekenis aan de twaalf sterrenbeelden. Ja toch, Tom?' Hij knikte. 'Dus in de eerste maand van het jaar,' vervolgde ze, 'zie je de zon in Steenbok. Daarna in Waterman, dan in Vissen, enzovoort. De zon komt in Ram te staan tegen het einde van maart. ... wanneer precies? Op de twintigste of het begin van de eenentwintigste. Dat is ook de datum van het lentepunt, de voorjaarsequinox. Daarna komt de zon in Stier en al die andere sterrenbeelden. Maar ook de planeten en de maan kunnen het sterrenbeeld in de loop van de maand betreden en weer verlaten.'

'Maar dat gebeurt niet zo vaak,' voegde Tom eraan toe. 'De maan en de planeten kunnen de hele maand aan de andere kant van de hemel staan, maar soms volgen ze elkaar op in het sterrenbeeld.'

'Ja, maar...' begon Jo.

Tom was haar al voor. 'Ik weet wat je zeggen wilt, Jo. We hebben deze discussie al eens eerder gehad. Jij vindt het allemaal onzin, maar je moet onderscheid maken tussen werkelijke astrologie en de flauwekul die je in damesbladen en kranten vindt. Dat slaat nergens op; dat zijn maar verzinsels van de schrijver van zo'n rubriekje. Een goed opgeleide astroloog heeft te maken met een veel complexer systeem, waarbij de invloeden van alle hemellichamen in beschouwing worden genomen, niet alleen de zon.'

'Het komt er dus op neer,' zei Philip, 'dat die andere hemellichamen soms de zon volgen in het betreffende teken van de dierenriem en daardoor ook de astrologische invloed bepalen?'

'Precies.'

'Het is dus mogelijk dat de maan in Ram kwam te staan vlak nadat Ram het huidige teken werd. En dat zou de connectie zijn met de datum en het tijdstip van de tweede moord.'

'Ik zou er niet mijn hoofd om durven verwedden.'

'Ja, maar wacht nou eens even. Het zal wel onzin zijn wat ik zeg, maar is dit geen logische fout? Die sterrenbeelden zijn... hoe lang, tienduizend jaar?... geleden bedacht.'

'Nou, zó lang nou ook weer niet,' antwoordde Tom. 'De astrologie is ontstaan in Mesopotamië, omstreeks 4000 v.Chr, als ik me niet vergis.'

'Goed, maakt niet uit. Zesduizend jaar geleden, dus. Het punt is dat die sterrenbeelden niet meer hetzelfde kunnen zijn als toen, omdat de sterren – in relatie tot de aarde – binnen die duizenden jaren een heel eind zijn verschoven. De sterrenbeelden hebben niet meer dezelfde vorm als in de oudheid en ze staan zeker niet meer op dezelfde plaats.'

'Nee, Jo,' zei Laura, 'maar dat doet er niet toe.'

'Waarom niet?'

'Omdat het alleen van belang is voor die horoscopen in damesblaadjes.'

Jo keek stomverbaasd.

'Denk maar even na. Als alles één sterrenbeeld is verschoven, of nog wat verder, maakt dat helemaal niets uit, alleen voor zo'n horoscoop die karaktertrekken probeert toe te schrijven aan mensen die onder een bepaald sterrenbeeld zijn geboren. Je kent dat wel: als je een Waterman bent, heb je eigenzinnige opvattingen en zwakke enkels. Dat soort geklets.'

'Serieuze astrologen houden wel degelijk rekening met de verschuiving van de hemel. Laura heeft gelijk,' kwam Tom tussenbeide.

'Maar dan staat het lentepunt helemaal niet meer in Ram,' zei Philip.

'Dat doet er niet toe, tenzij je elke week je horoscoop leest in de zaterdagbijlage.'

Jo zuchtte. 'Nou, het zal wel.'

Laura grinnikte. 'Het geeft niet hoor, pop, jij bent maar een wiskundige.'

Jo lachte berustend en nam een lepel soep.

'Hoe dan ook,' ging Philip verder, 'het lijkt erop dat onze moordenaar zich laat inspireren door de astrologie. We hoeven alleen maar te bedenken wat *híj* gelooft, niet wat *wíj* daarvan vinden.'

'Goed,' zei Laura, en ze spreidde haar handen. 'Terug naar de zaak zelf. Tom, zou het mogelijk zijn dat de maan in Ram kwam op het moment van de tweede moord?'

'Daar komen we gauw genoeg achter.'

'O ja?'

'We kijken even op almanac.com. Ik ben lid.'

Tom liep al naar de computer op het bureau naast de bank. 'Is je computer online?' vroeg hij.

'Ja, ik heb ADSL,' zei Philip en hij kwam achter hem staan.

Ze openden de browser en Tom typte almanac.com. De site verscheen en Tom voerde zijn wachtwoord in. Even later zagen ze een menu. In de linkerkolom stond een rij vragen die je kon aanklikken.

Laura kwam er ook bij staan, maar Jo bleef op de bank zitten.

'Ik heb alleen wat getallen nodig,' zei Tom. 'Het is een goede site, met software die de locatie van elke planeet en de maan tussen nu en het jaar 3000 kan berekenen.' Hij typte de gegevens: 'Voor de maan wordt dat dus: 21 maart 2006.' Daarna gaf hij nog wat cijfers, beantwoordde een paar vragen, en klikte toen op SEARCH.

Het antwoord kwam verrassend snel.

'Wauw,' zei Tom.

'Wat?' vroeg Laura, die de uitkomst niet zo snel kon interpreteren.

'De maan is in Ram gekomen op 21 maart, 's nachts om dertien minuten voor vier.'

'Dat zou heel goed de tijd van de tweede moord kunnen zijn.' Philip was duidelijk onder de indruk.

'En Monroe wist zeker dat dat het tijdstip was?' vroeg Laura aan Philip.

'Hij zei dat de technische recherche ervan uitging dat het meisje tussen vier en zes uur dood moest zijn toen ik daar arriveerde. Dat was tegen halfnegen. De moord moet dus hebben plaatsgevonden tussen halfdrie en halfvijf 's nachts.'

'Tom, kun je op deze site ook de planeten volgen, net zoals de maan?' vroeg Laura.

'Ja.'

'We moeten weten of een van de planeten binnenkort in Ram komt, en wanneer. Kunnen we ze allemaal opvragen?'

'Beter nog,' antwoordde Tom. 'Ik kan je de bewegingen van alle planeten vertellen, zo ver in de toekomst als je maar wilt.'

'Niet overdrijven, Thomas,' zei Jo luchtig. 'Alleen maar tot het jaar 3000.'

Philip lachte snuivend, maar Tom negeerde haar, toetste nog wat instructies in en beantwoordde een paar vragen na de prompt. Even later klikte hij weer op SEARCH en schoof zijn stoel naar achteren. 'Nou, doe je best,' zei hij.

Deze keer duurde het wat langer, maar na een seconde of twintig verscheen er een nieuw scherm met diagrammen en lijsten met cijfers.

'En wat vertelt ons dat?' vroeg Laura ongeduldig.

'Eén moment,' zei Tom. Hij scrollde omlaag, tuurde naar het scherm en sloot toen zijn ogen om zich beter te kunnen concentreren. 'Allemachtig!'

'Wat?' vroeg Philip.

'Dit is echt heel bijzonder.'

'Wil je nou eindelijk...' verzuchtte Laura.

'Sorry. Zo nu en dan krijg je een bepaalde conjunctie van planeten...'

'Een samenstand?' viel Philip hem in de rede.

'Ja. Als twee of meer hemellichamen – de maan en de planeten – op één lijn lijken te staan, vanaf de aarde gezien. Een conjunctie van twee planeten, of een planeet en de maan, komt vrij veel voor. Dat heet een drievoudige conjunctie. Een viervoudige conjunctie is veel zeldzamer; dat zie je maar eens in de paar jaar. Over een week, helemaal in het begin van de 31ste maart... een paar minuten na middernacht, om precies te zijn... vormen de maan en drie planeten een bijna perfecte vijfvoudige conjunctie met de zon. Dat is zo zeldzaam dat het de afgelopen duizend jaar misschien maar tien keer is voorgekomen.'

Laura was de eerste die iets zei. 'Dus dat betekent dat er de komende dagen drie planeten in Ram komen te staan?'

'Juist.'

'En kun je ook opzoeken welke?'

'Dat heb ik al gedaan,' antwoordde Tom, en hij wees naar het scherm. 'Venus, Mars en Jupiter. In die volgorde.'

'Wanneer?'

'Jupiter vlak na middernacht op 31 maart; Mars een paar uur eerder, op de avond van 30 maart; en Venus... even kijken,' mompelde hij, en hij scrollde nog verder. 'Venus komt vanavond in Ram, om precies acht minuten over negen.'

4

Cambridge, de avond van 10 augustus 1690

John Wickins was in 1663 naar Cambridge gekomen, en de stad was hem intussen net zo vertrouwd als het gezicht van zijn eigen moeder. Hij kende elke bocht van elke straat, elke plant en elk sprietje onkruid tussen de stenen op zijn vaste wandelingen. Hij kende alle docenten en alle bewoners die hij onderweg tegenkwam. Al bijna dertig jaar lang genoot hij van dezelfde vaste dingen. Hij kocht zijn boeken bij dezelfde winkel, vulde zijn inktpot bij dezelfde leverancier, liet zijn kleren maken volgens exact dezelfde snit bij dezelfde, inmiddels al bejaarde kleermaker, en hij kocht zijn snuiftabak bij dezelfde handelaar bij wie hij twintig jaar of nog langer geleden voor het eerst had aangeklopt. Maar nu ging hij vertrekken en leek Cambridge niet meer hetzelfde.

Wickins had grote haast. Hij had die dag zelfs een paard gehuurd voor de terugreis vanuit Oxford. Toen hij tegen het vallen van de schemering arriveerde, had hij de teugels aan de staljongen gegeven. Het paard had haver en water gekregen in de stallen van het College. Het was een ongewone luxe voor Wickins, maar hij had grote plannen en hij wilde geen tijd verspillen in uitpuilende, trage koetsen. Hij was nog steeds beduusd van het aanbod dat hem was gedaan: de post van rector van St.-Mary's in Oxford. Die kans kon hij niet laten lopen. Dit was het moment om te breken met Cambridge en zijn hele leven daar.

Natuurlijk betekende dat ook het afscheid van Isaac Newton. Wickins en Newton hadden een merkwaardige relatie. Ze hadden elkaar ontmoet in de eerste maanden van hun studie, toen ze zich allebei ellendig voelden en weinig ophadden met de andere studenten. Toen ze in Cambridge aankwamen, hadden ze een uitdagende wetenschappelijke omgeving verwacht, maar in werkelijkheid waren de meeste studenten alleen geïnteresseerd in drinken, gokken en vrouwen. Wickins en Newton deelden dezelfde achtergrond: de lagere adel. Wickins' vader was schoolmeester, Newtons vader was gestorven voordat Isaac geboren werd, waarna zijn moeder met de plaatselijke dominee was getrouwd. De twee jongemannen hadden weinig gemeen met de rest van hun jaargenoten, die grotendeels bestond uit de zoons van rijke grootgrondbezitters en geslaagde kooplieden, hoewel die nog te verkiezen waren boven het werkelijke geteisem, de luie, achterlijke zoontjes van de hogere adel, die hun studieresultaten moesten kopen met het geld van hun familie.

Wickins stak het voorplein van Trinity College over naar de portiek van zijn eigen trappenhuis. Hij liep langzaam, bijna alsof hij het onvermijdelijke zo lang mogelijk wilde uitstellen. Hij had mooie momenten gekend in deze geweldige stad. Hij wilde best toegeven dat het grootste deel van zijn leven eentonig en voorspelbaar was geweest: eerst zijn studie en daarna zijn theologische onderzoek. Maar zo nu en dan had hij Newton geholpen bij zijn natuurwetenschappelijke werk, teksten voor hem gekopieerd en hand- en spandiensten verleend. Daardoor wist hij heel zeker dat hij dichter bij de grote Newton was gekomen dan wie ook. Ook waren er momenten geweest waarop lichamelijke behoeften tot een bijzondere intimiteit had geleid tussen hen beiden, handelingen waarover ze nooit spraken en die ze voor de buitenwereld verborgen hielden. En dan was er natuurlijk nog de werkelijke reden waarom hij zo dicht bij de man leefde, de reden waarom hij contact had gezocht met Newton en vriendschap met hem had gesloten. In de loop der jaren was Wickins ervan overtuigd geraakt dat Isaac Newton de gevaarlijkste man op aarde was.

Wickins kwam bij de deur van hun kamers, haalde zijn sleutel uit de zak van zijn tuniek en stak hem in het slot. De gang en de kamers links en rechts lagen in het halfdonker. Warme lucht zweefde naar binnen door een open raam aan het einde van de gang. De deur van zijn slaapkamer was dicht, maar de deur rechts, die uitkwam in Newtons kamer en het laboratorium erachter, stond op een kier. Het was ongewoon stil. Het enige geluid kwam van het paartje leeuweriken dat nestelde in de iep achter het open raam.

Nu hij hier eenmaal stond, kreeg Wickins opeens grote twijfels over zijn plannen. Dit was zijn thuis. Hier voelde hij zich veilig. Was het wel verstandig om alles overboord te gooien en een geheel nieuw bestaan in Oxford te beginnen?

Hij was ervan overtuigd dat zijn missie in Cambridge voorbij was. Het was een belangrijke opdracht geweest en hij had niet eerder kunnen vertrekken. Daar voelde hij zich dus niet schuldig over. De conjunctie van de planeten zou pas de volgende nacht, 11 augustus, plaatsvinden en het was duidelijk dat niemand het experiment zou aandurven. Als Newton het niet deed, had verder niemand de kennis, de kunde of de ambitie ervoor. Wickins' vrienden in Oxford hadden scherp op de aanwijzingen gelet maar niets verdachts kunnen ontdekken. Ze wisten van een moord die de vorige week was gepleegd, maar dat meisje was gewoon omgebracht door haar minnaar, die vervolgens de hand aan zichzelf had geslagen. Voor zover ze hadden kunnen nagaan, tenminste. Want zelfs zijn vrienden moesten toegeven dat menig misdrijf handig kon worden toegedekt. Dus zouden ze het nooit zeker weten. Maar het belangrijkste, dacht Wickins toen hij zijn schoudertas neerlegde, zijn jasje uittrok en zijn hoed aan de kapstok in de gang hing, was dat de robijnsteen veilig in zijn kluis lag. Geen enkel alchemistisch genie had nog de oude codes en de hermetische kennis ontdekt om het kostbare object te bemachtigen.

Verbaasd zag Wickins dat ook de deur naar Newtons laboratorium openstond. Het beddengoed lag op een hoop. Op de grond stonden vuile etensborden. Het raam was open en op de brede vensterbank stond een kom water, schoon en onaangeroerd. Wickins liep voorzichtig in de richting van het laboratorium. Zijn hart bonsde in zijn keel. Opeens werd hij bevangen door een irrationele angst. Newton was altijd zo fanatiek in de bescherming van zijn privacy.

Zijn vriend had hem niet horen aankomen. Newton zat in zijn laboratorium met zijn rug naar de deur. Het schijnsel van het vuur verlichtte één kant van zijn gezicht. Hij hield iets in zijn handen, iets wat Wickins nooit eerder had gezien, behalve in zijn dromen, een mythisch voorwerp, maar concreet genoeg, onbeschrijflijk heilig, de kern van alle dingen: de robijnsteen.

Wickins had de behoefte om te schreeuwen, maar gelukkig kwam er geen geluid. Toch liet de afschuw zich niet onderdrukken. Met een bijna bovenmenselijke inspanning bracht hij zijn hand naar zijn gezicht en greep de huid van zijn wangen met zijn nagels. Het was een onwillekeurige beweging, alsof hij zichzelf ervan wilde overtuigen dat hij nog leefde en dat dit de werkelijkheid was.

Een van de leeuweriken landde op de vensterbank en tikte met zijn snavel tegen de waterbak.

In de twee seconden die volgden schoten er een miljoen tegenstrijdige gedachten door Wickins' hoofd, maar slechts twee daarvan drongen echt tot hem door. De eerste was om te vluchten, naar Oxford te rijden en zijn vrienden te waarschuwen. De tweede gedachte dwong hem de kamer door te rennen om die ronde steen te grijpen.

In de tijd die het hem kostte om de afstand te overbruggen naar de plek waar Newton zat, had de wetenschapper zich al uit zijn stoel verheven en zich schrap gezet voor de aanval.

Voor een man van bijna vijftig, die zijn hele leven in zijn studeerkamer had doorgebracht, was Newton nog verrassend lenig. Wickins probeerde hem te grijpen, maar Newton sprong opzij. Hij verloor zijn evenwicht, maar wist zijn val te breken door zich vast te klampen aan de tafel naast de haard. Wickins draaide zich op zijn hakken rond en zag dat Newton een stapel papieren greep van een tafeltje in de buurt.

'Isaac, dat kun je niet doen!' gilde Wickins. 'Alsjeblieft... Je weet niet...'

Maar Newton scheen hem niet te horen. Een plotselinge woede

maakte zich van Wickins meester toen hij besefte dat hij zijn adem verspilde. Hij sprong naar voren en greep Newton bij de schouder. De wetenschapper rukte zich los. Wickins verloor zijn greep en draaide zich om. Hij zag de robijnsteen in de rechterhand van zijn kamergenoot, en het volgende moment kwam Newtons vuist met de ronde steen bliksemsnel op hem toe. Wickins wist de klap nog net te ontwijken, stapte opzij en haalde uit. Zijn hand schampte Newtons wang. Newton slaakte een kreet, vloog in blinde woede op Wickins af en raakte hem vol op zijn kaak. 'Hij is van mij!' schreeuwde hij met fonkelende ogen.

Wickins viel achterover en sloeg met een klap tegen de kast. Zijn hoofd raakte het hout, waardoor een hele rij potjes en flessen begon te wankelen en omviel. Ze kletterden tegen de vloer, behalve een fles met een gele vloeistof en het etiket VITRIOOLOLIE, die op Wickins' schouder terechtkwam en zijn kurk verloor. De inhoud stroomde over Wickins' arm. Hij gilde, maar bijna voordat het geluid zijn keel had verlaten had Newton, met een maniakale woede in zijn ogen, al een stap naar voren gedaan en hem recht in zijn gezicht geschopt. Wickins zakte bewusteloos in elkaar.

Toen hij weer bijkwam, was het pikkedonker. Het haardvuur was bijna gedoofd, het was koud in de kamer en de geuren waren overweldigend. Het meest verontrustend was de onmiskenbare lucht van geschroeid vlees.

Wickins kwam moeizaam overeind. Door de pijn in zijn hoofd viel hij weer bijna terug op zijn knieën. Zijn arm klopte pijnlijk. Toen hij de aangrenzende kamer binnenstrompelde, had hij wat meer licht. De maan was opgekomen en wierp een zilveren nevel over alles heen. Wickins keek naar zijn arm. De stof van zijn hemd was weggebrand en zijn huid was rood en bedekt met blaren. Hij liep naar de kom water op de vensterbank, doopte er een hemd in dat ergens in de buurt lag en depte met de natte doek zijn arm.

Newton had de robijnsteen. Wickins' ergste nachtmerrie was uitgekomen. Hij probeerde helder na te denken, ondanks de pijn. Het koele water op zijn arm hielp een beetje, maar het was een ernstige brandwond en zijn hoofd voelde alsof er tien arbeiders in zijn hoofd met voorhamers bezig waren een rotswand uit te hakken.

Wickins herinnerde zich de klok in Newtons kamer en liep erheen. Het vierde uur na middernacht was al verstreken. Hij moest een hele tijd bewusteloos zijn geweest. Zachtjes vloekend stak hij zijn handen weer in de kom met water en spoelde zijn mond voordat hij het terugspuwde in de bak. Het was rood van kleur.

Weer probeerde hij zijn gedachten te verzamelen, maar de pijn maakte dat onmogelijk. Newton was verdwenen. Hij zou al in de buurt van Oxford kunnen zijn, of misschien was hij ergens anders naartoe gegaan om zich voor te bereiden. Het was nog minder dan vierentwintig uur tot de conjunctie. Wickins vroeg zich af wat hij moest doen. Hij kon een bericht naar Oxford sturen, maar hij durfde een koerier niet zo'n belangrijke boodschap toe te vertrouwen. Bovendien, wat moest hij zeggen?

Even later stapte hij de deur uit en liep naar de stallen, met zijn jasje aan, zijn hoed op en zijn tas over zijn schouder.

De staljongen was niet blij hem te zien, maar een shilling bracht hem in een beter humeur en hij ging Wickins voor naar de stallen. Newton was daar eerder die avond ook geweest, vertelde de jongen, maar hij had geen woord gezegd en zich nog afweziger en onaangenamer gedragen dan anders.

Wickins koos een kastanjebruine merrie, een van de beste paarden in de stal, en gaf de jongen het geld in een verzegelde envelop die aan de quaestor moest worden overhandigd. Als hij over een paar dagen terugkwam zou hij het de stalmeester uitleggen, zei hij. Hij had dringende zaken te doen en hij kon geen minuut verliezen. Hoe slecht hij zich ook voelde, even later liet hij de teugels knallen, keerde de merrie en ging op weg naar de poort en de hoofdweg erachter.

Binnen twee uur was hij in Ickwell, een dorp nog geen honderd kilometer ten westen van Cambridge, en toen de zon eindelijk opkwam boven de heggen bracht een vers paard, een grijze ruin, hem door Brill, Horton-cum-Studley en Islip voordat hij de weg naar de oostelijke poort van Oxford bereikte. Anderhalf uur later reed hij de stad binnen. In draf sloeg hij af naar Merton Street voordat hij afsteeg en de teugels aan een stalknecht gaf. Haastig liep hij naar de universiteit.

'Allemachtig!' riep Robert Hooke toen John Wickins klaar was met zijn verhaal. 'De schobbejak!' En hij drukte een stevige vinger snuiftabak in zijn neusgat.

Ze zaten in een ruim vertrek in University College, met uitzicht op The High, een appartement waarover Robert Boyle elke maand augustus kon beschikken als deel van zijn honorarium. Wickins was doodmoe en zijn arm en hoofd bonsden pijnlijker dan ooit. Hij was ontvangen door Boyle, die zelf ook een breekbare en vermoeide indruk maakte, maar toch onmiddellijk de verwondingen van de andere man had geïnspecteerd en verzorgd. Met geoefende behoedzaamheid betastte hij de blaren op Wickins' onderarm voordat hij een strak verband aanlegde. Wickins' pijnlijke hoofd werd behandeld met een zalf van kattenpis en muizenkeutels die volgens Boyle bijzonder effectief was tegen hoofdpijn. Terwijl de oude man met hem bezig was, beschreef Wickins de recente gebeurtenissen in Cambridge. Boyle hoorde het rustig aan, met hier en daar een zucht of een zacht gekreun. Zo nu en dan, als hij even ophield met zijn werk, keek hij Wickins onderzoekend aan. Zijn doordringende groene ogen leken iets ondefinieerbaars te zoeken. Even later arriveerde Hooke, die via een bediende de dringende boodschap had ontvangen. Hooke, het absolute tegendeel van Boyle, ontstak in woede en gaf een reeks vloeken ten beste voordat hij zich in een stoel bij de lege haard liet vallen.

'Dat miserabele schepsel, die... die klisteerspuit!' gromde hij, zoekend naar zijn buidel met snuiftabak.

Ondanks de pijn was Wickins toch geschokt. 'Mijnheer, alstublieft... beheerst u zich.'

'Waarom zou ik me beheersen?' stoof Hooke op. 'Er is geen andere beschrijving voor die hooggeachte Lucasiaanse professor van u! Ik ben misschien nog te mild. En mag ik eraan toevoegen, mijnheer, dat u niet veel beter bent dan hij.'

Op dat moment begreep Wickins waarom Newton zo'n hekel had aan de man. Hooke's mismaakte, gedrongen gestalte was bijna net zo afstotelijk als zijn karakter.

'Heren, heren,' kwam Boyle tussenbeide. 'Ik denk dat John grif zal toegeven dat hij zijn kamergenoot verkeerd heeft ingeschat. Maar het heeft geen zin elkaar verwijten te maken. We zullen een oplossing moeten vinden.'

'Ik heb jullie allebei gewaarschuwd,' hield Hooke vol. Hij draaide zich van Wickins naar Boyle en zei: 'De ambitie van die man kent geen grenzen. In Londen, na de lezing van Wren, heb ik al gezegd dat Newton een waardevolle ontdekking had gedaan.'

'Ik kan me niet eens herinneren dat hij daar aanwezig was,' antwoordde Boyle.

'Hij stond achter in de zaal, dicht bij de deur. Ik zag hem vanaf het podium. Ik vergis me niet. Maar hij was alweer verdwenen nog voordat Wren klaar was met zijn verhaal.'

'En jij zegt dat je Wren over de zaak hebt aangesproken?'

'Ja,' zei Hooke, bijna fluisterend. 'Maar hij wilde niets zeggen. De man heeft me nooit gemogen.'

Wickins kon een snuivend geluid niet onderdrukken. 'Meester,' zei Wickins met een blik naar Boyle, 'ik betreur mijn eigen onnozelheid in deze kwestie. Maar ter verdediging van mijzelf wil ik aanvoeren dat ik – zelfs áls we iets hadden vermoed over Newtons kennis van de robijnsteen – nooit had kunnen geloven dat hij het kostbare voorwerp onder onze neus vandaan zou stelen. En ik had evenmin kunnen vermoeden dat hij wist wat hij ermee moest doen.'

'Het was jouw taak om die duivel in de gaten te houden, sukkel!' viel Hooke tegen hem uit.

'Heren,' zei Boyle nog eens. 'Ik heb noch de wil, noch de energie om mezelf te herhalen op deze trieste ochtend. U zult uw ruzie moeten bijleggen, anders is alles bij voorbaat verloren. Als u zich niet intelligent en waardig weet te gedragen, zal onze vriend Isaac Newton ons te slim af zijn. Want vergis u niet, hij is een geduchte tegenstander.'

Ze zwegen een moment. Opeens was Wickins zich bewust van de

geluiden van de stad die door een open raam naar binnen kwamen. Het was bijna negen uur, en hoewel bijna alle studenten uit Oxford waren vertrokken, bleef de stad een levendig centrum van handelaren en kooplui, met een druk verkeer van karren door The High. In de verte, waar arbeiders bezig waren het dak van een collegegebouw te herstellen, was het geklop van hamers en het schurende geluid van zagen te horen.

'Wat vindt u, meester?' Hooke vermeed zorgvuldig in Wickins' richting te kijken. 'U kent mijn mening over Newton. De man is vreselijk arrogant, zoals ook anderen uit bittere ervaring kunnen bevestigen. Maar hij is ook briljant; het zou dwaas zijn om dat te ontkennen.'

'Je windt er geen doekjes om, Robert, zoals gewoonlijk, maar je hebt gelijk. Het spijt me om het te zeggen, maar ik vrees dat we van het ergste moeten uitgaan. Newton zal met anderen moeten samenwerken, daar komt zelfs hij niet onderuit, hoezeer het ook tegen zijn karakter indruist. We kunnen ervan uitgaan dat die mannen al enige tijd hier in de stad zijn en hun bloederige werk hebben gedaan, ook al hebben wij daar nog niets over gehoord. We weten allemaal wat het ritueel inhoudt.' Boyle keek de anderen om beurten ernstig aan.

'Heren, door onze laksheid staan we nu voor een groot gevaar. Ieder van ons...' hij wierp Hooke een doordringende blik toe die zelfs sterkere mannen zou hebben verpletterd, 'zal al het mogelijke moeten doen om deze Lucasiaanse professor vannacht nog de pas af te snijden. De tijd werkt tegen ons, mijn vrienden. We moeten onmiddellijk onze maatregelen treffen.'

15

Het kantoor van inspecteur Monroe was zo grimmig als de man zelf. Zijn bureau nam een derde van de ruimte in beslag en was helemaal leeg, afgezien van een ultramoderne computer, twee telefoons en een pennenbakje. Er hingen geen schilderijen aan de muren. De enige versiering was een bijna dode graslelie, die met slappe bladeren naast een dossierkast stond. Twee versleten stoelen waren bij de hoeken van het bureau opgesteld, tegenover Monroes eigen plastic draaistoel met lage rug. Toch was het niet de Spartaanse inrichting die bezoekers het eerst opviel, maar de lucht: een onaangename mengeling van fastfoodgeurtjes. Blijkbaar, dacht Laura toen ze ging zitten op de stoel die de inspecteur haar aanbood, was Monroe een man die een gezonde lunch zonde van de tijd en het geld vond.

Het kantoor had een glazen wand, die uitkeek over een zaal met werkstations en kaarten aan de muren. De computers werden bemand door politiemensen en rechercheurs in burger, die koffiedronken, naar hun scherm tuurden of druk met elkaar praatten, onderuitgezakt op hun stoel en met hun voeten op hun bureau. Anderen waren verdiept in paperassen, streken met hun vingers door hun haar, maakten notities, ramden op hun toetsenbord of zaten aan de telefoon. Het was kwart voor acht 's avonds, maar het had elke willekeurige tijd van de dag of de nacht kunnen zijn. Herrie, drukte en veel te fel licht. In welke stad je ook kwam, wist Laura uit lange ervaring, de politie sliep nooit.

Met enige schrik besefte ze dat Monroe en Philip haar aanstaarden.

'Dus, mevrouw Niven,' zei Monroe, terwijl hij haar met zijn zwarte ogen scherp opnam, 'u hebt informatie die misschien van nut kan zijn bij het onderzoek.' Zijn toon verried slechts een fractie van het ongeduld en de scepsis die hij ongetwijfeld voelde. Laura had zijn type wel eerder meegemaakt; regelmatig, zelfs. Monroe was een cliché, het Britse equivalent van de harde Amerikaanse smeris die ze in haar werk als misdaadjournaliste zo dikwijls had ontmoet. Figuren zoals deze inspecteur waren immuun voor de meeste wapens die Laura kende om zichzelf te handhaven in een mannenwereld, immuun voor haar overredingskracht en de methoden die ze meestal met succes toepaste om haar zin te krijgen. Aan de andere kant besefte ze ook dat de Monroes van deze wereld tot de beste rechercheurs behoorden. Het waren mannen die, althans aan de oppervlakte, geen gezinsleven en geen emotionele bagage leken te hebben, helemaal niets wat hen kon afleiden van hun werk.

'Inderdaad,' antwoordde ze. 'En ik geloof dat het belangrijk is.'

'Dat is een hele opluchting.'

Ze keek nog eens vragend naar Philip voor zijn goedkeuring om het hele verhaal te vertellen en begon toen aan haar uitleg van wat ze had ontdekt, de zoektocht op almanac.com en de voorspelde conjunctie. De inspecteur hoorde haar aan met een ondoorgrondelijke uitdrukking op zijn gezicht, behalve zo nu en dan een frons om aan te geven dat hij nog luisterde. Toen Laura uitgesproken was, leunde hij naar achteren in zijn stoel en sloeg zijn armen over elkaar. De mouwen van zijn jasje waren opgekropen en zaten zo strak dat het leek alsof de stof elk moment zou scheuren.

'Astrologie.' Eén woord maar, in de plaatselijke tongval, met de 'o' als de echo van een holle eik. Monroe staarde naar het plafond.

'Ik weet wat u denkt. Natuurlijk klinkt het een beetje... nou, vreemd...'

'U denkt dat de moordenaar te werk gaat volgens een agenda die geschreven is in de sterren; dat hij een gestoorde figuur is die zijn moorden pleegt volgens een zorgvuldig uitgewerkt plan.'

'Ja.'

'En dat allemaal vanwege de toevalligheden die u hebt ontdekt?'

Laura zette haar stekels op.

'Ja, ik weet het.' Monroe hief bezwerend zijn hand op. 'U vindt het géén toevalligheden, mevrouw Niven.'

'Inspecteur, ik denk dat deze feiten meer zijn dan zuiver toeval,' viel Philip hem in de rede. 'Ik geloof ook niet in astrologie, als u dat soms denkt, en ik weet dat Laura net zo sceptisch is.'

'Hoor eens, meneer Bainbridge, mevrouw Niven, ik begrijp waar u naartoe wilt. En ik besef ook wel dat je zelf niet aan astrologie hoeft te doen om te vermoeden dat een moordenaar volgens de regels van die zogenaamde wetenschap opereert. Maar kent u allebei niet te veel belang toe aan een serie feiten waarvoor ook een heel andere verklaring te bedenken is?'

Toen ze naar Oxford reden had Philip Laura al gewaarschuwd dat Monroe zich niet gemakkelijk liet overtuigen. En ook in andere opzichten was hij geen gemakkelijk mens, voegde Philip er nog aan toe.

'Zoals?' vroeg Laura uitdagend.

'De moordenaar zou een vals spoor kunnen leggen. Hij zou de illusie kunnen wekken dat hij volgens een krankzinnige agenda te werk gaat, alleen om ons zand in de ogen te strooien. Of het is gewoon toeval, zoals ik al zei. Dat is de eenvoudigste verklaring.'

'Ik vind het allebei niet overtuigend,' zei Laura ongeduldig. 'Waarom zou iemand een paar moorden voorbereiden die kloppen met de feiten die wij hebben ontdekt, om vervolgens iets heel anders te doen? En dat het zuiver toeval is wil er bij mij al helemaal niet in.'

Jaren van ervaring hadden Monroe een goede kijk op mensen gegeven en hem geleerd hoe hij op hen kon overkomen zoals hij dat wilde. Ondanks alles had hij bewondering voor deze Amerikaanse dame. Ze had lef, maar dat betekende niet dat hij haar theorie zomaar geloofde.

'Ik begrijp wat u wilt zeggen, mevrouw Niven. En ik zie ook wel dat de astronomie, anders dan de astrologie, met harde feiten werkt. Maar hoe nauwkeurig is dat computerprogramma?'

Laura was een moment uit het veld geslagen.

Monroe buitte dat onverwachte voordeel uit. 'Uw hele theorie staat of valt met de juiste berekeningen, het verband tussen de moorden en het tijdstip waarop de planeten... hoe was het ook alweer?... in Ram komen te staan.'

'Ik heb geen enkele reden om aan de betrouwbaarheid van die website te twijfelen,' zei Laura.

'En de tijdstippen van de moorden?'

'Rachel Southgate is vermoord op 20 maart, tussen zeven en halfnegen 's avonds,' antwoordde Philip. 'Jessica Fullerton vroeg in de volgende morgen, ergens tussen halfdrie en halfvijf.'

'Ja, maar u weet ook dat de technische recherche dat moment niet zo nauwkeurig kan bepalen als voor uw theorie noodzakelijk is. Daarbij vergeleken is de astrologie nog een exacte wetenschap,' zei Monroe met een vreugdeloos lachje.

'Dat is onzin, inspecteur, dat weet u ook wel,' protesteerde Laura. 'Dit kan allemaal geen toeval zijn. Allemachtig! Er zijn twee jonge mensen vermoord. Hebt u soms een betere verklaring?'

Ze had al meteen spijt toen ze het gezegd had. Philip keek geërgerd haar kant op.

Monroe bleef ijzig koel. 'Ik ben me natuurlijk volledig bewust van de ernst van de situatie. En we hebben ook onze eigen theorieën. Ik ben u heel dankbaar voor uw tijd. Maar als u me nu wilt excuseren...'

'Wat...!' riep Laura uit. 'U wilt mijn hele verhaal negeren? Terwijl ik u heb uitgelegd dat er straks weer een moord zal worden gepleegd, om een paar minuten over negen? Over...' ze keek snel op haar horloge, 'iets meer dan een uur?'

'Ik vrees van wel, mevrouw Niven. Mijn middelen zijn beperkt. Ik heb een team van twintig mensen dat druk bezig is met een onderzoek langs... laat ik zeggen... meer orthodoxe lijnen. Bovendien, wat wilt u nu eigenlijk dat ik doe?'

Dat was natuurlijk een goede vraag. Laura en Philip hadden daar ook over nagedacht toen ze in de auto zaten, zonder dat ze het hardop hadden uitgesproken. Zelfs áls ze gelijk hadden en de inspecteur hen zou hebben geloofd, schoten ze daar op dit moment niet veel mee op.

'Hoor eens, mevrouw Niven,' zei Monroe, op onverwachts beminnelijke toon, 'ik begrijp uw zorgen en ik weet dat u de beste bedoelingen hebt, maar...'

'Het geeft niet.' Laura pakte haar tas en kwam overeind. 'Het spijt me dat we u hebben lastiggevallen. U moet uw eigen spoor maar volgen. Ik hoop alleen dat u gelijk hebt.'

Toen een norse inspecteur Monroe de klapdeuren van het politielaboratorium openduwde, keek Mark Langham, het hoofd van de technische recherche, zijn chef-laborant even aan met een blik van: o jee, hij is weer in zo'n bui.

'Ik hoop dat het belangrijk is,' snauwde Monroe.

Langham zei niets, maar liep zwijgend naar een tafel van glas en kunststof in het midden van de zaal. De bovenkant van de tafel was een lichtbak en op het glas lag een vel plastic van ongeveer dertig bij dertig centimeter, dat eruitzag als een röntgenfoto. In het midden van de opname was een zwart-witsilhouet te zien van ruim zeven centimeter lang, een kwart ovaal met kleine puntjes en streepjes langs de rand.

'Wat is dat?' vroeg Monroe.

Langham legde een loep op de foto. 'Kijk maar.'

Monroe boog zich over de loep en schoof hem over het plastic vel.

'Een deel van een voetafdruk,' zei Langham zakelijk. 'Dat patroon langs de rand... dat is stiksel. Dure schoenen.'

Monroe richtte zich weer op. 'Handgemaakt?'

'Dat zou best kunnen.'

'Nog andere bijzonderheden?'

'Aan deze afdruk te oordelen is het maat 44, normale breedte.'

'Waar is die afdruk gevonden?' vroeg Monroe. Opeens klonk hij veel vrolijker.

'Vlak bij het huis, dicht bij de plaats waar de roeiboot lag afgemeerd.' Langham gaf Monroe een paar zwart-witfoto's van de afdruk, nog net zichtbaar in de modder. Terwijl Monroe ze bestudeerde, liep Langham om de tafel heen naar een werkbank. Het roestvrijstalen blad was smetteloos. Op de werkbank en tegen de muur stond een rij apparaten met digitale displays en schone plastic snoeren. Ervoor stonden twee petrischaaltjes.

'Die hebben we gevonden in de afdruk.' Langham haalde met een pincet een vezeltje uit het schaaltje. 'Goede kwaliteit leer. Nieuw.'

'En wat is dit?'

Langham pakte een even grote, maar groene vezel uit het andere bakje. 'Plastic. Een variant van polypropyleen, om precies te zijn. Maar ook dit is uitstekende kwaliteit, een dure polymeerverbinding, heel licht en sterk.'

'Dus die hebben jullie in de schoenafdruk gevonden?'

Langham knikte. 'En in microscopische hoeveelheden langs een spoor vanuit de slaapkamer op de eerste verdieping naar de aanlegplaats achter het huis.'

'Kun je iets meer vertellen over dat plastic? Hoe bijzonder is het?' vroeg Monroe.

'Niet echt zeldzaam, jammer genoeg. En we hebben ook nog geen bijzondere kenmerken aangetroffen op de fragmenten die we hebben gevonden. Het zou natuurlijk prettig zijn als we een vierkante centimeter met het logo van de fabrikant tegenkwamen.'

'Ja. En jouw vrouw smeekt je vanavond om seks.'

Langham lachte en deed weer een stap naar het eerste petrischaaltje. 'Misschien hebben we hier wat meer geluk mee. Bij Woolworths zul je niet veel handgemaakte schoenen van dit type leer aantreffen.'

Monroe nam het pincet over en hield het vezeltje leer tegen het licht. Het leek heel gewoon, een bruin draadje van niet meer dan een paar millimeter lang.

'Ik loop de database wel door, dan stuur ik iemand langs alle schoenwinkels in de stad. Denk je dat het nieuwe schoenen waren?'

'Het leer wel. En de afdruk was opvallend schoon. Misschien zijn de schoenen pas verzoold.'

Monroe gaf Langham het pincet terug. 'Laten we er niet te veel van verwachten. En... houd het voorlopig stil, oké?' Hij liep langs hem heen naar de deur. 'Knap werk, Mark,' zei hij, zonder zich om te draaien.

16

De Acoliet zat al bijna zes uur geduldig te wachten in zijn auto. Al die tijd had hij zijn blik strak gericht gehouden op het rijtjeshuis in Princes Street, nummer 268. Hij had de bewoners en hun vrienden en vriendinnen zien komen en gaan. Om tien over halfzeven in de avond arriveerden de twee studenten die het huis deelden met Samantha's vriendje, Simon Welding. Ze werden zevenentwintig minuten later gevolgd door twee meisjes, derdejaarsstudentes aan de Oxford Brookes University, Kim Rivedon en Claudia Meacher. Het viertal bleef daar nog eenentwintig minuten, voordat ze samen weer vertrokken, om acht minuten voor zeven. Uit zijn surveillance en van zijn persoonlijke contacten wist de Acoliet dat de twee huisgenoten van Simon Welding op nummer 268, Dan Smith en Evelyn Rose, en de twee meisjes, niet voor elf uur 's avonds werden teruggverwacht. Om twee minuten over halfacht arriveerde Simon Welding in zijn aftandse, tien jaar oude Mazda. Hij zou het huis niet levend verlaten.

Om twee minuten voor negen stapte de Acoliet uit zijn auto. Hij droeg plastic hoezen over zijn schoenen en in zijn linkerhand had hij een glad metalen kistje, voorzien van stevige sloten aan de voorkant. Het was dertig centimeter lang, vijfentwintig centimeter breed en hoog: een gekoelde orgaankluis, een van de vijf die hij volgens zijn eigen specificaties had laten maken door een specialist in

Oostenrijk. In zijn rechterhand hield hij een zwart plastic zakje met een gesloten rits. Hij keek naar links en rechts. Aan het einde van de straat was een luidruchtige pub, en haaks op Princes Street liep de drukke Cowley Road, een doorgaande weg vanuit het oosten en Londen. Maar zowel de pub als Cowley Road ging schuil achter een bocht, waardoor dit deel van Princes Street veel stiller en donkerder was. Hij stapte door het houten hekje de voortuin binnen en liep snel naar de poort aan de zijkant, waarachter een gangetje lag dat uitkwam in de achtertuin.

Het was pikkedonker in de smalle gang. Wolken schoven voor de maan en het metaalachtige schijnsel van de dichtstbijzijnde straatlantaarns drong hier nauwelijks door. Op tweederde van de afstand bleef de Acoliet staan, uit het zicht van de straat. Hij zette de kist op de grond, ritste het zakje open en haalde zorgvuldig een doorschijnende plastic overall, handschoenen, een perspex vizier en een muts tevoorschijn. Met grote zorg trok hij de overall aan en sloot het klittenband om zijn hals, zijn polsen, zijn enkels en zijn middel, zodat elke centimeter van zijn lichaam was bedekt. Toen keek hij door het plastic op zijn horloge. Vier minuten over negen.

De tuin achter het huis was verwaarloosd en overwoekerd. De Acoliet liep voorzichtig en geruisloos naar de keukendeur, waar hij even bleef staan om te luisteren naar de geluiden uit het huis. Maar hij hoorde niets, behalve wat flarden muziek, die van boven leken te komen.

Hij stapte de keuken in, liep de gang door en beklom de trap met langzame, geconcentreerde stappen. Hij had zijn oren gespitst en al zijn zenuwen gespannen, klaar om meteen te reageren. Op de overloop gekomen controleerde hij alle kamers om zeker te weten dat hij alleen was met zijn prooi. Toen liep hij naar de slaapkamer aan de voorkant. Hij herkende nu de muziek, het allegro uit Schuberts strijkkwartet in D-mineur, een van zijn lievelingsstukken. Bij de deur bleef hij staan om te luisteren naar menselijke activiteit, afgezien van de muziek. Zo nu en dan hoorde hij iemand hijgen, een licht gekreun. Voorzichtig duwde hij de deur open en keek de kamer in.

Samantha zat bovenop, met haar rug gekromd en haar gezicht naar het plafond gericht. Simon had zijn handen om haar kleine, stevige borsten en staarde in vervoering naar haar lichaam. De Acoliet huiverde licht toen hij werd overspoeld door een mengeling van tegenstrijdige emoties: jaloezie, walging, fascinatie. Die combinatie veroorzaakte een golf van seksuele energie, die door zijn hele ruggengraat trok. Hij merkte dat hij stijf werd. Maar hij wist dat hij geen tijd te verliezen had, dus zette hij het metalen kistje op de grond, haalde een scalpel uit zijn zak en deed drie snelle stappen naar voren. Hij stond al aan het voeteneinde van het bed voordat Simon of Samantha zich van zijn aanwezigheid bewust was.

Met één snelle beweging trok hij Samantha's hoofd naar achteren en sneed haar keel door met het scalpel. Het mesje raakte haar halsslagader en het bloed spoot de kamer door. De Acoliet trok het scalpel nog verder omlaag, door de spieren van haar strottenhoofd. Haar aanzwellende schreeuw werd onmiddellijk gesmoord en het meisje zakte in elkaar, terwijl ze naar haar keel greep. Bloed gutste tussen haar vingers door. Met grote ogen keek ze op naar de Acoliet en probeerde het te begrijpen, maar tevergeefs.

Simon was verlamd van schrik. De Acoliet maakte gebruik van zijn moment van verbijstering en ramde het mesje zo diep in de hals van de jongeman dat hij hem bijna onthoofdde. Hij sneed zijn hals door, van oor tot oor. Bloed spetterde over het vizier van de Acoliet en hij veegde het weg. Simon Welding begon te stuiptrekken en spuwde een golf van donker bloed uit, dat zijn gezicht bedekte met een rood, vloeibaar masker.

De Acoliet liet hem kronkelend op de doorweekte lakens liggen, sprong van het bed en hurkte naast Samantha. Ze leefde nog. De Acoliet had geen seconde te verliezen. Hij legde zijn ene hand op haar voorhoofd, de andere onder haar nek, en met één krachtige beweging brak hij haar rug tussen haar bovenste twee ruggenwervels, C-1 en C-2. Ze verslapte meteen.

Hij pakte het metalen kistje en zette het naast zich neer. Toen draaide hij Samantha op haar buik. Met een paar eenvoudige incisies, twee sneden van ruim twintig centimeter aan weerszijden van haar wervelkolom, opende hij haar lichaam. Hij trok het vlees uiteen en zag haar ribbenkast. Uit een ritszak in zijn plastic overall haalde hij een draadloze operatiezaag, waarmee hij binnen enkele seconden de botten had doorgezaagd. Hij drukte de ribben uit elkaar en gebruikte zijn scalpel om voorzichtig de bloedvaten en buisjes naar de linker- en rechternier door te snijden.

De Acoliet opende de orgaankluis en voelde de kou uit het kistje, die over de randen golfde. Vanaf het bed klonk een luid gerochel, gevolgd door stilte, toen Simon Welding zijn laatste adem uitblies en stierf.

De Acoliet plaatste zijn in handschoenen gestoken handen in Samantha Thurows warme lichaam. Langzaam verwijderde hij de beide nieren en borg ze in twee doorschijnende plastic zakken, die hij verzegelde en in de kluis legde. Uit een zakje aan de zijkant van het kistje haalde hij een metalen munt, die hij zorgvuldig in de rechteropening in Samantha's rug plaatste. Toen sloot hij het deksel van de orgaankluis en vergrendelde het combinatieslot. Uit zijn zak haalde hij een doekje met ontsmettingsmiddel, maakte zijn handschoenen schoon en veegde het bloed van de handgreep en de bovenkant van het metalen kistje voordat hij het doekje weer in zijn zak stak. Toen schoof hij een beschermend hoesje over het mesje van het scalpel en borg het in dezelfde zak.

Om precies dertien minuten over negen, negen minuten nadat hij het huis was binnengegaan, liep hij weer door het donkere, smalle steegje aan de zijkant. Hij zette zijn vizier af, trok zijn handschoenen en zijn overall uit, deed de hoezen van zijn schoenen en controleerde zorgvuldig of er geen enkel spatje bloed of vezeltje weefsel aan zijn huid of zijn kleren kleefde. Toen trok hij een schoon paar plastic handschoenen aan, deed nieuwe hoezen om zijn schoenen, haalde een zakje uit zijn broekzak en borg daar de overall, het vizier, de handschoenen, de eerste schoenhoezen, het scalpel en de doekjes in op. Daarna trok hij het tweede stel handschoenen uit, liet ze in het zakje glijden en plakte het dicht. Ten slotte greep hij de orgaankluis en liep haastig naar de voorkant van het huis. Hij keek de straat door. Een jong stel kwam zijn kant uit vanaf Cowley Road, twee huizen bij hem vandaan. De Acoliet dook weg. Ze liepen hem voorbij. Het meisje giechelde.

Toen het paar het einde van de straat had bereikt en om de hoek was verdwenen, keek de Acoliet opnieuw naar links en rechts. Geen mens te zien. Snel maar rustig stapte hij over het lage muurtje van de tuin. Hij opende de kofferbak van de Toyota met zijn sleutel in plaats van de afstandsbediening en zette de orgaankluis erin, met twee leren riemen eromheen om hem op zijn plaats te houden. Toen legde hij de plastic zak ernaast, sloot de kofferbak en liep naar het rechterportier. Zodra hij achter het stuur zat, maakte hij zijn schoenhoezen los en borg die in een plastic zak die hij op de stoel legde. Hij reinigde zijn handen met een doekje, dat ook in de zak verdween. Dertig seconden later reed hij naar de binnenstad van Oxford en neuriede mee met een pianosonate van Beethoven, tevreden over het werk van die avond.

17

Oxford, de avond van 11 augustus 1690

Het was zes uur toen de koets Headington Hill afdaalde, anderhalve kilometer vanaf de stadsmuren. Nog altijd was het verstikkend warm. Bij de Bear Inn droeg een bediende Newtons koffer de bochtige trap op en vroeg of hij een maaltijd op zijn kamer wilde hebben. Toen hij was vertrokken, kreeg Newton eindelijk de kans bij te komen en te genieten van zijn rust, terwijl hij de gebeurtenissen van de afgelopen vierentwintig uur de revue liet passeren.

In vliegende haast was hij uit Cambridge vertrokken. Meedogenloos gaf hij zijn arme paard de zweep, maar nadat hij twee keer van rijdier had gewisseld, eerst in Standon Puckeridge en later in Great Hadham, had hij de tocht volbracht in iets meer dan vier uur. Kort na middernacht was hij in de hoofdstad aangekomen. Zoals gebruikelijk had hij de naam van William Petty aangenomen en als zodanig had hij een paar uur doorgebracht in de Swan Tavern in Gray's Inn Lane in de City van Londen.

De hele reis en die rustige uurtjes in Londen had Newton zich kunnen bezinnen op de taak die voor hem lag. Steeds opnieuw dacht hij terug aan het afschuwelijke tafereel dat hij in Cambridge had achtergelaten. Nog altijd kon hij niet begrijpen wat Wickins had bezield. Misschien bezat de robijnsteen wel een bijzondere macht die op sommige mensen deze uitwerking had. Eén ding stond vast. Het vreemde incident in zijn laboratorium had hem nog meer bewust gemaakt van het gevaar. Overal loerden vijanden, wist hij nu. Hij kon niemand vertrouwen. Om alle potentiële rivalen – iedereen met plannen om de kostbare robijnsteen te stelen – op een dwaalspoor te brengen was hij eerst naar de hoofdstad gereden, om vandaar een koets te nemen en op dezelfde manier in Oxford aan te komen als de meeste reizigers. De schrammen op zijn gezicht, veroorzaakt door Wickins, deden nog pijn, maar hij kon weinig doen om de striemen te verbergen, behalve zich enigszins vermommen en zoveel mogelijk uit het zicht blijven. Nadat hij om vier uur in de ochtend door een bediende uit een onrustige slaap was gewekt was hij doorgereden naar Oxford, waar hij zo'n dertien uur later was aangekomen.

Nu, in de Bear Inn, voelde Newton zich opeens doodmoe en had hij grote behoefte aan slaap. Maar de opwinding hield hem wakker en actief. Hij at een kom soep, las een tijdje bij het avondlicht en keek ongeïnteresseerd naar een rat die over de houten vloer schuifelde. Om klokslag tien, zoals afgesproken, hoorde hij zijn vriend naderen door de gang. Even later werd er zachtjes op zijn deur geklopt. Hij deed open en zag Nicolas Fatio du Duillier op de drempel staan. Met zijn zwarte, golvende krullen leek Du Duillier nog jonger en knapper dan in Newtons herinnering, terwijl ze elkaar nog maar drie weken geleden voor het laatst hadden gezien. Newton verwelkomde hem en de jongeman stapte naar binnen met een brede lach op zijn gezicht. De twee mannen omhelsden elkaar.

'Je gezicht!' riep Fatio bezorgd.

'Het is niets,' antwoordde Newton ongeduldig, en hij wendde zich af.

'Je ziet er ontdaan uit, mijn vriend. Wat is er gebeurd?'

'Een klein incident in Cambridge. Niets om je zorgen over te maken, mijn beste Fatio. Is alles gereed?'

'Ik heb mijn best gedaan, mijnheer. Het was niet eenvoudig wat u vroeg. De standaardwerken leverden weinig op, maar ik heb de moed niet opgegeven. Landsdown en ik zijn hier nu een week of twee en we hebben alles gevonden wat we nodig hadden. Ik controleer de manden nu dagelijks, en hoewel we geen seconde mogen verliezen, geloof ik toch dat het allemaal zal lukken.'

Newton nam Du Duilliers knappe jonge gezicht aandachtig op. 'Dat is goed nieuws.'

'De schat is veilig?'

'Natuurlijk. Goed, laten we de procedure nog eens doornemen.'

Dertig minuten later verlieten ze samen de herberg.

Het was een korte wandeling naar het College. Onderweg spraken ze geen woord. Bij de ingang werden ze opgewacht door een derde man, die ze altijd Mister Landsdown noemden. Hij was nog langer dan Fatio du Duillier, maar gespierd in plaats van tenger. Zijn haar begon al te grijzen aan de slapen. De beide mannen maakten een lichte buiging. 'Blij u te zien,' zei Landsdown. 'Hebt u alles?'

Newton klopte op zijn hemd, onder zijn linkerschouder. 'Alles is in orde.'

'Dan kunnen we doorgaan. Volgt u mij.'

Landsdown stak het voorplein over naar een portiek die uitkwam in een lange, smalle gang met een groot aantal deuren links en rechts. Bij de vierde deur links bleven de drie mannen staan. Landsdown haalde een sleutel uit zijn broekzak en stak die in het slot. Voorzichtig duwde hij de deurkruk omlaag.

Vlak voor hen was een volgende deur, die openstond. Ze zagen een steile, smalle trap die afdaalde naar de duisternis beneden. Boven aan de trap stak een toorts in een beugel aan de muur. Landsdown pakte de fakkel en ging hen voor.

Ze liepen een korte trap af en kwamen uit in een ruimte vol met kasten en rekken, gevuld met honderden flessen wijn, port en cognac: de wijnkelder van het College. Landsdown liep door naar de andere kant van het gewelf en bleef bij de muur staan, die nat en koud aanvoelde. Langzaam liet hij zijn hand over de muur glijden. Hij hield de toorts dicht bij de steen, maar scheen meer op zijn gevoel te vertrouwen dan op zijn ogen. Even later hield hij zijn hand stil en stak zijn vinger in een donker ijzeren ringetje, niet groter dan een geldstuk. Hij gaf een ruk en ze hoorden het geluid als van een groot gewicht dat viel. Heel langzaam schoof er een paneel weg in de muur. Daarachter opende zich een gat, ongeveer zo breed als de schouders van een man.

Landsdown draaide zich om naar de anderen. 'Heren, ons werk van deze avond gaat beginnen. Bent u er klaar voor?'

18

Om vijf uur 's ochtends had Philips huis een charme die aan Laura 's leven al minstens twintig jaar grotendeels ontbrak. In Greenwich Village was het om vijf uur 's nachts niet zo heel anders dan op enig ander moment van de dag. Vierentwintig uur per etmaal hoorde ze vanuit haar appartement de geluiden van het verkeer, met sirenes en luid toeterende auto's. Het was een achtergrond waarvan ze zich pas bewust werd als hij er niet meer was. Hier, in de vroege ochtend van dit slaperige dorpje in Oxfordshire, was het verkeer van New York net zo reëel voor haar als de neus van Pinokkio.

Laura had een wollen sjaal om haar schouders geslagen en probeerde warm te worden bij de Aga terwijl ze een keteltje water kookte. Even later, met een kop warme, sterke koffie in haar hand, liep ze door de gang naar de huiskamer met zijn lage balkenplafond en de ruitjes van de erker. De vloerplanken kraakten. Om Philip en Jo, die boven lagen te slapen, niet wakker te maken trok ze de deur achter zich dicht. Toen deed ze een paar lampen aan en liep naar de haard. Er was nog een restje warmte over van de vorige avond, toen Tom was langsgekomen om de data van de moorden te analyseren. Laura was ervan overtuigd dat er nog meer slachtoffers zouden volgen. Als haar theorie klopte, zou er nu ergens, niet ver weg, een dode jonge vrouw liggen, zonder dat haar lichaam al was ontdekt.

Laura dronk haar koffie, terwijl ze door de kamer ijsbeerde en afwezig de foto's aan Philips muren bekeek. Er hingen ook drie schilderijen van zijn moeder, fantastische, gedurfde kleurvlakken met kleine, magere figuurtjes op de voorgrond, gestalten die elk moment konden worden overweldigd door een naamloos, afschuwelijk ding. De schilderijen zouden niet hebben misstaan in een appartement in Manhattan of een studio in Milaan. Misschien hingen ze daar ook wel, peinsde Laura.

Philip had een bizarre smaak als het om kunst ging. Vlak bij de moderne doeken van zijn moeder hingen een paar victoriaanse olieverfschilderijen en zelfs twee landschappen van rond 1940. Daarnaast, aan dezelfde muur, had hij plaats ingeruimd voor enkele van zijn favoriete foto's, voornamelijk abstracte opnamen, gemaakt omstreeks 1985. En als toegift hingen er nog wat oude familieportretjes van mensen uit de negentiende eeuw, overgrootouders met mutsjes en stijve boorden.

Tom had de vorige avond een terloopse opmerking gemaakt waar Laura toen niet veel aandacht aan had besteed maar die ze zich nu probeerde te herinneren. Ze ging zitten en tuurde in de vonken en de grijze as van de haard. Opeens wist ze het weer. Het was toen Tom de vijfvoudige conjunctie beschreef. Dat is zo zeldzaam, had hij gezegd, dat het de afgelopen duizend jaar misschien maar tien keer is voorgekomen.

'Natuurlijk,' zei ze hardop. 'Tien keer in de afgelopen duizend jaar. Dan moet het de laatste eeuwen toch een paar keer zijn gebeurd.'

Laura sprong op en liep naar de computer. Ze ging naar Netscape, opende de map Geschiedenis en scrollde omlaag om de homepage van almanac.com te openen. Tom had haar zijn wachtwoord gegeven voor het geval ze nog iets wilde opzoeken. Laura herinnerde zich wat hij de vorige avond had gedaan, typte de gevraagde informatie en drukte op ENTER. Ze nam een slok koffie en keek naar het scherm tot er een nieuwe pagina verscheen. In een box onder aan het scherm, met de titel 'Vijfvoudige conjuncties van 1500-2000', vond ze een lijstje van drie data: 1564, 1690, 1851.

Laura glimlachte bij zichzelf en trommelde met haar vingers op het bureaublad. Toen boog ze zich weer over het toetsenbord, surfte naar Google en typte: '1851 + Oxford + moorden'.

De resultaten vielen tegen. Op zijn unieke wijze produceerde de zoekmachine een mengelmoes van ogenschijnlijk willekeurige links voor die drie woorden. Het begon met de wereldtentoonstelling van 1851. Wat lager kwamen verwijzingen naar de moord op een politieman in Zuid-Londen, in hetzelfde jaar. Andere pagina's gaven de definitie van 'moord' in de *Oxford Dictionary*, boeken uit 1851 met de term 'moorden' in de titel, en in een aparte kolom werd een portal genoemd naar het werk van een Amerikaans akoestisch popduo dat Murder in Oxford heette.

In totaal gaf Google meer dan tweeduizend links voor de drie woorden, maar Laura liet zich niet uit het veld slaan. De volgende twee pagina's bevatten nog meer losse feitjes, links naar de *Oxford Dictionary* en informatie over de wereldtentoonstelling. Laura stond al op het punt een andere combinatie van woorden te proberen toen ze tussen de links opeens iets ontdekte. Halverwege de pagina zag ze een verwijzing die luidde: 'victoriaanse psychopaat? Broeder Norman denkt van wel.' Ze bracht de cursor erheen en klikte op de link.

Het was een schreeuwerige, amateuristische website met veel materiaal dat nogal gestoord overkwam. De naam van de site luidde *Broeder Normans Samenzwerings Archief* en de beheerder – ene Norman, veronderstelde Laura – leek geobsedeerd door de bekende onderwerpen: Roswell, de moord op Kennedy, de dood van prinses Diana in Parijs en het complot van de CIA om de brandschone Bin Laden de aanslagen van 11 september in de schoenen te schuiven. Laura had het allemaal al eens gezien en negeerde de sensationele kopjes in de linkerkolom met beloften als: 'Nieuwe Onthullingen die je Wereld zullen Veranderen'. Ongeduldig scrollde ze verder, tot ze het onderwerp vond dat ze zocht: 'Bloedbad in Oxford: een victoriaanse Charles Manson?'

Helaas waren het niet meer dan drie alinea's. In gezwollen proza beschreef Broeder Norman de schaarse feiten die bekend waren bij complotaanhangers. In de zomer van 1851 waren er in het Engelse Oxford drie moorden gepleegd: drie vrouwen, gedood en verminkt. Was dit misschien het werk geweest van een jeugdige Jack the Ripper, bijna veertig jaar voordat hij opnieuw had toegeslagen in het oosten van Londen? Een samenzwering van het Britse parlement? Of speelde satanisme hier een rol?

Laura voelde zich opeens moe. Ze wreef in haar ogen en dronk haar koffie op. Als er in 1851 in Oxford een serie moorden was gepleegd, zou zij dat dan niet hebben geweten? Ze staarde met holle ogen naar het scherm en liet haar gedachten de vrije loop.

Misschien waren die moorden vergeten. Hoe grondig had de politie in die tijd zulke zaken onderzocht? Zouden de moorden wel systematisch zijn geregistreerd? Had Oxford meer dan anderhalve eeuw geleden een plaatselijke krant gehad?

Zoveel vragen en zo weinig antwoorden. Erger nog. Elke keer dat Laura dacht dat ze weer een tipje van de sluier oplichtte, vielen er nieuwe puzzelstukjes in haar schoot, die ze niet aan elkaar kon passen. De stukjes leken zelfs afkomstig van heel verschillende puzzels, die geen enkel verband met elkaar hadden. Laura overwoog om nog een paar andere complot-websites op te zoeken, maar ze had er niet veel zin in.

Toch was ze ervan overtuigd dat deze moorden in een of andere bizarre astrologische agenda pasten. Als Broeder Norman gelijk had, was er tijdens de vorige conjunctie iets soortgelijks gebeurd, en misschien de keer daarvoor ook, en nog eerder. In elk geval had het te maken met astrologie, occultisme en een krankzinnige alchemistische connectie. Haar lange journalistieke ervaring met moorden en corruptie in New York kon Laura niet helpen in deze zaak. Maar terwijl ze naar het blauwe scherm staarde en de woorden van Broeder Norman langzaam vervaagden, wist ze opeens wat haar volgende stap moest zijn.

Twee uur later zat Laura in de trein naar Londen en tuurde ze door het vuile raampje naar de bedauwde velden terwijl ze door het landschap raasden. Ze had Philip niet wakker gemaakt, maar een briefje achtergelaten met het bericht dat ze die dag naar Londen was om een spoor te volgen. Als er nieuws was, moest hij haar meteen op haar mobieltje bellen.

Het idee om bij Charlie Tucker langs te gaan, leek opeens heel logisch. Hij was een van haar beste vrienden geweest toen ze nog studeerde, en ook daarna hadden ze nog een tijdje contact gehouden. Hij was een van de spannendste en meest dynamische mensen die ze ooit had ontmoet. Charlie kwam uit een arbeidersfamilie in Essex en hij had een kleurrijke achtergrond. Zijn vader had een fruitkraam in Southend. Zijn moeder, een voormalige stripteasedanseres, was op haar negenendertigste aan kanker overleden. Charlie was naar Oxford gekomen met de hoogste eindexamencijfers van het land van dat jaar, maar hij had de pest aan de stad en aan de universiteit. Als socialistisch activist was hij drie keer bijna van de universiteit geschopt en nog voor zijn eenentwintigste had hij MI6 al op zijn dak gekregen wegens zijn betrokkenheid bij een extreem linkse actiegroep. In zijn derde jaar had hij zoveel tijd besteed aan demonstraties, de sabotage van de vossenjacht en geheime anarchistische activiteiten dat hij bijna voor een beslissend tentamen was gezakt. Maar het meest verbazingwekkende was wel dat hij uiteindelijk cum laude was afgestudeerd in wiskunde.

Laura had geen enkele belangstelling voor politiek. Daarom hadden ze waarschijnlijk zo goed met elkaar overweg gekund. Als Amerikaanse kon de moderne Britse politiek haar niets schelen, ondanks haar grote interesse in de politiek van het verleden, als basis voor haar studie van de renaissancekunst. Ze hield van Charlie om zijn energie, zijn humor en zijn messcherpe verstand. En hij mocht haar, veronderstelde ze, omdat ze niet geïnteresseerd was in zijn meningen. Ze was een blanco vel waarop hij elke politieke leus kon schrijven die hij wilde.

Op het moment dat Laura uit Oxford vertrok, begon Charlie aan een dissertatie over de groepstheorie van encryptie, een onderwerp – zoals hij in zijn brieven schreef – dat zo ver van de trivialiteit van alledag af stond als maar mogelijk was. Daar scheen hij gelukkig mee te zijn, tot het moment waarop hij er opeens mee stopte en verdween. Waarom wist niemand. In zijn laatste brief uit Oxford schreef hij alleen dat hij wegging, zonder nadere bijzonderheden en zonder uitleg.

Sindsdien had ze niets meer van hem gehoord totdat er een jaar geleden opeens een kaartje in de brievenbus van Laura's appartement in Greenwich Village viel. Het kwam van Charlie en het had een poststempel uit Londen. Hij zou naar Amerika komen, schreef hij. Zouden ze elkaar kunnen ontmoeten in New York?

Natuurlijk vond hij het een verschrikkelijke stad, ook al las Laura in zijn ogen een ontegenzeggelijke bewondering voor de onmiskenbare glamour om hem heen. Ze waren naar een bistro in 34th Street gegaan, waar hij de loze ijdelheid van Manhattan bespotte. Toch kon hij niet voor haar verbergen dat hij heimelijk diep onder de indruk was.

Charlie was een paar jaar geleden veertig geworden, en hij voelde zich moe, zoals hij nu wel durfde toe te geven: moe van de radicale politiek, moe dat zijn inspanningen zo weinig resultaat opleverden, moe van het leven zelf. Hij had het bijna opgegeven, vertelde hij haar. Een jaar of tien geleden was hij begonnen een boek te schrijven over de kring van dertiende-eeuwse wiskundigen die bekend werd als de Oxford Calculators: William Heytesbury, Richard Swineshead, John Dumbleton en vooral ook Thomas Bradwardine. Maar hij had het nooit afgemaakt. In plaats daarvan had zijn onderzoek hem op het spoor gezet van de ketterse filosoof Roger Bacon, en zo was hij in de wereld van het middeleeuwse occultisme beland.

Met als gevolg, zei hij, dat zijn politieke belangstelling een paar jaar geleden was overgegaan in een fascinatie voor alternatieve leefwijzen. Hij was diep in de mystiek en het occultisme gedoken, in 'de rijke onderbuik van het intellect', zoals hij het noemde. Hij was zelfs een kleine winkel begonnen, vlak bij het British Museum in Bloomsbury. De winkel heette The White Stag en was gespecialiseerd in occulte en alternatieve literatuur. Hij kon er net van rondkomen en het gaf hem de tijd en de middelen om zijn eigen interesses na te jagen.

Laura was verbaasd geweest over die omwenteling in Charlies leven. Zelf had ze nooit belangstelling gehad voor het occulte. Maar toen ze naar hem luisterde, werd haar langzamerhand duidelijk waarom Charlie zo was gegrepen door die ideeën. En indirect was het ook Charlies bezoek geweest dat haar op de gedachte had gebracht om een thriller te schrijven over Thomas Bradwardine en een complot om koning Edward II te vermoorden. Nu, op weg naar Londen in de hoop dat ze Charlie rustig in zijn winkeltje zou treffen, voelde ze zich een beetje schuldig omdat ze nog geen contact met hem had opgenomen hoewel ze al drie weken in Engeland was. Ze had hem zelfs niet laten weten dat ze zou komen.

De trein arriveerde een paar minuten over halfnegen op Paddington Station en Laura nam de ondergrondse naar Warren Street. Toen ze in de ochtendspits naar buiten kwam, besefte ze pas dat ze veel te vroeg was voor Charlies winkeltje. Om de tijd te doden dronk ze koffie en at een broodje bij een Starbucks en liep toen naar het zuiden door Tottenham Court Road. Bij een internetcafé controleerde ze haar e-mail, kocht een krant en nam nog een tweede kop koffie voordat ze naar het oosten liep, langs Centre Point en door New Oxford Street, in de richting van het straatje waar The White Stag was gevestigd. Onderweg belde ze Philip, maar ze kreeg zijn voicemail.

Toen ze het straatje inkwam, niet meer dan vier meter breed en binnen het zicht van het British Museum, ontdekte ze meteen de kleine winkel met zijn etalage vol boeken. Boven de deur hing een ouderwets handgeschilderd bordje met een prachtig wit hert.

Aan de buitenkant leek de winkel donker, stil en gesloten, maar de deur ging zachtjes open toen ze de klink probeerde. Ze snoof de lucht op van oud papier en sigarettenrook. Een eenzaam peertje bungelde aan het gebarsten plafond en de kale vloer was versleten en afgetrapt. Elke centimeter wandruimte was gebruikt voor planken met boeken in alle vormen, kleuren en afmetingen. Het maakte een wat haveloze indruk, maar dat was op een vreemde manier ook heel geruststellend.

Achter in de winkel stond een oud bureau met lelijk gedraaide essenhouten poten. Het bureaublad lag bezaaid met paperassen.

Aan de ene kant stond een antieke computer, aan de andere kant een overvolle asbak. Ook de prullenmand naast het bureau puilde uit met proppen papier en andere rommel. Voorbij het bureau was een deur naar een keukentje achter de zaak. De deur stond open, er viel een oranje schijnsel naar buiten en Laura hoorde een ketel fluiten. Even later kwam er een man door de deur en liep naar het bureau. Hij leek zich totaal niet van haar aanwezigheid bewust. In zijn mondhoek hing een sigaret en in zijn hand hield hij een grote, smoezelige mok. Laura hoestte even.

'Krijg nou wat!' riep Charlie, en hij zette de beker met zo'n klap op het bureau dat er thee met melk over een stapeltje papieren spetterde. Hij drukte zijn sigaret uit in de asbak en rende om het bureau heen met zijn armen gespreid als begroeting. 'Laura, lieverd!' zei hij, terwijl hij haar omhelsde.

Ze giechelde en beantwoordde zijn omhelzing.

Hij hield haar even bij zich vandaan om haar goed te bekijken. 'Je bent afgevallen, meid, en je haar is te kort.' Hij had nog altijd dat accent uit Essex, zonder een spoor van Oxford, occulte literatuur of vijf jaar in Bloomsbury. 'Wil je thee?'

'Nee, dank je, Charlie. Ik heb genoeg cafeïne binnen voor een heel jaar. Maar ik ben blij je te zien.'

Hij trok een oude, aftandse stoel bij en klopte het stof van de zitting. Toen liep hij naar de deur, deed hem op slot en draaide het bordje met GESLOTEN ervoor. 'Je weet maar nooit. Je krijgt het vreemdste volk hier binnen.' Lachend liet hij zich op de stoel achter het bureau vallen.

Charlie was nooit een toonbeeld van gezondheid geweest, altijd wat te mager en te bleek, maar nu zag hij er echt slecht uit, veel ouder dan vierenveertig. Laura had hem een jaar geleden nog gezien, maar sindsdien was hij veel kaler geworden en sterk vermagerd. Ook zijn huid was grauwer. Het leek wel alsof hij aan een ernstige ziekte leed.

'Charlie, ik zeg het niet graag, maar je ziet er slecht uit.'

Hij haalde zijn schouders op. 'Ik heb hard gewerkt, Laura. Maar ik voel me fantastisch. Mijn haar valt uit, dat is alles.' Hij trok eens aan de dunne, vettige bruine slierten die over zijn oren hingen.

'Maak je over mij maar geen zorgen.' Hij greep een pakje sigaretten van achter een stapel papieren op zijn bureau, viste er een uit en stak die aan met een ouderwetse aansteker. 'Wat brengt jou naar deze uithoek?'

'Ik kom voor jou.'

'Ach, klets.'

'Ik was begonnen aan een nieuw boek, een boek over Thomas Bradwardine. Weet je nog dat we het over hem hadden, die avond in New York? Toen jij weer vertrokken was ben ik begonnen met het weven van mijn web.'

'Je zegt dat je wás begonnen. Verleden tijd. Zit je vast?'

Laura keek om zich heen naar de duizenden boeken langs de wanden, van de vloer tot aan het plafond. Opeens voelde ze zich heel klein. 'Nee, maar ik kreeg een beter idee.'

'Ga door.'

'Heb je het nieuws gezien over die moorden in Oxford?'

'Ja?' zei hij vragend.

'Kan ik je vertrouwen? Als oude vriend?'

'Natuurlijk.' Hij keek verbaasd en een beetje gekwetst. 'Dat weet je toch...'

'Ja, sorry. Alleen... Nou, de politie heeft het publiek niet alles verteld wat ze weten. Maar ze willen zelf de waarheid ook niet horen. Tenminste, niet toen ik ze voor het laatst sprak.'

'Je praat in raadsels, Laura.'

'Het punt is dat die moorden een ritueel element hebben. Nee, meer nog: de moordenaar volgt een bepaald schema, een astrologisch schema.'

Charlie kneep zijn ogen tot spleetjes. Hij nam een flinke haal van zijn sigaret. 'Hij volgt een schema, zeg je. Dus je denkt dat hij nog niet klaar is met moorden?'

'Precies. Ik ben bang dat hij nog maar net begonnen is.'

'Oké.' Charlie leunde naar achteren op zijn stoel en nam Laura onderzoekend op door de rookwolk tussen hen in. 'Wil je bij het begin beginnen? Ik wil eerst een overzicht krijgen.'

Laura vertelde hem zoveel als ze durfde. Toen ze klaar was met haar verhaal, zag ze tot haar schrik dat Charlie nog bleker was geworden.

'Jij weet hier iets over, is het niet, Charlie?'

Hij nam nog een laatste trek van zijn sigaret, tikte een volgende uit het pakje en stak hem aan met het dovende rode puntje van de eerste. 'Waarom zeg je dat?'

'Ik ken je, weet je nog?' Het viel Laura op hoe vuil zijn nagels waren. En ze zag ook dat de wijs- en middelvinger van zijn rechterhand, waarin hij zijn sigaret hield, oranje waren verkleurd.

'Hoor eens, het enige wat ik heb gehoord zijn geruchten. Zo werkt het occultisme tegenwoordig. Het speelt zich allemaal af in chatrooms op internet, maar we moeten discreet zijn. Als je de taal kent, mag je meepraten, zoals het heet.'

'En wat zegt die taal jou, Charlie?'

Hij nam weer een lange haal van zijn sigaret, en zijn gezicht leek even op een doodskop. 'Er is iets groots gaande; iets groots en monsterachtigs.'

'Wat bedoel je?'

'Een groep, een kleine groep... volledig anoniem, begrijp me goed... speelt gevaarlijke spelletjes.'

'In Oxford?'

'In Oxford.'

'Wat voor spelletjes?'

'Dat kan ik je niet zeggen, schat, omdat ik het niet weet.'

'Je weet het niet...? En kun je er niet naar raden?'

'Mensen zijn te zenuwachtig om hier veel over te zeggen.'

'Oké.' Laura kon haar ongeduld niet verbergen. 'Ik begrijp dat het moeilijk ligt, maar ik vraag ook geen details. Geef me alleen de grote lijnen.'

Charlie zoog weer aan zijn sigaret en vulde de ruimte met nog meer grijze rook. Ten slotte zei hij: 'Het gerucht gaat dat er een paar veteranen bij betrokken zijn. Ik weet niet wat ze precies uitspoken, en eerlijk gezegd wíl ik dat ook niet weten, maar ik heb gehoord...' Hij wachtte zeker tien seconden. 'Ik heb gehoord dat er een manuscript zou zijn.'

'Een manuscript?'

Charlie drukte de sigaret uit, nam een grote slok thee en pakte zijn aansteker. Hij knipte hem aan en uit. Laura probeerde het te negeren, maar toen hij het vier keer had gedaan dook ze opeens naar voren en griste de aansteker uit zijn hand.

'Charlie, wát voor manuscript?'

'Laura, lieverd, ik zou het je wel zeggen als ik het wist, maar meer weet ik er ook niet van. Wie er ook achter zit, het is een belangrijke figuur, en niet alleen belangrijk binnen de gemeenschap. Iemand met heel veel macht.'

19

Toen ze uit Charlies boekwinkel kwam, probeerde Laura nog eens om Philip te bellen, maar ze kreeg nog steeds zijn voicemail. Gefrustreerd klapte ze haar mobieltje dicht. Ze was al half geneigd om Monroe te geloven dat al dat astrologische gedoe grote onzin was en niets met de zaak te maken had.

Vijf minuten later ging haar telefoon. Het was Philip.

'Geen nieuws,' zei hij meteen. 'Ik zag dat je twee keer had gebeld. Sorry, mijn batterij was leeg. Wanneer kom je terug?'

Ze keek op haar horloge. 'Ik ben hier nu toch, dus laat ik er gebruik van maken. Ik denk dat ik tegen vijven weer op de trein stap. Kun je me van het station halen?'

'Geen probleem. Bel me maar vanaf Paddington.'

Laura nam de trein van één minuut voor halfzes, geen gelukkige keus, omdat hij vol zat met forenzen. Gelukkig was ze op tijd en kon ze nog een zitplaats vinden. Toch zat ze het grootste deel van de reis ingeklemd, en bijna iedereen stapte in Oxford uit. Ze wachtte tot de andere passagiers langs haar heen waren gedromd toen ze het station binnenreden en ze was een van de laatsten die naar buiten kwamen. Ze liep het hek door, gaf haar kaartje af en zag Philip staan wachten bij de uitgang naar de straat.

'Er is iets gebeurd, nietwaar?' zei Laura, terwijl ze haar handen diep in haar zakken stak. Ze staarde naar haar voeten en haalde diep adem voordat ze naar hem opkeek. Hij sloeg een arm om haar schouders en liep met haar naar zijn auto, die een paar meter verderop stond geparkeerd. Hun adem vormde witte wolkjes in de kille atmosfeer. Het was een heldere sterrenavond en de temperatuur was scherp gedaald.

Laura vouwde zich in de linkerstoel van de kleine, oude MGB en Philip zette de gebrekkige verwarming maximaal.

'Vertel het me maar,' zei ze eindelijk, met een zucht. 'Compleet met alle afschuwelijke details.'

Philip startte de motor en schakelde de versnelling in. Hij reed achteruit van de parkeerplek en sloot zich aan bij de file naar de Botley Road. 'Ik had je willen bellen,' begon hij, 'maar ik werd pas ruim een uur geleden opgeroepen, toen jij al in de trein zat, en het leek me beter om...'

'Al goed, Philip. Dat is oké.' Laura lachte bleek. 'Ik ben niet boos op jou. Ik ben gewoon... kwaad. Punt uit. Wat is er gebeurd?'

'Volgens de technische recherche is de moord gisteravond gepleegd, tussen acht en tien uur. Deze keer was het een stel, maar verder precies dezelfde werkwijze.'

'Een stel?'

'Een jong paartje. Terwijl ze bezig waren.'

'En... nee, zeg het maar niet. De nieren van het meisje zijn weggesneden?'

'Ja.' Hij keek haar aan, een beetje verbaasd.

'Ik heb wat zitten lezen in de trein: *Ancient Astrology* van Evan Tarintara. Kletskoek, natuurlijk, maar wel met een paar nuttige aanwijzingen als je de gedachtegang van een ware gelovige wilt volgen. Venus, de planeet die gisteravond in Ram kwam, is verbonden met de nieren. Ik neem aan dat de moordenaar weer een muntje heeft achtergelaten, nu van koper?'

Philip knikte. 'Je hebt gelijk. Hoe zit dat dan met die planeten, de data en de metalen?'

'Uit wat Tom heeft ontdekt begrijp ik dat er nog twee planeten zich bij de conjunctie zullen aansluiten: Mars en Jupiter. Dat betekent dus nog twee moorden. Volgens het boek van Tarintara is Mars verbonden met ijzer en de galblaas, en Jupiter met tin en de lever.'

Philip knikte weer, maar hij zei niets.

'En deze laatste moord?' vroeg Laura op effen toon.

'Twee studenten in een huis in East Oxford. Ze hadden seks toen de moordenaar toesloeg. Hun keel was doorgesneden. De jongen...' hij zweeg een moment, 'Simon... Simon Welding, is verder niet verminkt. Het meisje, Samantha Thurow, een heel mooi...' Ze draaiden de hoofdweg op en Laura zag Philips kaak verstrakken.

'Haar nieren zijn weggehaald met de precisie van een chirurgische ingreep. Volgens de technici heeft de dader geen enkele vingerafdruk of DNA-spoor op de plaats delict achtergelaten, evenmin als in de eerste twee gevallen.' Opeens sloeg hij met zijn vlakke hand tegen het stuur. Laura schrok.

Ze keek uit het raampje naar de gebouwen die voorbij flitsten. Voor hen uit waren de verkeerslichten op rood gesprongen. Philip remde en stopte.

'De lichamen zijn pas vanavond vroeg ontdekt. Er woonden nog meer mensen in dat huis. Twee andere studenten kwamen omstreeks middernacht met hun partners thuis, maar ze gingen meteen naar bed en de volgende morgen naar college. Pas toen ze vandaag van de universiteit kwamen zag iemand de bloederige voetafdrukken op het kleed van de overloop, vanuit de kamer van het stel. Ze hadden Simon en Samantha nog helemaal niet gehoord. Om kwart voor vijf trapten ze de deur in. De politie arriveerde een paar minuten over vijf en ik kreeg een telefoontje rond halfzes.'

'Zeiden die anderen ook wanneer ze het stel voor het laatst hadden gezien?'

'Ze waren omstreeks zeven uur weggegaan.'

'Nou, dat maakt het tijdstip van de moord niet nauwkeuriger, maar ik neem aan dat Monroe me nu gelooft?'

'Misschien wel,' zei Philip. 'Hij wil ons spreken... bij hem thuis.'

Monroe had een tweekamerflat in een groot huis in North Oxford. Het was het absolute tegendeel van zijn armoedige kantoortje op het politiebureau. De smaakvolle, stijlvolle inrichting liet een heel andere kant zien van de man.

De zitkamer had een hoog plafond en een open haard waarin houtblokken brandden. Boven de schouw hing een groot, modern, abstract schilderij. De muren waren zachtgroen geverfd en de twee met crèmekleurig suède beklede banken gaven een warm accent. Het licht was gedempt en uit een paar kostbaar ogende speakers klonken de zachte klanken van een album van Brian Eno.

'Ga zitten,' zei Monroe, wijzend naar een van de banken.

'U vindt natuurlijk dat ik u een soort excuus schuldig ben, mevrouw Niven,' begon hij, 'maar dat zie ik anders. Toch wil ik u bedanken voor de informatie waarmee u bent gekomen.'

'U hebt ons hier laten komen om mij te bedanken. Dat was het?'

'Nou, wat...?'

'Ik had de indruk dat u maar weinig aanwijzingen had in deze zaak, inspecteur. Wat Philip en ik u hebben verteld heeft u misschien niet naar de moordenaar gebracht – nog niet – maar het verdient wel meer dan een simpel bedankje.'

Nu was het Monroes beurt om verbaasd te kijken. 'Het spijt me, ik begrijp niet...'

'U begrijpt het niet? Om te beginnen zou u me niet langer "mevrouw Niven" kunnen noemen. Ik heet Laura. En in de tweede plaats heb ik wel een functie in dit onderzoek verdiend, zou ik denken.'

Monroe keek haar aan, met een nog scherpere blik in zijn zwarte ogen dan gewoonlijk. 'Waarom zou ik u een functie geven?' vroeg hij.

'Wat Laura wil zeggen, denk ik,' bemoeide Philip zich er nu ook mee, 'op haar karakteristieke charmante wijze, is dat ze ons zou kunnen helpen. Daar ben ik het wel mee eens, voor zover mijn mening telt.'

'En ik heb informatie die nuttig zou kunnen zijn,' zei Laura kil.

'Wat voor informatie?' Monroe kon zijn toenemende irritatie niet verbergen.

'Waarom zou ik u dat zeggen?' was Laura's wedervraag.

'Omdat ik, als u dat niet doet, u zal aanklagen wegens het achterhouden van informatie die van belang is voor een moordonderzoek. Daarom, mevrouw Niven.'

'Hoor eens, dit is belachelijk. Jullie gedragen je allebei als kleine kinderen,' schamperde Philip opeens.

Monroe stond langzaam op. 'Neem me niet kwalijk,' zei hij. 'Ik vergeet mijn manieren. Willen jullie iets drinken?'

Laura schudde haar hoofd.

'Nee, bedankt,' zei Philip.

Monroe liep naar een walnoten kastje, haalde er een fles whisky en een kristallen glas uit en schonk een bodempje in.

'Ik heb alle vertrouwen in mijn mensen,' zei hij, 'en in mijn methoden. Ik vraag u nu wat die nieuwe informatie is en wat u verder nog hebt ontdekt over de zaak. En dan vergeet ik maar dat u hebt gedreigd iets achter te houden.'

Laura haalde diep adem en trotseerde Monroes blik. 'Goed, inspecteur. Ik moet wel meewerken, maar u kunt mij niet verbieden mijn eigen onderzoek naar deze moorden in te stellen.'

'Dat is waar, dat kan ik niet. Maar ik kan u wel aanpakken als u weigert om belangrijke gegevens over te dragen of als u op een of andere manier de politie voor de voeten loopt.'

'Natuurlijk. Maar dat zal niet gebeuren.'

'En die vriend van u beweert dus dat hij geen idee heeft over de inhoud van dat manuscript?' vroeg Monroe, toen Laura uitgesproken was.

'Blijkbaar niet.'

'En dat is alles wat u weet?'

'Ja.'

Heel even zag Laura een achterdochtige uitdrukking over Monroes gezicht glijden, die meteen weer verdween. 'Goed. Mijn dank,' zei hij, en hij dronk zijn glas leeg. 'En als u me nu wilt excuseren? Ik heb nog een hele papierwinkel liggen.'

Philip pakte Laura's arm en schudde bijna onwaarneembaar zijn hoofd om haar te waarschuwen dat ze niet moest tegenspreken. Het was tijd om te vertrekken.

Philip stapte in de auto en opende het linkerportier van binnenuit. Laura liet zich in het kuipstoeltje zakken. Hij stak het sleuteltje in het contact, maar wachtte even met starten. 'Je hebt Monroe niet alles verteld, of wel?' zei hij.

Laura grinnikte en trok haar wenkbrauwen op. 'Je kent me te goed, lieverd.'

'Wat weet je verder nog?'

Ze vertelde hem over de complottheorieën en de moorden uit 1851.

'Goed dat je daar niets over hebt gezegd. Dan had hij helemaal gedacht dat je geflipt was.'

'Ja, je zult wel gelijk hebben.'

'En wat ben je nu van plan, Holmes?'

'Wat bedoel je?'

'Nu Monroe de deur in je gezicht heeft dichtgegooid.'

'O, dat?' snoof Laura. 'Types als Monroe zijn juist een extra reden om door te gaan.'

Vanachter het raam van zijn zitkamer keek John Monroe hoe Philip van de oprit wegreed. Toen schonk hij zich nog eens bij en ging op een van de banken zitten.

Gewoon domme pech, dacht hij, om te worden opgescheept met een streberige Amerikaanse die een hele beerput had opengetrokken. Maar hij moest toegeven dat het fascinerend was wat ze had ontdekt. Alleen waren er bepaalde dingen waarmee hij nu eenmaal niets meer te maken wilde hebben.

Hoeveel jaar geleden was het sinds dat laatste incident? Hij groef in zijn geheugen. Het moest in 1989 zijn geweest. Hij was nog maar twee jaar bij de politie. Ja, eind 1989, het jaar waarin hij met Janey was getrouwd. Cecilia Moore was de vrouw die bijna zijn carrière had verwoest voordat die nog goed en wel begonnen was. Ze was een helderziende. Tenminste, dat beweerden haar volgelingen. Haar hulp was ingeroepen bij de zoektocht naar een achttienjarig meisje, Caroline Marsden, dat al drie weken werd vermist. Monroe was nog jong, naïef en optimistisch, en bovendien viel hij wel op Cecilia. Hij had te veel vertrouwen gesteld in de vrouw en haar krachten en zijn superieuren ervan overtuigd dat dit medium hen naar het verdwenen meisje zou kunnen brengen. Het bleek een verspilling van kostbare tijd en middelen te zijn.

Cecilia maakte een grote show van haar *sourcing*-techniek om Caroline op te sporen. Ze paste *remote viewing* toe om de politie aanwijzingen te geven over haar mogelijke verblijfplaats.

Monroe had veel te veel vrijheid gekregen van zijn chefs, besefte hij nu, maar dat was geen excuus. Hij geloofde in Cecilia's beschrijving van een kelder in Ealing, waar Caroline levend gevangen zou worden gehouden, en was het huis binnengevallen. Helaas was er niemand anders te vinden dan de bewoners, een bejaard echtpaar uit Bangalore. Caroline werd pas twee weken later gevonden; dat wil zeggen, haar verminkte resten op een vuilnisbelt onder het Hammersmith-viaduct, die door de technische recherche als Caroline Marsden werden geïdentificeerd.

De eerste vijf jaar daarna was het opvallend traag gegaan met Monroes promotie, en hij had het alleen gered dankzij zijn grote koppigheid en volharding. Zijn relatie met Janey had dat gevecht op zijn werk niet overleefd. In 1993 waren ze gescheiden, zonder kinderen, na een huwelijk van maar vier jaar.

Hij nam een slok van zijn Famous Grouse en staarde peinzend in het vuur. Zou hij zich weer met het occultisme kunnen inlaten? Bijna iedereen bij de recherche en de uniformdienst die hem toen achter zijn rug had bespot, was nu met pensioen of werkte allang ergens anders. En de paar mensen die zich Cecilia Moore nog konden herinneren zouden nu niets durven te zeggen. Maar daar ging het niet om; het was het principe. Monroe besefte ook wel dat hij zelf niet in die astrologische onzin hoefde te geloven om het als een motief voor de moordenaar te accepteren, en hij wist dat Laura Niven en Philip Bainbridge niet geschift waren. Sterker nog, het waren intelligente en goedbedoelende mensen die hij waarschijnlijk graag zou hebben gemogen als hij hen onder andere omstandigheden had ontmoet.

En natuurlijk was er nog een andere factor, die hij zelfs niet met zijn eigen team had besproken. Hij kende de plaatselijke politiehistorie op zijn duimpje. Het was een van zijn hobby's geweest toen hij nog op school zat. Deze moorden vertoonden een opvallende overeenkomst met een allang vergeten zaak, de moord op drie jonge vrouwen en een mannelijke student aan de universiteit van Oxford, meer dan honderdvijftig jaar geleden, in 1851.

Monroe zette zijn glas neer en liep naar de nieuwe Mac die hij pas de vorige week had gekocht. Hij gaf de muis een zetje en de computer schrok wakker uit zijn slaapstand. Monroe ging naar een zoekmachine en aarzelde even terwijl hij terugdacht aan zijn gesprek met Laura en Philip op het politiebureau, de vorige avond. Wat was ook alweer de naam van die website die Laura had genoemd? Toen wist hij het weer. Met twee vingers typte hij 'almanac.com'.

20

Ze zaten in een kamer naast het Heiligdom. Het was een kleine kamer, niet meer dan een stenen hokje, bijna twintig meter onder de Bodleian Library. De wanden waren glad, de vloer glom, en in het midden lag een groot Khotan-kleed. Op het kleed stond een mahoniehouten tafeltje met niets erop, behalve een zijden loper die over de hele lengte van de tafel liep en aan beide uiteinden over de rand hing. De ruimte werd verlicht door zo'n vijfentwintig kaarsen in een kroonluchter midden onder het gewelfde plafond. De twee mannen zaten tegenover elkaar.

'Je hebt me bijzonder teleurgesteld,' zei de Meester, zonder enige emotie in zijn stem.

De Acoliet, gekleed in een crèmekleurig linnen Armani-pak met een brede kraag, een wit overhemd en een groen met roodgestreepte zijden das van Louis Vuitton, in een windsorknoop onder zijn adamsappel gestrikt, zat in een identieke stoel. Hij staarde over het tafeltje dat hem van de Meester scheidde en voelde het bloed uit zijn gezicht wijken. 'Ik kan het uitleggen.'

'Gelukkig maar.'

'Ik werd gestoord in het huis. Er was iemand.'

De Meester trok een wenkbrauw op.

'Het was geen eenvoudige procedure, Meester. Ik wilde geen fouten maken en de tijd drong.'

'Je bent toch goed getraind, of niet?'

'Ik hoorde een geluid van beneden. Ik dacht dat de ouders van het meisje eerder thuis waren gekomen, maar ik had me vergist.'

'Ja, dat heb je zeker.'

'Ik had nog niet alles weggehaald. Ik bracht het lichaam naar de tuin, maar die was niet geschikt. Toen zag ik de aanlegplaats van de roeiboot van de familie. Dat leek me een goede oplossing.'

'Maar waarom heb je de boot toen langs de oever getrokken?'

De Acoliet haalde diep adem. 'Ik had de vrouw in de boot gelegd en haar hersens verwijderd toen het touw losschoot en de boot van de kant wegdreef. Ik probeerde hem tegen te houden, maar als ik langs de oever zou lopen of in het water zou vallen zou ik de situatie te ernstig verstoren. Ik moest de boot wel laten gaan. Blijkbaar is hij weer naar de kant gedreven en daar blijven steken, niet ver van het huis.' De Acoliet staarde naar zijn perfect gemanicuurde nagels.

De Meester bestudeerde het knappe gezicht van de andere man. Hij leek veel jonger dan hij werkelijk was. De Acoliet had geluk gehad met zijn genen: hoge jukbeenderen, een goedgevormde mond en ogen die zo blauw waren dat het leek of hij gekleurde contactlenzen droeg. 'Dus je hebt het nog niet gehoord?'

'Wat, Meester?'

'Jouw vergissing kan heel ernstige gevolgen hebben. De recherche van Thames Valley heeft concrete aanwijzingen gevonden, vlak bij het huis aan de rivier.'

'Dat is onmogelijk. Ik...'

'Ze hebben een gedeeltelijke schoenafdruk, en sporen van leer en plastic.'

De Acoliet schudde zijn hoofd. Zijn ogen fonkelden van verontwaardiging.

'Heb je je beschermende overall gecontroleerd voordat je je ervan ontdeed?'

De Acoliet sloot zijn ogen en slaakte een kleine zucht.

'Nou?'

'Nee.'

'Zie je? Het is dus niet onmogelijk.'

21

James Lightman woonde in een van de mooiste huizen van Oxford. Hoewel hij uit een betrekkelijk eenvoudige familie kwam – zoon van een advocaat en een lerares, een intellectueel maar zeker niet rijk gezin – was zijn overleden vrouw, Susanna Gatting, de enige erfgename geweest van een van de machtigste en invloedrijkste mannen in Engeland, Lord Gatting. Neville Gatting, ooit minister van Financiën, had de geschiedenis van zijn familie en hun enorme fortuin kunnen traceren tot aan de tijd van George I.

Lightmans schoonvader was bijna twintig jaar geleden gestorven, Susanna's moeder was twee jaar voor de dood van haar dochter aan kanker overleden en Lightman had de Gatting-miljarden geërfd. Zijn vier verdiepingen hoge Georgiaanse huis in North Oxford was zijn onderkomen in de stad, terwijl een staf van zo'n tien man personeel het landgoed Gatting beheerde, gelegen in Brill, aan de grens tussen Oxfordshire en Buckinghamshire.

'Drie bezoekjes in één week, Laura? De mensen zullen er nog wat van denken,' zei Lightman.

Laura lachte en gaf hem een kus op zijn wang. 'Strikt zakelijk, James. Helaas.'

'Wat jammer nou, kind. Maar kom, dan lopen we naar mijn studeerkamer.'

Laura ging in een van de twee oude leren fauteuils zitten, dicht bij het gezellige haardvuur. Ze was een beetje teleurgesteld geweest toen er werd opengedaan door Malcolm Bridges, de assistent die ze een paar dagen geleden in de bibliotheek had ontmoet. Hij had haar beleefd genoeg gevraagd om binnen te komen, maar scheen haar komst niet echt op prijs te stellen. Maar even later kwam James uit zijn kamer, glimlachend, hartelijk en praatziek als altijd. Bridges had haar jas aangenomen en was haastig naar de keuken verdwenen om thee te zetten.

'Ik dacht dat hij alleen je assistent was in de bibliotheek,' zei Laura.

'Je mag hem niet, geloof ik, Laura?'

'Dat zei ik toch niet? Ik was gewoon verbaasd om hem hier te zien.'

'Er steekt niets achter, kind. Hij verdient wat bij. Malcolm is postdoctoraal onderzoeksassistent aan de psychologische faculteit. En hij moet een vriendin en een passie voor speleologie bekostigen.' Lightman porde wat met een elegante antieke pook in de haard voordat hij in de andere stoel ging zitten, een meter bij Laura vandaan. 'Hoe dan ook, ik moet nog een hartig woordje met je wisselen.'

'O ja?'

'Je bent niet helemaal eerlijk tegen me geweest, een paar dagen geleden.'

'Wat bedoel je?'

'Over de plot van je roman.'

'Ja, dat spijt me,' zei Laura. 'Maar het was geen echte leugen. Ik denk serieus over een moderne roman, maar die moorden van de afgelopen tijd waren wel de inspiratiebron. Ik had het je meteen moeten vertellen. Ik wist wel dat je er vroeg of laat achter zou komen.'

'Eerlijk gezegd volg ik het nieuws meestal niet zo. Ik hoorde dit alleen omdat Malcolm er vanochtend over begon.'

'Gelukkig maar, want ik heb je hulp weer nodig.'

'Ha!' lachte Lightman. 'De brutaliteit! Dat heb ik altijd in je kunnen waarderen.'

'Als de hoofdbibliothecaris van de Bodleian, een internationale autoriteit op het gebied van de klassieke letteren, me niet kan helpen, wie dan wel?'

'Je weet het weer mooi te zeggen, Laura. Lef en complimentjes, een dodelijke combinatie. Maar waar gaat het om?'

'In het boek wil ik een deel van de intrige rond een geheimzinnig document weven, een heel oud manuscript, misschien een Griekse of Latijnse tekst die iets met de moorden te maken heeft.'

'En dat wil je op de werkelijkheid baseren?'

Laura wachtte even en keek in het vuur. De vlammen dansten rond de gloeiende houtblokken. 'Nou, dat wilde ik jou vragen. Wat is de kans dat er nu nog zo'n oud handschrift zou opduiken?'

Lightman wilde net antwoord geven toen Malcolm Bridges binnenkwam met een blad, dat hij naar de haard bracht.

'Ik hoop dat u thee wilde?' zei hij tegen Laura.

'Graag,' antwoordde ze. Bridges zette het blad op een tafeltje, schonk thee en melk in twee kopjes en gaf er een aan Laura.

'Suiker?'

'Nee, dank je.'

Bridges wilde alweer vertrekken toen Lightman zei: 'Malcolm... oude manuscripten die nu nog opduiken. Hoe groot is die kans?'

Laura draaide zich om naar Lightman, een beetje verbaasd en ontstemd, maar hij ontweek haar blik. Ze begreep meteen dat haar oude mentor haar een beetje wilde pesten, dus zei ze niets.

'Een manuscript? Wat voor manuscript?' Bridges leek geschrokken van die vraag.

'Geen idee.' Er speelde een ironisch lachje om Lightmans lippen. 'Laura wilde het net uitleggen. Ga even zitten, beste jongen.'

Bridges ging zitten op een stoel bij het bureau.

'Laura is bezig met een nieuwe roman en speelt met de gedachte van een heel oud document, een oude tekst die pas in de eenentwintigste eeuw weer aan het licht komt.' Lightman draaide zich weer om naar Laura. 'Weet je al wat voor manuscript dat zou moeten zijn?'

'Ik hoopte juist dat jij me een suggestie aan de hand kon doen, James. Maar als...'

'Er zijn de afgelopen decennia een paar verbazingwekkende vondsten gedaan,' verklaarde Lightman. 'De beroemdste is natuurlijk de ontdekking van de Dode-Zeerollen, ruim vijftig jaar geleden in Wadi Qumran. Dus het komt nog wel voor. Maar afgezien daarvan heb ik al een hele tijd niets meer gehoord over nieuwe vondsten. Jij wel, Malcolm?'

'Niet de laatste tijd,' antwoordde Bridges. 'Wel die teksten van Elias Ashmole in Keble College, natuurlijk, maar dat is ook al bijna dertig jaar geleden.'

'En vergeet de *Codex Madrid* niet, de aantekenboekjes van Leonardo. Die zijn in de jaren zestig teruggevonden in een paar vergeten dozen in een Spaanse bibliotheek. O, en Wainwright heeft nog dat handschrift ontdekt dat aan Herodotus is toegeschreven. Wanneer was dat? In 1954, 1955?'

'Oké,' zei Laura afwezig. 'In elk geval is het dus geen belachelijke fantasie.'

'Nee, helemaal niet,' antwoordde Lightman. 'Alleen komt het maar zelden voor... helaas.' Hij dronk van zijn thee en wilde nog iets zeggen toen er werd aangebeld.

'Dat zal professor Turner zijn,' zei Bridges. 'Hij had een afspraak om kwart voor tien.'

'O, verdorie,' zei Lightman. 'Dat was ik helemaal vergeten. Het spijt me, Laura, maar ik moet even met Turner spreken; ik heb hem al twee keer afgepoeierd. Hij wil praten over een nieuwe aanbouw van de bibliotheek. Vreselijk saai maar onvermijdelijk, ben ik bang.'

Laura was er graag wat dieper op ingegaan, maar wist haar teleurstelling te verbergen. 'Geen probleem, James,' zei ze. 'Ik voel me nu wat geruster.'

Ze liepen naar de deur van de studeerkamer. 'Maar ik heb nog een kleine vraag voor je. Heel snel. Heb je een seconde?'

Lightman knikte.

'Weet jij iets over een seriemoordenaar in Oxford in 1851?'

Lightman aarzelde heel even en zei toen: 'Nu je het zegt, ik geloof dat ik daar ooit iets over heb gehoord. Dat was in het jaar van de wereldtentoonstelling. Twee jonge vrouwen. Maar dat kun je toch geen seriemoord noemen? Het spijt me, Laura. Lieve hemel, ik heb je vandaag niet echt kunnen helpen, is het wel?'

22

Na twee mislukte pogingen om Philip te bellen, herinnerde Laura zich dat hij had gezegd dat hij naar Londen ging om te praten over een mogelijke opdracht voor een fotoboek over Tasmanië. Hij zou die nacht in de stad blijven slapen.

Terug in Woodstock snuffelde ze in Philips bibliotheek om te zien of ze iets kon vinden over die moorden in 1851. Maar het was een vergeefse speurtocht en ook internet leverde niets op. De avond bracht ze op de bank door met Jo en een doos bonbons, voor de televisie.

De volgende morgen kwam ze net terug van een lange wandeling door de bossen bij het huis, toen ze de huurauto de straat in zag rijden. Ze had de vorige avond om een nieuwe auto gebeld en was een beetje verbaasd dat het bedrijf de wagen keurig op de afgesproken tijd kwam brengen. Een halfuur later was ze onderweg naar Oxford en toetste ze het nummer van Philips mobieltje in.

'Waar ben je?' vroeg ze opgewonden.

'Ik rij net Oxford binnen, over de M40. Hoezo?'

'Ik moet je zo snel mogelijk spreken.'

'Nou, ik moet nog een paar cd-roms bij het bureau afleveren. Ik ben al te laat. Ik wilde eigenlijk meteen naar huis rijden, maar zullen we ergens afspreken voor koffie?'

'Klinkt goed. Waar?'

'Isabella's in Ship Street, bij Cornmarket?'

'Oké. Hoe snel kun je daar zijn?'

'Nou, geef me een halfuur; nee, drie kwartier.'

Laura keek op haar horloge. Het was bijna kwart voor negen. 'Goed. Dan zie ik je daar om halftien.' En ze klapte haar telefoontje dicht.

Isabella's was een kleine, veel te bescheiden koffieshop in een van de stillere zijstraten van het voetgangersgebied van Cornmarket Street in het centrum van Oxford. Er stonden niet meer dan een stuk of tien tafeltjes en het decor was nogal somber en kleurloos, maar Philip was gesteld op de eigenaresse, Isabella Frascante, een Italiaanse weduwe van middelbare leeftijd, die altijd vriendelijk en hartelijk was en volgens hem de beste espresso van de Home Counties zette.

Laura was tien minuten te vroeg. Ze zag Philip langs het raam lopen en binnenkomen. Ze hadden de zaak voor zich alleen. De eigenaresse ontdekte Philip toen hij ging zitten en keek hem stralend aan.

'Het vaste recept, Isabella,' zei hij, terwijl hij naar achteren leunde op zijn stoel.

'Hoe ging het?' vroeg Laura.

'Wat?'

'Heb je de opdracht?'

'Misschien. Ik hoop het. Vanmiddag krijg ik een e-mail, als het goed is. En hoe is het met jou?'

'Ik ben naar James Lightman geweest, maar hij kon me niet echt helpen, helaas. We moeten eerst wat meer te weten komen over die moorden in 1851. Maar waar haal je informatie vandaan over een serie moorden in deze stad, meer dan honderdvijftig jaar geleden? Waren er toen kranten?'

'Dat zal wel,' antwoordde Philip. Isabella kwam met de koffie en Philip nam een slok. 'Heerlijk! Ze moet me ooit het geheim vertellen,' fluisterde hij toen Isabella wegliep.

'Het geheim? Ha! Ze is Italiaanse, Philip. Een bleke Engelsman die een kluns is in de keuken, zoals jij, zal nooit zulke koffie kunnen zetten. Of denk jij van wel?'

Philip lachte de belediging weg. Hij dronk nog wat en smakte met zijn lippen.

'Dus,' zei Laura. 'Kranten?'

'Ik weet niet eens of Oxford in 1851 al een eigen krant had.'

'Dat moet toch wel, Philip? Deze stad is gebouwd op papier.'

'Ja, op boeken, Laura. Op boeken. Kranten vonden ze waarschijnlijk vulgair.'

'De universiteit, misschien. Maar er woonden hier ook andere mensen, net als nu, vergeet dat niet.' Ze rolde met haar ogen.

'Oké,' antwoordde Philip. 'Dan gaan we naar de bibliotheek. De afdeling plaatselijke geschiedenis. Als er ooit iets is geschreven over die moorden moet het daar te vinden zijn. Waarschijnlijk op microfiches.'

'Goed. Kom mee dan.' Laura was al opgestaan, zonder zich iets van Philips protesten aan te trekken. 'Verdorie, man. Vraag maar een bekertje om mee te nemen. Zó bijzonder kan het toch niet zijn? En veeg je mond af!'

Het bleek dat er in 1851 drie plaatselijke kranten waren geweest in Oxford. *Jackson's Oxford Journal* was de populairste en de oudste, uit 1753. De andere twee, de *Oxford University Herald* en de *Oxford Chronicle and Berks and Bucks Gazette*, waren betrekkelijke nieuwkomers.

'Dus je had je toch vergist, Philip. Niet één, maar zelfs drie vulgaire kranten,' merkte Laura op.

'Oké, ik geef het toe.'

'Hoe vinden we de archieven?'

'In de catalogus,' antwoordde Philip en hij bewoog de muis weer terug naar het bestandsbeheer. 'De bibliotheek heeft alles gerangschikt volgens decennium. Daarna zoeken we op kranten en tijdschriften.'

Na een paar keer klikken vonden ze het bestand voor 1850-1860, en even later verscheen de krantencatalogus op het scherm. 'Nu kunnen we zoeken op trefwoord. Je hebt zeker geen namen?'

Laura schudde haar hoofd.

'Oké. Nou, dat maakt het lastiger. Maar laten we het eens proberen met "moorden". Kijken wat dat oplevert.'

Dat gaf 1819 hits.

Laura kreunde.

'Niet zo ongeduldig. Verfijn de zoekopdracht maar,' zei Philip. 'Probeer "seriemoordenaar".'

'Die term bestond toen nog niet.'

Laura probeerde zich te herinneren wat ze twee ochtenden geleden had gelezen. 'Die website waar ik je over vertelde had het over drie vermoorde en verminkte vrouwen in de zomer van 1851.'

'Goed. Dan verfijnen we de zoekopdracht met "jonge vrouw".'

Philip drukte op ENTER en er verscheen een nieuw scherm. 'Driehonderdtweeënveertig hits voor "moord" en "jonge vrouw". Beter, maar nog niet ideaal.'

'Oké, voeg er dan "verminkt" aan toe. Dat zal de mogelijkheden wel beperken.' Laura trok haar stoel wat dichter naar de computer toe.

Philip typte de termen en het scherm veranderde weer. Deze keer hielden ze nog zeventien hits over voor de woorden 'moord', 'jonge vrouw' en 'verminkt'.

'Nou komen we in de buurt,' zei Laura.

De kranten stonden op microfiches. Philip noteerde de catalogusnummers en ze sloten aan in de rij voor de overwerkte bibliothecaresse achter de balie. Het duurde twintig minuten voordat ze de films hadden gevonden, het apparaat onder de knie hadden en de eerste rol microfiches in de viewer hadden geladen.

De eerste verwijzing was naar de *Jackson's Oxford Journal* van 16 juni 1851, die enkele bijzonderheden noemde.

Het volgende artikel kwam uit de *Oxford Chronicle* van 18 juni. Daarin werd hetzelfde verhaal verteld, maar wat uitvoeriger. Volgens dit stukje was in een schuur in Headington het lichaam van een vrouw aangetroffen, 'in ontklede staat'. Ze was gedood met niet nader omschreven messteken en haar lichaam was 'afschuwelijk verminkt'.

Daarna volgden drie artikelen in alle plaatselijke kranten, allemaal op dezelfde dag: 24 juni. Er was een tweede moord gepleegd, maar de dader had een iets andere werkwijze gevolgd. In een veld ten noorden van de stad was een vermoord stel gevonden. Ze waren naakt; de *Oxford University Herald* meldde dat het lichaam van de vrouw 'op wrede wijze was verminkt'.

Op de dag na het derde incident, op 9 juli, was het al de grootste sensatie in Oxford sinds jaren. Er werd uitgebreid verslag gedaan, en de aangeboren hoffelijke terughoudendheid van de journalistiek kreeg een – voor die tijd – bijna onbetamelijk spectaculaire ondertoon. Het hoofdartikel in de *Oxford Chronicle* van 10 juli luidde aldus:

Na het laatste bericht van gisteren over een volgende afzichtelijke moord, in dit geval op een jonge vrouw in omgeving van Forest Hill langs de weg naar Londen, bestaat er een toenemende vrees dat de politie voor ongekende problemen staat bij het oplossen van de motieven achter deze opeenvolging van laaghartige moorden die onze stad en haar omgeving al teisteren sinds de dood van een jonge vrouw op 16 juni. Ondanks ons respect voor het vakmanschap en de inzet van de officieren die met het onderzoek zijn belast, achten we het onze plicht om de begrijpelijke bezorgdheid van de bevolking van Oxford hier te onderstrepen. De politie heeft natuurlijk geconstateerd dat alle slachtoffers jonge mensen waren, van wie de oudste slechts eenentwintig. In één geval betrof deze obscene moord een stel dat elkaar zonder chaperonne in het geheim ontmoette. Het is algemeen bekend dat het slachtoffer in deze tweede zaak een jongeman was die aan de universiteit studeerde, en dat zijn lichaam na de moord intact werd gelaten, terwijl de onfortuinlijke jongedames in alle gevallen niet alleen met een mes werden gedood maar daarna ook op onbeschrijflijke wijze verminkt.

Bronnen, waarvan wij verplicht zijn de identiteit te beschermen, hebben ons meegedeeld dat er een verdachte is aangehouden op de plaats van de laatste gruweldaad en is meegenomen voor verhoor. Er blijft dus hoop, en wij bidden allemaal dat deze nieuwste ontwikkeling de politie tot een spoedige oplossing van deze gruwelijke reeks misdrijven zal aanzetten, zodat de doodsangst bij iedereen binnen deze stadsmuren kan worden weggenomen. Hierbij zullen de officieren van onze politiemacht kunnen rekenen op de volledige steun van de Chronicle *en – naar mijn vaste overtuiging – ook van de overgrote meerderheid van onze lezers.*

'Een echte boulevardkrant,' zei Philip toen hij en Laura het stukje gelezen hadden.

Het volgende uur werkten ze alle verwijzingen door die ze in de catalogus hadden gevonden.

Uit angst om hun lezers te shockeren of omdat bepaalde details nooit door de politie waren vrijgegeven, bleven de kranten vaag over de bijzonderheden. Zinsneden als 'afschuwelijke verminkingen', 'duivelse mishandeling' en 'wrede toetakeling' sierden de verslagen op. Maar wat Laura en Philip het meest interesseerde, was het verhaal over de verdachte die was opgepakt op de plaats van de moord bij Forest Hill.

Nathaniel Milliner was een 'imbeciel', zoals de politiek incorrecte journalisten uit die tijd dat nog noemden. Hij was vijftien, maar hij sprak traag en moeizaam, hij liep mank en hij had een misvormde rug. Hij was de zoon van een professor in de medicijnen, John Milliner, die koppig had geweigerd Nathaniel in een inrichting te laten opnemen. Na een urenlang verhoor accepteerde de politie ten slotte de verklaring van de jongen dat hij bij toeval op de slachtoffers was gestuit toen hij met zijn vlieger bij Forest Hill rondzwierf. Ze hadden geen bewijzen voor zijn schuld en het leek wel duidelijk dat professor Milliner, een van de belangrijkste figuren binnen de academische gemeenschap, zijn zoon tijdens het verhoor had beschermd zoals hij hem al vijftien jaar tegen de vooroordelen van de victoriaanse maatschappij in bescherming had genomen.

Twee van de drie kranten in Oxford bleven sceptisch en uit bijna alle artikelen in de *Chronicle* en de *Herald* bleek duidelijk dat de redactie Nathaniel het liefst had laten opknopen. Alleen *Jackson's Oxford Journal* deed evenwichtig verslag van de zaak en weigerde de jongen te veroordelen. Toen, opeens, kwam de kwestie in een stroomversnelling. Een week na de moord bij Forest Hill arresteerde de politie een zekere Patrick Fitzgerald, een Ierse arbeider die werkte aan de aanleg van een nieuw kanaal in Oxford. Twee getuigen meldden zich met de verklaring dat ze hem op de plekken van de eerste twee moorden hadden gezien, vlak voordat de lichamen waren gevonden. Een ander, een anonieme collega van het werk, vertelde de politie dat Fitzgerald 'stomdronken' was geweest in een pub, de Ferret and Fox, dicht bij de plek van het nieuwe kanaal, en dat hij – volgens het verslag in de *Chronicle* – laat op de avond van de dubbele moord aan zijn maat had bekend: 'Ik heb bloed aan mijn handen. Zoveel bloed.'

Het proces tegen Fitzgerald begon op 9 augustus. Na niet meer dan twee zittingen werd hij door de jury anoniem schuldig verklaard, en op 12 augustus werd hij opgehangen.

'Frustrerend,' zei Laura. 'Die zaak lijkt sterk op de recente moorden hier, maar er zijn geen details, en zonder specifieke bijzonderheden zou het allemaal stom toeval kunnen zijn.'

'Toch zegt het wel iets dat de moorden ophielden nadat de politie die Fitzgerald had opgepakt.'

'Ja, maar wat voor bewijzen hadden ze? En wat denk je van Nathaniel Milliner?' vroeg Laura.

'Misschien was hij totaal onschuldig. De politie dacht dat blijkbaar ook. In elk geval hebben ze die arbeider opgehangen. Maar het komt op mij veel te glad over.'

'Hoezo?'

'Die getuigen die opeens uit het niets opdoken met het verhaal dat ze Fitzgerald op de plaatsen van de moorden hadden gezien vlak voordat de lichamen werden gevonden. De slachtoffers waren waarschijnlijk al uren dood voordat ze werden ontdekt. Dus dat bewijst niets.'

'Nee, maar die man was wel op allebei de plekken van de eerste twee moorden gesignaleerd.'

'Dat beweerden ze.'

'En die collega van het werk? Mensen zeggen soms heel vreemde dingen als ze dronken zijn. Dat zegt dus ook niet veel.'

'Tegenwoordig zou je heel wat sterkere bewijzen moeten hebben om iemand veroordeeld te krijgen,' zei Philip.

'En is je nog iets anders opgevallen?' vroeg Laura. 'Dat de kranten bijna niets schrijven over de moorden zelf? Helemaal geen details. Dat is echt heel vreemd.'

Philip knikte.

'Dit is echt frustrerend. Er moet toch meer achter die moorden hebben gestoken?'

'Misschien, maar ik betwijfel of je nog andere bijzonderheden zult ontdekken dan we hier hebben gevonden.'

Ze zwegen een moment en Laura keek naar het scherm, waarop het laatste artikel te zien was. Opeens zei ze: 'En de politiedossiers? Er zullen toch wel officiële rapporten over de moorden bestaan?'

'Uit 1851?'

'Waarom niet?'

'Het zou kunnen. Maar dan niet hier in Oxford. Het politiebureau is in de jaren vijftig herbouwd en met de karrenvracht aan papier die er elk jaar doorheen gaat kan ik me niet voorstellen dat ze de stukken meer dan tien jaar bewaren. Hooguit.'

'Dan gaan ze ergens anders heen. Dat moet wel.'

'Daar heb je gelijk in,' antwoordde Philip. 'Het Nationaal Archief in Kew.'

'Digitaal?'

'Ik denk het niet.'

Laura wilde net antwoorden toen haar mobieltje ging. Ze keek op de display en zag dat ze een sms'je had. 'Een bericht van Charlie,' zei ze. 'Hij zegt dat hij nieuwe informatie heeft over dat manuscript. Hij vraagt of we vanmiddag om vier uur naar zijn winkel kunnen komen.'

23

Toen Laura en Philip uit de bibliotheek liepen, begon het te plenzen. Ze renden naar de parkeergarage waar Laura haar auto had achtergelaten, maar tegen de tijd dat ze daar aankwamen waren ze allebei doorweekt.

'Laat jouw auto maar achter bij het politiebureau tot we uit Londen terug zijn,' stelde Laura voor. 'Dan nemen we deze wel. Die is warmer, sneller... en veel droger.'

Philip haalde zijn schouders op. Wat hij ook zei, Laura zou nooit de schoonheid kunnen waarderen van klassieke sportwagens zoals zijn beminde MGB, een auto die nog was gebouwd in een kleine werkplaats bij Longwall Street, nog geen kilometer van de plek waar ze nu stonden.

De weg naar Woodstock was nauwelijks te zien in de stortregen. Het was nog geen middag, maar de hemel was bijna zwart en de straatlantaarns brandden al. Koplampen kwamen op hen af door de gordijnen van water, en tot ergernis van de bestuurders achter hen deed Laura het heel rustig aan. Gedwongen, zoals zij dat uitdrukte, om aan de verkeerde kant van de weg te rijden, nam ze geen enkel risico. Tegen de tijd dat ze bij Philips huis in Woodstock aankwamen, was ze doodmoe van het ingespannen turen op de weg. Ze zag witte vlekken voor haar ogen.

Ze zette de auto zo dicht mogelijk bij de deur en rende naar de beschutting van de portiek terwijl Philip nog naar zijn sleutel zocht. Hij stak hem in het slot, maar de deur was al open. Ze liepen allebei naar de keuken.

'Hallo?' riep Philip.

'Hier,' hoorden ze Jo's stem.

De haard brandde in de huiskamer en uit Philips iPod, die hij op een paar speakers had aangesloten, klonk een nummer van Django Reinhardt. Jo zat op de bank naast een andere jonge vrouw die Philip vaag herkende. Het meisje huilde en Jo probeerde haar te troosten.

'Wat is er gebeurd?' vroeg Laura. 'Jo?'

'Dit is Marianne; ze zit in mijn topologiegroep.' De jonge vrouw keek een beetje beschaamd en veegde haar tranen weg.

'Ik wilde niet...' begon Marianne. Ze had een opvallend hoge stem, als van een klein meisje.

'Ach, dat geeft toch niet,' antwoordde Jo. 'Mam, Marianne heeft dit gevonden in haar kastje op de universiteit.' Ze gaf haar moeder een vel papier.

Het was een computerbewerkte foto: Mariannes hoofd, gemonteerd op een pornofoto van een naakt model dat wijdbeens op een bed lag. Haar handen en voeten waren met dik touw aan de vier hoeken van het bed gebonden. Met een programma voor fotobewerking had iemand een grote snee in haar onderbuik gemaakt, waardoor een deel van haar ingewanden naar buiten puilden. Boven de foto, in felle rode letters, stond geschreven: DIT ZOU IK MET JE WILLEN DOEN.

'Heb je enig idee wie dat gedaan kan hebben?' vroeg Philip.

'Nee. Nee, niet echt.'

'Niet echt?'

'Nou, we hebben wel een engerd in ons jaar.'

'Ja, een echte *creep*, heus waar,' viel Jo haar bij. 'Russell. Russell Cunningham. Hij studeert psychologie, maar hij volgt ook een paar van onze statistiekcolleges. Wel knap, op zo'n gladde manier als Ricky Martin, maar een echte griezel. Hij zit altijd naar me te loeren alsof hij me in gedachten uitkleedt. Geen leuke jongen.'

'Heeft hij ooit iets geprobeerd?' vroeg Laura aan Marianne.

'Ik geloof niet dat hij het lef heeft om echt iets te doen,' antwoordde Marianne.

'Misschien heb je gelijk,' zei Philip, 'maar je kunt niet zomaar iemand beschuldigen. Je moet wel aangifte doen, Marianne. Ik wil je niet bang maken,' voegde hij er voorzichtig aan toe, 'maar het kan iets te maken hebben met dat moordonderzoek.'

Marianne trok wit weg.

'Dat dacht ik zelf ook, maar ik wilde het niet zeggen,' zei Jo. 'Ik ben zelf niet meer naar college geweest sinds het ongeluk, en het is paasvakantie, maar iedereen die in de stad is achtergebleven is behoorlijk aangeslagen door die moorden.'

'Ik ken minstens twee meisjes die naar huis zijn gegaan en voorlopig bij hun ouders blijven totdat dit voorbij is. Normaal zouden ze in Oxford zijn gebleven om in de vakantie door te werken,' voegde Marianne eraan toe.

'Dat verbaast me niets,' zei Laura met een zucht. Ze ging in een stoel tegenover de bank zitten. 'Jullie moeten allemaal voorzichtig zijn.'

'In New York raak je aan die dingen gewend,' merkte Jo op. 'Maar, ik weet niet. Ik dacht dat het hier in Oxford...'

'Oxford is een prachtige stad, geen twijfel aan,' zei Philip, 'maar de mensen hier zijn heus niet fundamenteel anders dan in de Bronx, of voor mijn part in Timboektoe.'

'Dus u vindt dat ik met die afschuwelijke foto naar de politie moet gaan?'

'Ja, dat vind ik wel.' Philip aarzelde geen moment. 'Waarschijnlijk is het niets anders dan een zieke grap, maar de technische recherche zal er toch even naar willen kijken. Voor alle zekerheid.'

24

Het Nationaal Archief is een modern bakstenen gebouw, gelegen in een weelderige, prachtig onderhouden tuin in de dure wijk Kew, aan de zuidkant van de Theems in het westen van Londen. Een gemiddeld huis kost hier net zoveel als een hele straat met rijtjeshuizen in Sheffield, en het aantal topinkomens en topfuncties is er buitensporig hoog. Naar Londense maatstaven zijn de door bomen omzoomde straten opvallend schoon en veilig. De cafés en winkels worden grotendeels bezocht door modelgezinnen met kinderen in kleren van Gap en Kenzo Kids, die op kostschool zitten of een Amerikaanse of Zweedse nanny hebben.

In het Nationaal Archief, in 1838 opgericht bij wet, zijn enkele van de beroemdste documenten ter wereld te vinden, zoals het oorspronkelijke Domesday Book, de uitslagen van de parlementsverkiezingen van 1275, een inventaris van de juwelen van Elizabeth I, het testament van William Shakespeare, de bekentenis van Guy Fawkes en de notulen van Churchills oorlogskabinet tijdens de Slag om Engeland. Ook zijn er talloze politiedossiers opgeslagen, vanaf de eerste jaren van het bestaan van de Engelse politiemacht.

Tot hun verbazing ontdekten Laura en Philip dat de politiearchieven wel degelijk waren gedigitaliseerd en dat ze konden worden geraadpleegd vanaf een rij werkstations in de leeszaal. Het systeem was vergelijkbaar met dat van de bibliotheek in Oxford, zodat ze al snel aan de slag konden.

Philip opende het bestand voor 1851 en liet de computer zoeken naar 'onderzoek moordzaken Oxford'. Dat leverde zevenendertig documenten op, chronologisch weergegeven vanaf het officiële begin van elke zaak. Hij typte 'juni'. Die maand waren er twee onderzoeken gestart. Het eerste was een bestand van maar 22kb, het andere besloeg 231kb. Philip klikte het tweede aan. Als de seriemoorden die maand waren begonnen, moest dat een van de uitvoerigste recherchezaken in Oxford zijn geweest in jaren.

Het bestand verscheen en ze lazen de titel: *Onderzoek naar de reeks moorden op Molly Wetherspoon, Cynthia Page, Edward Makepeace en Lucinda Gabling, allemaal afkomstig uit Oxford, tussen 15 juni en 9 juli 1851.* Het dossier was honderdtwintig pagina's lang.

'Ik ga koffie halen,' zei Laura.

Philip tikte haar op de arm en wees naar een bordje aan de muur, met de tekst VERBODEN OM DRANK OF ETENSWAREN MEE TE NEMEN IN DE LEESZAAL.

'O,' zei ze zuchtend. 'Nou, laten we dan maar beginnen.'

Philip klikte verder. De eerste pagina van het dossier was al meteen raak. Erboven stond 'samenvatting van het onderzoek', met daaronder: 'strikt vertrouwelijk, verboden te kopiëren, niet bestemd voor het publiek'.

Laura voelde haar nekharen overeind komen en dacht opeens niet meer aan koffie.

De samenvatting begon aldus:

'Ons onderzoek ving aan op 15 juni, het jaar onzes Heren 1851, en werd officieel afgesloten op 12 augustus van datzelfde jaar.' Daarna volgden de namen, adressen en wat persoonlijke gegevens van de slachtoffers, en enige achtergrondinformatie over Patrick Fitzgerald. De drie volgende pagina's gaven een beschrijving van de moorden, in chronologische volgorde.

'Ongelooflijk,' riep Laura uit. 'Dit is onwezenlijk.'

Afgezien van het taalgebruik, de locaties en wat verouderde zaken, hadden Philip en Laura het gevoel dat deze samenvatting de afgelopen week geschreven had kunnen zijn. In alle gevallen was het slachtoffer bezweken aan messteken of een doorgesneden keel. In het geval van het vermoorde stel was de man na zijn dood ongemoeid gelaten maar de vrouw met chirurgische precisie verminkt. Bij de eerste moord, op Molly Wetherspoon, waren haar nieren verwijderd. Bij Cynthia Page, het tweede slachtoffer, waren de hersens uit haar schedel gelicht, en bij de derde moord was de lever uit het lichaam van het dode meisje, Lucinda Gabling, weggesneden.

Hier lazen ze de bijzonderheden die nooit aan de pers uit die tijd waren vrijgegeven. Op de plek van elke moord was een muntje gevonden. Het eerste was van koper, het tweede van zilver, het derde van tin. Laura voelde een ijzige rilling over haar rug lopen.

Het rapport van de politie-inspecteur luidde als volgt:

Na een uitvoerig en grondig onderzoek naar de reeks moorden gepleegd in deze stad tussen 15 juni en 9 juli 1851, zijn wij tot de slotsom gekomen dat deze misdrijven zijn uitgevoerd door de heer Patrick Fitzgerald uit Dublin, 31 jaar oud en arbeider van beroep. Deze officiële conclusie is gebaseerd op de verklaringen van drie getuigen en later bevestigd in een schriftelijke bekentenis die op 16 juli van de heer Fitzgerald werd verkregen.

Toch wil ik een persoonlijke noot toevoegen aan het officiële, geheime rapport over de hierboven beschreven gebeurtenissen.

Het is mijn persoonlijke overtuiging (en ik wil nog eens benadrukken dat ik hier voor eigen rekening spreek) dat de heer Fitzgerald niet schuldig was aan de onderzochte moorden.

Tot aan het tijdstip van de heer Fitzgeralds arrestatie zag de pers het als haar taak om de publieke gevoelens over deze zaak aan te wakkeren, wat tot emotionele en licht ontvlambare reacties leidde. Dit deed men door een zondebok aan te wijzen in de beklagenswaardige gedaante van een jongeman genaamd Nathaniel Milliner, die ervan werd beschuldigd dat hij de vier moorden had gepleegd.

Dit lijkt mij echter een geheel onjuiste gedachte. Ik ben ervan overtuigd dat de jongeman in kwestie nooit tot deze afschuwelijke daden in staat kan zijn geweest. In alle gevallen waren bij de vrouwelijke

slachtoffers met grote vakkundigheid bepaalde organen verwijderd. Alle vier de moorden hadden een duidelijke, maar onverklaarbare occulte ondertoon. Nathaniel Milliner is een imbeciel die nauwelijks het besef heeft om met mes en vork te eten. Mijn sterke verdenkingen lagen dan ook heel ergens anders. Ik meen dat de moorden zijn gepleegd door een goed opgeleide en bijzonder vakkundige dader, mogelijk een arts of chirurg.
Na de vierde moord, toen de jongen, Nathaniel Milliner, op de plaats van het misdrijf bij Forest Hill werd aangehouden, was daar ook een andere persoon aanwezig, die werd verzocht om met mij en mijn agenten mee te komen naar het politiebureau in Oxford, voor nader verhoor.
Deze persoon is een bijzonder vooraanstaand lid van de academische gemeenschap hier in Oxford, en dus moesten het onderzoek en de ondervraging uiterst correct en hoffelijk worden uitgevoerd. De persoon was behulpzaam bij onze vragen, maar onmiddellijk na het verhoor, toen de persoon weer mocht vertrekken, heb ik uitvoerige aantekeningen gemaakt van het gesprek. Deze aantekeningen hadden betrekking op de volgende, onweerlegbare feiten:

1) Op zijn jasje en hemd werden vlekken aangetroffen die sterk aan bloed deden denken.
2) Toen hij vlak bij de plaats van het misdrijf werd aangetroffen, maakte de heer in kwestie een bijzonder geagiteerde en gespannen indruk en was hij duidelijk in verwarring door onze aanwezigheid daar.
3) Later, tijdens het verhoor op het bureau, vertelde hij ons dat hij rechtstreeks naar Forest Hill was gekomen na een plaatselijke jachtpartij op het landgoed van Lord Willerby (een goede vriend), dat inderdaad in de buurt van Forest Hill gelegen is.
4) Lord Willerby bevestigde achteraf dat deze verklaring klopte.

Voor mij stond vast dat de heer in kwestie zich ongewoon gedroeg. Toch kreeg hij toestemming om te gaan, met de belofte dat hij de volgende dag zou terugkomen voor nadere ondervraging. De persoon heeft zich echter niet meer gemeld en is daar ook niet om verzocht. In plaats

daarvan werd ik op 10 juli, de dag na de vierde moord, ontboden voor een persoonlijk onderhoud met een van mijn superieuren, die mij zei dat ieder onderzoek naar de bewegingen van de hierboven genoemde heer onmiddellijk moest worden gestaakt en dat hij met rust moest worden gelaten. Ook kreeg ik te horen dat Nathaniel Milliner niet langer mocht worden lastiggevallen. Vijf dagen later werd de heer Fitzgerald door mijn agenten aangehouden en naar het bureau gebracht voor verhoor.
Hier eindigt mijn persoonlijke verklaring.
Was getekend: inspecteur Jeffrey Howard.

'Wauw!' riep Laura uit.
'Ja, zeg dat wel.'
'Dus Patrick Fitzgerald mocht ervoor opdraaien. En dat wíst de politie?'
'Blijkbaar.'
'Niet te geloven.'
'Toch is dat niet zo vreemd, Laura. Ga maar na. In 1851 bestond de politie pas... hoe lang?... twintig jaar? Er zijn heel wat soortgelijke zaken in de doofpot verdwenen, in een veel recenter verleden. Geloof me maar.'
'Er is dus gesjoemeld, en niet zo'n beetje ook,' merkte Laura op. 'Die jongen, Nathaniel Milliner, noch die arbeider, Patrick Fitzgerald, had er iets mee te maken. De werkelijke dader was die "heer" of "persoon" die niet mocht worden genoemd.'
'Wat mij zo verbaast is dat die inspecteur, Jeffrey Howard, de kans kreeg om zijn eigen verklaring in dit rapport op te nemen,' zei Philip.
'Een klassiek geval van jezelf indekken,' antwoordde Laura.
'Ja, maar waarom kreeg een betrekkelijk ondergeschikte rechercheur toestemming om met een beschuldigende vinger te wijzen, hoe subtiel dan ook?'
'Hij moet dit lang na afloop van de zaak hebben toegevoegd. Kijk maar.' Ze bladerde terug. 'De datum is januari 1854. Misschien stond Howard op het punt om bij de politie weg te gaan, of misschien werden de dossiers verhuisd en wist hij dat niemand er nog

een blik in zou werpen totdat er wellicht ooit, op een dag...'

'Dat moet het zijn,' beaamde Philip. 'Howard kon in die tijd onmogelijk iets laten doorschemeren. Dan was hij eruit geschopt, of nog erger...'

'De man die ze op de plaats delict bij Forest Hill tegenkwamen moet een belangrijke figuur zijn geweest, iemand met héél goede connecties.'

'Het lijkt me wel duidelijk wie hij was.'

'Nathaniels vader?'

'Onze eminente professor in de medicijnen, John Milliner.'

'Howard zegt dat ook bijna, aan het eind,' antwoordde Laura. 'Wat schrijft hij ook alweer?' Ze bladerde even terug. 'Ja, hier. "De heer moest met rust worden gelaten. Ook kreeg ik te horen dat Nathaniel Milliner niet langer mocht worden lastiggevallen."'

'Dus wat weten we nu?' vroeg Philip. 'Die moorden waren bijna identiek aan wat er kort geleden in Oxford is gebeurd: dezelfde verminkingen, dezelfde metalen muntjes. En de hele zaak werd in de doofpot gestopt. Die moorden zijn bijna zeker gepleegd door Milliner, een belangrijke figuur aan de universiteit, iemand met vrienden in hoge posities. En vergeet niet dat de universiteit zelf de machtigste factor was in het Oxford van 1851. De autoriteiten zouden alles in het werk hebben gesteld om de waarheid te verdoezelen. Ze zouden de rijen hebben gesloten en een onbelangrijke sukkel hebben gezocht om de schuld op af te schuiven. Dus lieten ze een arme Ierse arbeider met een strafblad ervoor opdraaien. Fitzgerald was perfect, de arme klootzak. Natuurlijk hebben we pas zekerheid als we de exacte data van die moorden bij almanac.com invoeren om te zien of ze kloppen met de verwijderde organen en het soort muntjes dat op elke plaats delict werd achtergelaten.'

'Dat is waar, maar ik heb de wachtwoorden die ik van Tom gekregen heb niet bij me, dus zullen we moeten wachten tot we in Oxford terug zijn,' antwoordde Laura. 'Laten we eerst maar eens horen wat Charlie te melden heeft.'

25

De ergste drukte was nog rond Kew zelf. Moeders in terreinwagens wisselden zonder te kijken van rijbaan om hun kinderen van school te halen en vertegenwoordigers reden in dolle haast naar kantoor terug om bijtijds te kunnen afnokken.

Philip had het stuur van Laura overgenomen. 'Dit is geen autorijden meer, dit is Space Invaders,' klaagde hij toen een jonge vrouw in een Grand Cherokee-jeep zomaar uit een zijstraat stormde. 'Dat is toch godgeklaagd!' riep hij, terwijl hij met zijn hand op de claxon sloeg. 'Moet je zien, die sticker op haar achterruit: *Baby aan boord*!'

Tegen de tijd dat ze de Westway bereikten ging het allemaal wat sneller, totdat ze het viaduct van Baker Street overstaken en weer vastliepen. Het was bijna halfvijf toen ze eindelijk door Museum Street reden.

Philip gaf rechts aan en draaide net de smalle straat in, toen een ambulance hen tegemoet kwam en de weg versperde. Philip reed snel achteruit en de ambulance vertrok in hoog tempo in de richting van Tottenham Court Road. Het eerste wat ze zagen toen ze het straatje in draaiden waren blauwe zwaailichten.

Laura sprong de auto uit, nog voordat Philip de handrem had aangetrokken. Voor de gevel van The White Stag stond een politieauto, naast een blauw busje. Een man in een witte plastic overall liet zich net achter het stuur van het busje glijden. Een collega zat al aan de andere kant. Bij de deur van de boekwinkel stond een agent in uniform, en toen Laura naar de deur rende kwamen er twee rechercheurs in burger naar buiten.

'Wat is er gebeurd?' riep Laura. Bij de deur gekomen zag ze een plas bloed op de vloer van de winkel, net voorbij de drempel.

'En u bent?' vroeg een van de politiemensen. De andere man keek naar Philip, die ook kwam aanlopen.

'Mijn naam is Laura Niven. Ik ben een oude vriendin van de eigenaar, Charlie Tucker.'

'Philip Bainbridge. We kregen vandaag een telefoontje van Charlie...'

Het blauwe busje reed bij de stoep vandaan. 'Sanders.' De rechercheur draaide zich om naar zijn collega. 'Zeg tegen die lui dat ze vijf minuten wachten. Ik wil in elk geval een mondeling rapport voordat ze hier vertrekken.' Zijn stem klonk hees en vermoeid. Hij stak zijn hand uit. 'Rechercheur Jones. Het spijt me, mevrouw Niven, meneer Bainbridge. Ik moet u helaas vertellen dat uw vriend vanmiddag is overleden.'

'Maar dat is...'

'Wat?'

'Nou, hij heeft ons... mij... vanochtend nog een sms gestuurd. Hoe laat was dat, Philip? Tegen twaalf uur?' Laura's stem trilde; ze kon er niets aan doen.

Philip knikte.

'Wij zijn hier ongeveer een uur geleden gearriveerd,' zei Jones. 'De eigenaar, mijnheer Tucker... zijn lichaam is net afgevoerd, nadat onze technische mensen hun werk hadden gedaan.' Hij wees naar de afslag naar Museum Street, waar ze bijna met de ziekenwagen in botsing waren gekomen. 'Een van die nieuwe particuliere ambulancediensten. Ze waren hier meteen, dat moet ik toegeven.' Toen zag hij de technische rechercheur naar hem toe komen vanuit het busje. 'Neem me niet kwalijk.'

Uit haar ooghoek zag Laura nog steeds de rode plas op de vloer van de boekwinkel. Ze voelde een golf van misselijkheid opkomen en haalde een paar keer diep adem.

'Gaat het?' Philip keek net zo geschokt als zij zich voelde.

'Ja, hoor,' antwoordde ze niet erg overtuigend. 'Maar dit is krankzinnig!'

Jones kwam hoofdschuddend weer terug van het busje.

'Het spijt me. Ik weet dat dit een moeilijk moment voor u moet zijn, maar ik zou het op prijs stellen als u een paar vragen wilde beantwoorden.'

'Vragen? U denkt toch niet...'

'Mevrouw Niven, u bent geen verdachte op dit moment, als u dat denkt. Mijnheer Tucker is overleden door een kogel uit een pistool kaliber .22, van korte afstand afgevuurd. We willen graag wat meer over hem weten. Was hij depressief? Kunt u ons wat achtergrondinformatie geven?'

'Een kogel? Ik begrijp niet...'

Philip pakte Laura's arm. 'Ja, natuurlijk,' zei hij rustig. 'We zullen u graag helpen.'

26

Oxford, 12 augustus 1690, tegen middernacht

Ze waren allemaal doodmoe. Met zijn achtenveertig jaar was Isaac Newton de oudste. Hij scheelde bijna twintig jaar met de anderen. Landsdown was pas dertig en Fatio, de mooie Fatio, liep pas vijfentwintig jaar op deze wereld rond. Newton voelde zich bejaard.

Natuurlijk kenden ze alle noodzakelijke codes en procedures, dus waren ze zonder probleem door de 'Drie Stadia van Verworvenheid' gekomen, die elk vanzelfsprekend tot de volgende leidde. Maar zelfs de kennis van de Ouden, waarvan de meeste adepten dachten dat ze in de vlammen van Alexandrië voorgoed voor het nageslacht verloren was gegaan, kon hen niet beschermen tegen de verstikkende hitte in de driehonderd meter lange gang vanuit de wijnkelder van het College naar hun einddoel: het geheime labyrint dat zich vanaf een plek diep onder de Bodleian uitstrekte naar de fundamenten van het Sheldonian Theatre, vijftig meter naar het noorden. Hun neusgaten raakten verstopt door de stank van oude, rottende aarde en vochtige, dode dingen die in staat van ontbinding verkeerden.

Tussen de tweede en de derde test hadden ze uitgerust en wat wijn gedronken uit een fles. De wijn was goed, maar te warm. Na een korte pauze waren ze weer verder gegaan. Ze hadden vannacht geen tijd te verliezen.

Na de derde en laatste test gaf Landsdown het manuscript terug aan Newton, die het veilig opborg onder zijn hemd. Het handschrift en de robijnsteen waren van onschatbare waarde. Newton had bijna achttien maanden gezwoegd om de gecodeerde inscriptie te ontcijferen die hij in het boek van George Ripley had gevonden, en hij had de kleine tekening van het labyrint opnieuw geschetst, zodat de route gemakkelijker te volgen was. Ze zouden die dingen snel weer nodig hebben, maar tot die tijd bewaarde hij de kostbare papieren het liefst op zijn huid, samen met de bol.

Landsdown bleef dicht bij hem. De toorts was hun enige bron van licht. Maar opeens verbreedde de gang zich. Een paar maanden geleden had Newton sommige van deze tunnels al in zijn eentje verkend, op zoek naar de bol. In gedachten had hij ook de route op de kaart gevolgd, veilig in de beslotenheid van zijn laboratorium in Cambridge. De naam van de route, het 'Pad naar de Verlichting', was geschreven in het Aramees, een taal die geen geheimen meer had voor Newton sinds hij zich als jonge man vele jaren in oude talen had verdiept.

Ze kwamen in een grote, cirkelvormige ruimte. Bij het vage schijnsel zagen ze het gewelfde plafond en de gladde, vochtige wanden. De stenen koepel boven hun hoofd was grijs, met strepen van minerale afzettingen die naar het labyrint waren gelekt. Volgens de kaart bevonden ze zich nu ruim dertig meter onder de Bodleian Library.

Terwijl de mannen langzaam hun weg zochten door de ruimte, hoorde Newton hoe Landsdown mompelend hun passen telde. Hij keek naar de wand en herhaalde wat hij ook in de wijnkelder van het College had gedaan. Tastend liet hij zijn handen op heuphoogte over de steen glijden tot hij even later gevonden had wat hij zocht: net zo'n metalen ring als bij de geheime ingang van de eerste tunnel.

Het licht wierp vreemde schaduwen over hun gezichten. Landsdowns ogen wekten bij Newton de indruk van gitzwarte schijven, peilloos diepe kogelgaten in dood vlees. Ze zweetten alle drie overvloedig en de rand van Landsdowns boord was doorweekt en grijs.

'Meester...' Hij wachtte even om adem te scheppen in de klamme kamer. 'Ik moet u waarschuwen voor wat u achter deze wand zult zien. Fatio en ik zijn hier al langer bezig geweest, als voorbereiding op uw komst, en wij zijn eraan gewend. Zet u schrap, alstublieft.' Met die woorden trok hij aan de ring, en de mannen zagen hoe er langzaam een paneel opzij schoof.

Landsdown ging voorop, draaide zich om en stak de toorts in een beugel aan de wand. Newton moest bukken om de lage opening binnen te stappen en hield zijn ogen op de grond gericht toen hij verder liep.

De kamer was een kleinere versie van de ruimte die ze zojuist hadden verlaten. Hij werd slechts verlicht door kaarsen, die een zwak schijnsel wierpen vanaf de andere kant van de spelonk. Maar zelfs dat licht leek nog fel en verblindend na de diepe duisternis die ze de afgelopen twee uur hadden moeten doorstaan.

Eerst had Newton moeite zijn blik scherp te stellen en te bevatten wat hij eigenlijk zag. In principe wist hij wat hij kon verwachten. Hij had de oude teksten bestudeerd en zorgvuldig de tekeningen en instructies van de Ouden gevolgd, maar het leek nog altijd iets dat niet werkelijk kon bestaan.

Aan het einde van de kamer was een grote gouden constructie gebouwd, in de vorm van een pentagram. Aan elke kant stonden rijkversierde kaarsenstandaards van bijna twee meter hoog, met grote kaarsen die tot ongeveer de helft waren opgebrand. Het kaarsvet, dat in stralen langs de kandelaars was gedropen, had zich opgehoopt op de vloer.

Op de hoogste top van de gouden pentagram was een menselijk brein geplaatst. Links, op de volgende top, was een hart aan de gouden punt gestoken. Newtons blik gleed omlaag en hij zag twee nieren op de rechtertop. Nog lager herkende hij een ander orgaan, een galblaas, en aan de voet lag een lever, vochtig en glinsterend in het diffuse licht. Een sterke geur drong in zijn neusgaten. Het was terpentijnolie, die Fatio in de loop van vele uren uit het sap van de terebint had gedistilleerd.

Newton keek om naar Landsdown en Nicolas Fatio du Duillier. Hij transpireerde en ademde zwaar. De schrammen op zijn gezicht waren opengegaan, zodat zijn zweet zich vermengde met bloed en in donkerrode strepen over zijn wangen en hals drupte. Zijn ogen waren groot en hij straalde een demonische opwinding uit die geen van zijn metgezellen ooit eerder bij hem had gezien. Toen hij eindelijk iets zei, klonk zijn stem gebarsten van vermoeidheid, maar ook levendig en vol vertrouwen. 'Ik ben tevreden,' siste hij, terwijl er een vaag en volledig humorloos lachje om zijn lippen speelde. 'Ik ben zeer tevreden.'

27

Oxford, de avond van 28 maart

Inspecteur John Monroe zat alleen in de vergaderkamer op het politiebureau van Oxford en staarde naar de digitale klok aan de muur, die een minuut versprong, naar 20:04. Meestal had hij geen hekel aan zijn werk, maar nu wel. Dit was zijn enige vrije avond in de week en eigenlijk had hij nu in een taxi moeten zitten, op weg naar huis vanaf het Elizabeth Restaurant met Imelda, de vrolijke, aantrekkelijke fysiotherapeut van ergens in de dertig die hij een maand geleden had ontmoet. In plaats daarvan at hij met lange tanden de restjes van een voorverpakte sandwich van Marks and Spencer. Het brood had betere dagen gekend en hij wachtte op de komst van drie onaantrekkelijke mannelijke collega's.

Hij nam nog een slok van zijn doorgekookte, bittere koffie, gooide een verfrommeld papieren servetje op het bord naast het half opgegeten brood en de snippers tomaat, schoof zijn stoel naar achteren en liep naar een *whiteboard* aan de muur. Het bord was verdeeld in vier brede kolommen. Boven aan elke kolom was een serie foto's geplakt en de kolommen zelf waren gevuld met teksten in verschillende kleuren viltstift. Het kopje boven de eerste kolom luidde 'Rachel Southgate', boven de tweede stond 'Jessica Fullerton', boven de derde 'Samantha Thurow/ Simon Welding' en boven de vierde 'Diversen', in grote rode letters. Hij las nog eens wat hij eerder die avond in de vierde kolom had genoteerd:

Laura Niven/Philip Bainbridge
Astrologie/Alchemie
1851/Professor Milliner
Munten
Leer/Plastic

Achter zich hoorde hij de deur opengaan. De technisch rechercheur, Mark Langham, kwam binnen, gevolgd door een lange, magere man in uniform. Hij was eind vijftig, maar zag er jonger uit. Met zijn korte witte haar, zijn bleke blauwe ogen en zijn gebeeldhouwde jukbeenderen maakte hij een teutoonse indruk. De man straalde een natuurlijk gezag uit, dat weinig te maken had met de versierselen op zijn borst. Achttien jaar eerder, toen Monroe bij de politie kwam, was de toenmalige adjudant Piers Candicott zijn eerste chef geweest.

'Monroe,' zei commissaris Candicott toen hij binnenkwam. Hij had een diepe, verrassend warme stem. 'Blij dat je even tijd had op dit onchristelijke uur. Ik kon helaas geen ander gaatje vinden in mijn agenda.'

De twee mannen drukten elkaar de hand. 'Geen probleem, mijnheer,' antwoordde Monroe.

'John, dit is Bruce Holloway, mijn persvoorlichter. Hij zit de hele dag aan de telefoon met het tuig van de pers. Ik benijd hem niet, maar hij krijgt wel dingen voor elkaar.'

Holloway leek een jaar of vijfendertig. Hij was een kleine man, niet groter dan één meter vijfenzestig, met een gedrongen postuur en warrig bruin haar. Hij knikte tegen Monroe, zonder veel uitdrukking op zijn gezicht, mompelde een hallo en gaf de inspecteur een hand.

Monroe gooide de restjes van zijn avondeten in een prullenbak en nam de stoel die het dichtst bij het whiteboard stond. Candicott ging aan het hoofd van de tafel zitten, Langham en Holloway kozen plaatsen aan de zijkant, tegenover Monroe.

'Goed, hoe staan we ervoor, inspecteur?' vroeg Candicott.

'Mijn mensen zijn dag en nacht aan het werk,' antwoordde Monroe, die Candicotts scherpe blik op dezelfde manier beantwoordde.

'We volgen een spoor, een paar technische aanwijzingen die we hebben aangetroffen op de plaats van de tweede moord.' Hij keek even naar Langham. 'Maar tot nu toe met weinig resultaat.'

'Dus nog niets concreets?'

'De dader, wie het ook is, zal binnenkort wel een fout maken. Zo gaat het altijd.'

'Laten we hopen dat we daar niet te lang op hoeven te wachten, John.'

'Plus het feit,' voegde Holloway eraan toe, 'dat de pers ongeduldig begint te worden. Nog een moord en alle landelijke kranten zullen hier hun tenten opslaan, denk ik.'

Monroe was nog nooit een persvoorlichter tegengekomen die hij mocht, en hoewel Holloway in de eerste plaats politieman hoorde te zijn en pas in de tweede plaats persofficier, kwam hij op Monroe net zo over als al die andere journalisten en walgelijke pr-figuren die hij in de loop van de jaren had ontmoet.

'Fijn dat je me er even aan herinnert,' zei Monroe, niet in staat het venijn uit zijn stem te houden. 'Ik zal eraan denken.' Hij keek commissaris Candicott weer aan en zei: 'Op dit moment, meneer, werken er tweeëntwintig rechercheurs en drieënveertig man ondersteunend personeel aan de zaak. We bekijken alle bewijzen, volgen alle sporen en proberen alle mogelijke connecties na te gaan. Vier moorden in twee dagen, waarvan de laatste nu zeven dagen geleden is. Dat geeft ons een adempauze, maar ondanks wat ik eerder zei staan we tegenover een bijzonder grondige, bijzonder... professionele moordenaar.'

Candicott knikte vermoeid, maar zei niets.

'Inspecteur, als ik er even tussen mag komen?' Langham richtte zich tot Monroe alsof er verder niemand in de kamer was. 'We hebben iets nieuws van het lab.' En hij schoof een velletje papier naar Monroe toe.

'Een van mijn mensen heeft een bloedspoor gevonden in de bovenkamer van het huis aan de rivier, de plaats van de tweede moord. Het bloed komt niet overeen met dat van het slachtoffer of iemand anders in de familie.'

Monroe bestudeerde de grafiek van de DNA-analyse.

'Helaas kunnen we het DNA ook niet traceren in onze database,' merkte Langham op.

'Nou, dat is tenminste íéts.' Candicotts kille ogen lichtten op. 'Ik neem aan dat je team weer terug is naar dat huis om alles nog eens grondig te doorzoeken?'

'Natuurlijk, mijnheer,' zei Langham.

'Dat is goed nieuws, Mark.' Monroe keek op van het papier. 'Maar als de database niets oplevert, heeft de dader geen strafblad, nooit voor de overheid gewerkt en nooit in het leger gezeten. Ik hoef je niet te zeggen dat we álles nodig hebben wat jouw mensen kunnen vinden. Wat dan ook.'

Er werd op de deur geklopt. Voordat Monroe iets kon zeggen, stapte er een jonge agent naar binnen.

'Neem me niet kwalijk dat ik stoor, inspecteur.' De agent negeerde iedereen, behalve Monroe. 'Ik vond dat dit niet kon wachten.'

'Laat maar horen, Greene. Wat is er zo dringend?'

'Dit hier, inspecteur. Ik ben al twee dagen met de databases bezig en... nou, ik had toestemming van de universiteit om ook hun databank door te werken. Het viel niet mee, maar... ik denk dat het de moeite waard was.' Hij gaf Monroe twee volgeschreven velletjes.

'Dit komt van de psychologische faculteit,' verklaarde Greene. 'Een lijst van zevenenveertig studentes die allemaal aan een zogenaamde toetsing hebben deelgenomen. Dat is een serie psychologische en fysieke tests die een week voor het begin van het academisch jaar werd gehouden, eind september vorig jaar. De vermoorde meisjes staan alle drie op die lijst.'

Op weg naar de uitgang kwam Monroe langs het kantoortje van een van zijn beste mensen, adjudant Joshua Rogers, die in de deuropening stond met een jonge vrouw.

'Mijn hartelijke dank, mevrouw Ingham,' hoorde Monroe hem zeggen. 'U hoort nog van ons. Een van mijn mannen brengt u naar de deur. U hebt een lift naar huis, neem ik aan?' Het meisje knikte en duwde de dubbele deur open, op weg naar de trap.

Monroe trok vragend zijn wenkbrauwen op.

'Dat was Marianne Ingham,' legde Rogers uit. 'Een studente aan St.-John's. Ze had dit fraaie kunstwerkje in haar kastje op de universiteit gevonden.'

Monroe maakte een grimas toen hij de foto zag. 'Weet ze van wie het komt?'

'Nee. Ze is vreselijk geschrokken. Het heeft een week geduurd voordat ze naar ons toe durfde te komen. Ze verdenkt iemand in haar jaar, ene Russell Cunningham.'

'Goed. Houd die jongen in de gaten en laat het me weten zodra je iets ontdekt. Ik ga naar huis.'

Monroes mobieltje ging toen hij de oprit van zijn appartement op draaide.

'Ik dacht dat u dit meteen zou willen zien,' zei Rogers.

Monroe zette de motor uit en pakte de telefoon uit zijn houder. Op de display verscheen een foto van een jongeman. Hij was opvallend knap, met lange blonde krullen, mooie wenkbrauwen en een fijne mond.

'Hij heeft een strafblad, inspecteur.'

De foto maakte plaats voor een langzaam scrollende tekst.

'Een rijke knul. Zijn vader heeft een keten van hotels. Op zijn zestiende is hij van Downside getrapt; we weten nog niet precies waarom. De familie heeft de school blijkbaar de mond gesnoerd. De vader zal zijn zoon wel aan een plaatsje in Oxford hebben geholpen. Vorig jaar, zes maanden voordat die jongen hier kwam studeren, was de Cunningham Library van Magdalen gereed. Maar er is meer. Twee klachten wegens seksuele intimidatie van werkneemsters in een van de hotels van de familie in Londen, waar Russell stage liep. De eerste keer toen hij zeventien was, en vorig jaar opnieuw. Maar er is geen officiële aanklacht ingediend en het is gesust. De meisjes werken daar niet meer.'

Op de display waren de data, plaatsen en namen te zien.

'Knap werk, Josh,' zei Monroe. 'Is Candidott daar nog, met die idioot van de voorlichting?'

'Nee, ze zijn vlak na u vertrokken.'

'Goed. Nou, houd het nog even stil, maar we zien elkaar morgenochtend vroeg op de stoep van de psychologische faculteit in South Parks Road. Overleg even met Greene als hij er nog is. Hij praat je wel bij.'

28

Oxford, 29 maart, 09:00 uur

John Monroe sloeg af naar South Parks Road en constateerde nog eens hoe lelijk het gebouw van de psychologische faculteit eigenlijk was.

Hij was in alle vroegte opgestaan om de details van de zaak nog eens door te nemen. Op zijn eigen computer had hij, voor misschien wel de honderdste keer, de belangrijkste punten op een rij gezet. Vier moorden, dezelfde dader, iemand die in zijn eentje opereerde, bijna zeker een man. En wat hadden ze verder nog? Een onbekend DNA-profiel, en geen enkel aanknopingspunt met welke database dan ook. En dan waren er nog de rituele aspecten: de muntjes en de verwijderde organen. Laura Niven en Philip Bainbridge waren overtuigd van een occulte connectie. De moorden uit 1851 speelden misschien een rol. Er moest enig verband bestaan.

Wat wist hij eigenlijk van die moorden? Monroe had de dossiers doorgenomen en bijna elke vrije minuut van de afgelopen week aan de bijzonderheden besteed. Drie meisjes en een student waren vermoord in het jaar van de wereldtentoonstelling. Een Ierse arbeider was ervoor opgedraaid, maar misdaadhistorici wisten wel dat professor Milliner er nauw bij betrokken was geweest, dat de man banden met het occultisme had, dat hij actief was in een groep die zich bezighield met zwarte magie en dat de bestuurders van de universiteit de rijen hadden gesloten. Binnen een jaar na de moorden had Milliner een hoogleraarschap in Turijn aanvaard en was hij voorgoed verdwenen uit Oxford. En nu, na de recente moorden, bleek dat de drie vermoorde meisjes zich vrijwillig hadden gemeld voor tests van de psychologische faculteit, kort voor het begin van het academisch jaar.

Monroe reed het parkeerterrein op. Verderop zag hij Rogers al uit zijn auto stappen, vlak bij de hoofdingang. Maar toen hij aan zijn stuur draaide om naast de auto van de adjudant te parkeren, schrok hij van een Morgan-sportwagen die te snel achteruit van een parkeerplek kwam. Monroe keek nijdig naar de bestuurder, die alleen aandacht scheen te hebben voor de weg. Met een schok besefte Monroe dat hij het gezicht herkende.

'Ik heb zijn nummer al,' zei Rogers, zodra Monroe naast hem stond.

'Het was Cunningham, dat weet ik zeker.'

Rogers keek geschrokken. 'Ik zal meteen het kenteken laten nagaan.'

'Doe dat,' snauwde Monroe, en hij draaide zich om naar de ingang.

Het was betrekkelijk rustig in de vakantie. De receptie bestond uit een paar stoelen rond een tafel. Langs een van de muren stonden een paar rijen kastjes, met daarnaast een groot prikbord met posters voor komende optredens en sportwedstrijden. Monroe zag ook een oud exemplaar van *The Daily Information*, een nieuwsblad dat in de hele stad werd verspreid, met een agenda van voorstellingen en exposities en een rubriekje voor vraag en aanbod. Monroe liep naar de balie waar een dikke vrouw in een bloemetjesjurk naar een computer staarde. Ze negeerde hem twintig seconden voordat hij hard met zijn knokkels op de balie roffelde. De vrouw keek hem ontstemd aan.

'Rechercheur Monroe, politie Thames Valley,' zei hij, terwijl hij zijn legitimatie liet zien. 'Ik kom voor dr. Rankin. Als het niet te veel moeite is.'

De vrouw was niet onder de indruk. 'C4. Daar is de lift. Ik geloof niet dat hij er al is...'

'Jawel hoor, Margaret.'

Monroe draaide zich om en zag een lange, knokige man met een vaag lachje op zijn gezicht. 'Arthur Rankin,' zei hij, en hij gaf Monroe een hand. Rogers kreeg een knikje.

'U moet het Margaret maar niet kwalijk nemen,' zei Rankin toen hij met hen naar de lift liep. 'Na de eerste vijf jaar raak je aan haar gewend.' In de lift hing een vreemde grondlucht, en het duurde even voordat Monroe besefte dat die van de professor afkomstig was.

'Ik had er al eerder willen zijn,' zei Rankin toen de lift op de vierde verdieping stopte, 'maar die verrekte auto wilde niet starten. Dus ben ik maar door het park gelopen. Best lekker, eigenlijk. Het was eindelijk droog, voor de verandering.'

Rankins kantoor was een klein, met papier volgestouwd hokje in wit, bruin en grijs. Het enige, kleine raampje keek uit over een sombere betonnen binnenplaats. Geen spoor van de beroemde dromerige torens. Rankin trok zijn jas uit en haalde wat papieren en boeken van de twee stoelen tegenover zijn bureau. 'Ga zitten, alstublieft,' zei hij. 'Sorry voor de rotzooi. Het lukt me nooit om de zaak op te ruimen.'

'Dat geeft niet, professor. Het hoeft niet zo officieel. We hebben een paar snelle vragen, dat is alles,' antwoordde Monroe toen hij ging zitten.

'Hoe kan ik u helpen?'

'Het gaat om die psychologische toets waaraan zevenenveertig studentes eind september vorig jaar hebben meegedaan. Wat kunt u daarover vertellen?'

Rankin keek een moment verbaasd. Hij had een hoog voorhoofd en als hij fronste leek het of hij een zweetbandje van wormen droeg. Toen klaarde zijn gezicht op. 'Aha. U bedoelt de toets van Julius Spenser.'

Monroe zei niets.

Rankin kuchte even en zocht in wat papieren op zijn bureau. Toen stond hij langzaam op en liep naar een boekenwand. Hij zakte door zijn knieën, pakte een grote stapel mappen en losse vellen en legde die op zijn bureau. Haastig likte hij aan een vinger en begon te bladeren. Even later had hij het gevonden.

'Ik wist dat het hier ergens moest liggen.' Hij gaf Monroe een groene map. 'Spenser was een slimme vogel, die veel goede ideeën had.'

'Was?' vroeg Rogers.

'Ja, hij is hier voor de kerst vertrokken. Hij had een mooie aanbieding gekregen in Boston, geloof ik.'

'En wat deed hij precies?'

'Hij was gespecialiseerd in IQ-tests,' zei Rankin en hij tuurde door het raam naar de grijze horizon. 'Niet mijn terrein, ben ik bang. Een beetje te droog, vind ik.'

'En wat waren dat voor tests?' vroeg Monroe, die snel de papieren doorlas.

'Hij had zijn eigen systeem, een heel aparte invalshoek. Hij geloofde dat het IQ rechtstreeks verband hield met de fysieke connectie tussen de twee hersenhelften, het corpus callosum. U kent de theorie van het gespleten brein?'

Monroe knikte. 'Vaag. Ik ben maar een leek.'

'In de jaren zestig bleek uit onderzoek dat de twee helften van onze hersenen heel verschillend zijn. De linkerhelft is de analytische kant, de rechterhelft de artistieke kant, waar de verbeeldingskracht zetelt. Roger Sperry kreeg de Nobelprijs voor die gedachte.'

'En Julius Spenser heeft die ideeën verder ontwikkeld?'

'Hij was een leerling van Sperry. Hij heeft nog bij hem gestudeerd aan Caltech, eind jaren tachtig.'

'En wat deed dr. Spenser precies?' vroeg Rogers. 'Wat waren dat voor tests?'

'Het staat allemaal hierin,' antwoordde Rankin, met een knikje naar de papieren op hun schoot. 'Hij had een testpopulatie van ongeveer vijftig mensen; zevenenveertig, uiteindelijk. Allemaal jonge vrouwen, in deze fase.'

'Deze fase?'

'Een maand eerder had hij ook een soortgelijke toets gedaan met jonge mannen. De meisjes besteedden het grootste deel van de dag aan schriftelijke IQ-tests, daarna fysieke manipulatietoetsen, respons- en reflexanalyses en experimenten met ruimtelijk bewustzijn. Ze kregen ook een volledig medisch onderzoek en een hersenscan.'

'Een volledig medisch onderzoek?' vroeg Monroe.

'Ja, dat was een belangrijk element in Spensers studie. Hij gaat ervan uit dat het IQ rechtstreeks verband houdt met fysieke parameters.'

'En wat behelsde dat medische onderzoek?'

'Daar vraagt u me wat. Ik ben er niet bij geweest. Sterker nog, ik was die dag niet eens in Oxford. Maar Spenser moet zijn onderzoeksvoorstel een maand of twee eerder hebben ingediend voor goedkeuring. Laat maar eens zien.'

Monroe gaf hem de map weer terug. 'Ja, daar heb ik het,' zei Rankin na een paar seconden. 'Het kwam neer op een CAT-scan, *full-body* spectrum. De meisjes deden hier die psychologische toets en gingen daarna naar het John Radcliffe. Een kostbare zaak, maar Spenser was heel bedreven in het verwerven van fondsen.'

Monroe bladerde zwijgend de papieren door en gaf ze aan Rogers, pagina voor pagina.

'Ik neem aan dat Spenser niet in zijn eentje werkte?'

'Nee, nee. Hij was er altijd bij, natuurlijk; een uitstekende toezichthouder, die de zaak goed in de hand hield. Maar hij werkte met drie assistenten voor de toetsen en nog eens drie vrouwelijke artsassistenten in het ziekenhuis voor het eh... lichamelijke onderzoek.' Hij wierp de rechercheurs een scheve grijns toe. 'De resultaten werden geanalyseerd door onze jonge vriend Bridges.'

'Bridges?'

'Malcolm. Malcolm Bridges. Een veelbelovende jonge psycholoog.'

'En die Malcolm Bridges werkt hier ook?'

'Ja, maar hij brengt al zijn vrije tijd in de Bodleian door, bij professor Lightman, de hoofdbibliothecaris. Hij is een ijverige knaap. Ik vraag me af waar hij de tijd vandaan haalt.'

'Is hij hier nu aanwezig?'

'Dat zal wel. Even denken, het is nu vrijdag.' Hij keek op zijn horloge. 'Ik zal hem bellen.' Hij pakte de telefoon en toetste drie cijfers in. 'Nee, hij is er nog niet. Jammer.'

'Geen probleem.' Monroe stond op. 'We nemen wel contact met hem op. Ik zou deze map graag meenemen, dr. Rankin. We zullen er goed op passen. Ik maak een kopie en dan krijgt u alles weer terug.'

'Ja. Ja, natuurlijk,' zei Rankin snel. 'Is er verder nog iets...?'

'O, nog één ding, dr. Rankin. Hebt u ook iets te maken met een jongeman die Russell Cunningham heet?'

Rankin keek hem uitdrukkingsloos aan.

'Ik zag hem vanochtend toen hij van het parkeerterrein kwam in een heel dure sportauto.'

'Cunningham? Ja, ik weet het weer. Ik ken de jongen verder niet; hij is een eerstejaars. Maar natuurlijk heb ik hem wel in zijn auto gezien. Wie niet?' lachte Rankin.

'En u hebt van zijn vader gehoord, neem ik aan?' zei Rogers.

'Jazeker... ja, de man van de bibliotheek, de beroemde filantroop. Nu u het zegt, ik geloof dat Bridges Russells mentor is. Maar wat heeft hij ermee te maken?'

Monroe stak zijn hand uit en negeerde die vraag. 'Hartelijk dank voor uw tijd, dr. Rankin. En hiervoor.' Hij tikte op de map die hij tegen zijn borst geklemd hield.

De zon scheen onverwacht fel toen Monroe en Rogers naar buiten stapten. Achter het parkeerterrein zagen ze rugbydoelen en een groepje spelers dat in shirts met capuchon rond het veld rende.

'Ik wil Malcolm Bridges zo snel mogelijk op het bureau zien,' zei Monroe. 'Rijd jij maar terug, haal Greene van zijn werk af en zeg dat hij die lijst van meisjes doorwerkt. Ik wil van iedereen weten waar ze zijn, en ze moeten allemaal worden ondervraagd. Duidelijk?'

Rogers knikte.

'Ondertussen regel ik een huiszoekingsbevel. Het wordt tijd om mijnheer Russell Cunningham een bezoekje te brengen, vind je ook niet?'

29

Oxford, 29 maart, 11:05 uur

In de gouden tijden zoals ze werden beschreven door Evelyn Waugh, toen Sebastian Flight met zijn teddybeer Aloysius naar Oxford kwam, kozen ze als onderkomen een suite op de benedenverdieping van Tom Quad, Christchurch, waar His Lordship de muren pastelblauw liet schilderen om er zijn fijnzinnige Chinese litho's op te hangen. Een groepje studenten dat hier driekwart eeuw later was neergestreken, afkomstig uit een heel andere sociale klasse dan de Flights (maar met een vergelijkbaar zakcentje) gaf de voorkeur aan meer vrijheid van de universiteit. Dus hadden ze hun ouders gevraagd een paar appartementen te kopen, ter waarde van meer dan een kwart miljoen Engelse ponden, in de buurt van de gemakken van de binnenstad en met uitzicht op de Cherwell.

Dit soort yuppenflats was voorzien van een ingebouwde stofzuiginstallatie (om het de dienstmeid wat makkelijker te maken) en een ondergrondse garage voor drie auto's. In die omstandigheden bracht Russell Cunningham zijn eerste jaar aan de universiteit van Oxford door. Het was een ideale plek om feestjes te geven. Russell vond het niets bijzonders: hij had er immers recht op als enige zoon van een van de rijkste Britse *selfmade* ondernemers, Nigel Cunningham, die bij de snobistische elite van Oxford (nooit te beroerd om zijn miljoenen aan donaties te incasseren) bekendstond als de 'man van de bibliotheek'. Dat werd gezegd met een zwaar sarcastische ondertoon. Want ondanks het feit dat Cunningham kort geleden de bouw en inrichting van de grootste bibliotheek van de universiteit had gefinancierd, ging iedereen die iets voorstelde in Oxford er automatisch vanuit dat de enige boeken die Nigel Cunningham thuis had, nog moesten worden ingekleurd.

Monroe vertrok net van het bureau toen hij werd gebeld door adjudant Rogers, die al bij Cunningham voor de deur stond geparkeerd. 'U zult uw ogen niet geloven, inspecteur. Alsof je verjaardag en kerstmis op één dag vallen.'

Vijf minuten later stopte Monroe voor een exclusief appartementengebouw bij Thames Street, tegenover een pub die de Head of the River heette. Rogers kwam naar hem toe toen hij uitstapte.

'Moet je nou eens zien,' mompelde Rogers. 'Dat kun je wel vergeten met een eenvoudig politiesalaris. Maar zo'n snotjoch van achttien brengt hier zijn vriendinnetje naartoe in zijn Morgan. Niet te geloven.'

Monroe grinnikte. 'Nooit geweten dat je zo verbitterd was, Josh.'

'Nee?' antwoordde Rogers hoofdschuddend. 'Nou, we zullen die kleine klootzak eens een toontje lager laten zingen.'

Monroe staarde hem aan en kneep zijn ogen halfdicht. 'Ga maar voor,' zei hij, en hij volgde zijn ondergeschikte naar de deur van het appartementengebouw.

Twee agenten in uniform wachtten hen op in de hal voor Cunninghams flat. Monroe en Rogers staken de glimmende betonvloer over en stapten een grote woonkamer binnen waar ze een nummer van Oscar Peterson hoorden uit een paar overdreven grote Bang & Olufsen speakers. De wand tegenover de ingang was een panoramaruit met uitzicht op de Cherwell en de zandstenen torens van Oxford. Op de voorgrond zagen de twee rechercheurs de zonovergoten toren van Christchurch Cathedral. Om de een of andere reden herinnerde Monroe zich juist op dat moment een verhaal over Oxford dat hij had gehoord toen hij hier zelf nog studeerde. Blijkbaar vlogen zweefvliegers en ballonvaarders graag over de stad, niet alleen vanwege het uitzicht, maar ook omdat er altijd een goede thermiek was. Vanwege de stank van eigendunk die de professoren verspreidden, luidde de grap, maar de werkelijke reden was het alomtegenwoordige zandsteen, dat de warmte van de zon weerkaatste.

Russell Cunningham hing in een zwartleren George Nelson-stoel, dicht bij het raam, onder bewaking van een politieman. Cunningham was lang, blond, knap en zongebruind; door een korte, maar bijzonder aangename skivakantie in Andorra, twee weken geleden, zoals Monroe later hoorde. Hij droeg designerjeans en een zwarte kasjmieren sweater met V-hals, op en top het verwende zoontje van een miljardair. Hij stond op toen Monroe binnenkwam, maar de inspecteur negeerde hem en liep achter Rogers aan de kamer door, naar de gang erachter.

De gang had drie deuren; een ervan stond op een kier. Rogers stapte naar binnen, met Monroe op zijn hielen. Het was een kleine kamer zonder ramen, verlicht door maar één doffe rode lamp aan het plafond. De kasten puilden uit met cd-doosjes. Tegen de andere stonden twee flatscreen monitors met een kleine console ervoor. De muur boven de monitors hing vol met pornofoto's, een walgelijke verzameling van meisjes die waren vastgebonden, toegetakeld en verminkt.

Monroe liet zijn blik door de kamer glijden. Zijn gezicht stond uitdrukkingsloos. Rogers boog zich over de console. 'Onze vriend amuseert zich wel,' zei hij zuur.

'Wat is dit allemaal?'

'Ultramoderne cyberporno,' antwoordde Rogers. 'Hij heeft overal webcams geïnstalleerd: in meisjesflats, in de douches van gymzalen, op wc's, in studentenhuizen in East Oxford. En alles wordt opgenomen.' Rogers wees naar de stapels cd-roms in de kasten. 'We hebben de jackpot.'

'Misschien,' antwoordde Monroe. 'We nemen hem mee. Zijn spullen blijven hier. Bel de technische jongens maar om alles te doorzoeken, oké?'

Monroe liep terug naar woonkamer. Hij dacht bliksemsnel na.

'Misschien kunt u uitleggen wat de bedoeling hiervan is?' De jongeman had een Amerikaans accent.

'Ik hoopte eigenlijk dat ú me dat kon vertellen, mijnheer Cunningham.'

Cunningham sloeg even zijn ogen neer, maar keek Monroe toen aan met een superieure blik. 'Rechercheur... admiraal...?' Hij wuifde met zijn hand.

'Gewoon inspecteur, mijnheer. Inspecteur... Monroe.'

'Nou, inspecteur Monroe, ik neem aan dat u een huiszoekingsbevel hebt? Die andere vent...'

'Adjudant Rogers.'

'Ja. Hij hield me een papiertje onder mijn neus voordat hij naar binnen stampte.'

'Jazeker, mijnheer Cunningham, we hebben een huiszoekingsbevel. En u bent gearresteerd. Taylor,' commandeerde Monroe de agent die de wacht hield bij Cunningham, 'neem hem maar mee.'

De jongeman lachte, maar niet erg overtuigend, terwijl Monroe hem op zijn rechten wees. 'Daar maak je een grote fout mee, vriend. Ik neem aan dat je weet wie mijn vader is?'

'O, absoluut, mijnheer Cunningham. Maakt u zich geen zorgen. Taylor, over tien minuten ben ik op het bureau,' zei Monroe tegen de agent. 'Zorg ervoor dat mijnheer Cunningham goed wordt behandeld.' En hij liep terug naar de gang.

30

Oxford, 29 maart, 14:00 uur

De begrafenis van Charlie Tucker was een troosteloze, verregende affaire in een trieste buitenwijk. De dienst werd gehouden in een betonnen kerk uit het begin van de jaren tachtig, een paar kilometer buiten Croydon, ten zuiden van Londen. Er waren nog geen tien mensen. Rennend staken ze vanuit hun auto's het glimmende asfalt van het parkeerterrein over, met hun jassen over hun hoofd getrokken en hun paraplu's opgestoken. In de kerk hing een doordringende lucht van vochtige kleren, vermengd met de geur van oude lelies.

Na de vondst van Charlies lichaam had de politie nog even gespeeld met de gedachte aan zelfmoord. Maar toen toonden de technische bewijzen duidelijk aan dat hij onmogelijk zelf het wapen kon hebben afgevuurd. En dus begon de recherche met een moordonderzoek.

Laura en Philip arriveerden als laatsten en zaten samen achterin. Zwijgend luisterden ze naar een bandje met orgelmuziek, allebei diep in gedachten. Philip had Charlie nauwelijks gekend. Voor hem was hij niet meer geweest dan een gezicht in Oxford, een vriend van Laura. Ze hadden elkaar wel ontmoet op feestjes en soms gediscussieerd over politiek. Philip had zelf ook linkse ideeën gehad, zoals je als student in de jaren tachtig min of meer verplicht was, maar Charlie, herinnerde hij zich, was een echte marxist geweest.

Laura was inmiddels gewend aan de gedachte dat Charlie dood was. Bijna een week eerder, toen het nieuws haar zo had overvallen, was het een schok geweest die haar tot in het diepst van haar ziel had geraakt. Niet omdat ze zo'n hechte band met Charlie had gehad, maar omdat hij een deel was geweest van haar jeugd. Misschien omdat ze hem in twintig jaar nauwelijks meer had gezien associeerde ze hem nog altijd met gelukkige tijden, met haar studie, de vrijheid aan het einde van haar kindertijd, toen de wereld – althans in haar herinnering – nog veel onschuldiger scheen. Nu hij dood was, leek het of dat deel van haarzelf ook was gestorven.

Pas later was de diepe angst gekomen die ze nu voelde. De doden, de slachtpartijen en het geweld kwamen te dichtbij. Laura kon de gedachte niet meer van zich afzetten dat Charlies dood op de een of andere manier verband moest houden met haar onderzoek.

Sinds hun terugkeer naar Oxford waren Philip en zij nog maar weinig opgeschoten. Ze hadden bevestigd dat de moorden uit 1851 in dezelfde nachten hadden plaatsgevonden waarin de betreffende hemellichamen in Kreeft kwamen en dat er op 20 juli van dat jaar een vijfvoudige conjunctie was verwacht. Het enige verschil tussen die moorden en de latere was dat de daders niet met hun misdrijven waren begonnen op het lentepunt, de voorjaarsequinox, omdat de conjunctie van planeten zich op een heel ander tijdstip van het jaar had voorgedaan. Dat was allemaal van belang, wist Laura, en geen zinnig mens zou nog twijfelen aan haar theorie. Maar toch leek het of haar onderzoek naar aanwijzingen over de identiteit van de huidige moordenaar begon vast te lopen. En volgens haar theorie zou de volgende moord plaatsvinden op 30 maart. Morgenavond.

De rouwdienst was een naargeestige zaak. Twee hymnen van een ingeblikt koor klonken zachtjes uit luidsprekers in het plafond, maar de aanwezigen in de kerk kwamen niet verder dan wat onverstaanbaar gemompel. Toen het tweede gezang wegstierf, werd de kist met Charlies lichaam voorzichtig door de dragers opgetild en naar een lijkwagen voor de deur gebracht. De begrafenisgasten kwamen langzaam overeind en liepen naar de uitgang.

Buiten reed de lijkwagen al weg. De groep volgde, over een bochtig pad van een begraafplaats naar een hoek met wat minder graven, waar een vers gat was gedolven.

Op de terugweg, na afloop, hadden Laura en Philip bijna hun auto weer bereikt toen ze hoorden dat er iemand achter hen aan rende. Ze draaiden zich om en zagen een jonge vrouw in een lange witte jurk, die haar pas inhield. Ze leek een jaar of vijfentwintig en ze was klein en tenger, met donkerbruin haar dat los tot op haar middel viel. Ze had grote ogen, een elfengezichtje, dunne wenkbrauwen en een fraai gevormde neus. Laura zag dat ze had gehuild; ze droeg geen make-up, maar haar ogen waren rood, met wallen eronder.

'Jullie zijn toch Laura en Philip? Ja?' vroeg ze.

Laura knikte.

'Ik... ik was Charlies, eh... Charlies vriendin. Ik heet Sabrina.' Ze stak een hand uit en keek meteen om zich heen, alsof ze zich ervan wilde overtuigen dat niemand hen in de gaten hield. Een echtpaar van middelbare leeftijd, dat ook bij de dienst was geweest, liep hen voorbij. Sabrina wachtte tot ze buiten gehoorsafstand waren.

'Ik moest jullie dit geven.' En ze duwde Laura een klein, koud, metalen voorwerp in haar hand.

Het was een sleutel.

'Doe hem in je zak,' zei Sabrina zacht maar dringend.

'Van wie...?'

'Van Charlie, natuurlijk. Hij wist dat hij in moeilijkheden was. Luister, alsjeblieft,' fluisterde Sabrina. 'Charlie was erg gesteld op een biografie van Newton. Die kun je vinden in zijn appartement, Chepstow Street 2, in New Cross. Ga er vandaag nog naartoe. Zijn broer komt morgen zijn spullen uitzoeken en zijn huur opzeggen. Op de sleutel staat een nummer. Nu moet ik gaan. Veel succes.' En met die woorden draaide ze zich abrupt om en liep snel weg.

Laura en Philip waren zo verbaasd dat ze haar lieten gaan. Toen herstelde Laura zich en wilde haar achterna lopen, maar Philip hield haar tegen.

'Ik denk dat we haar beter met rust kunnen laten.'

Charlie had een kleine tweekamerflat in een smalle straat bij de hoofdweg van het drukke New Cross in het zuiden van Londen. Het was een van de zes appartementen in wat ooit een statig herenhuis moest zijn geweest. Laura en Philip waren er vanaf de begrafenis rechtstreeks naartoe gereden en hadden hun auto in Chepstow Street geparkeerd, een paar deuren verder. Via een slecht verlicht trappenhuis kwamen ze bij de flat op de tweede verdieping.

Het appartement was niet zo'n ramp als Laura had verwacht. Charlie had zijn best gedaan om de haveloosheid en het afbrokkelende stucwerk te maskeren met een verfje en wat smaakvolle ingelijste prenten. De meubels waren goedkoop en oud; waarschijnlijk hoorden ze bij de inboedel. Maar hij had geld besteed aan een paar kleden en kussens, die het geheel een wat vrolijker aanzien gaven. Ook de invloed van een vrouwenhand was duidelijk. Sabrina had de zaak opgeknapt, dacht Laura toen ze langzaam door de woonkamer liep. Aan de ene kant was een eenvoudig keukentje, aan de andere kant stonden een tv en een paar boekenkasten. Ze wierp een blik in de kleine slaapkamer die uitkwam in een piepklein badkamertje. In het hele appartement hing een doordringende lucht van sigaretten en drank.

'Bah, ik voel me echt een indringer,' zei Laura zacht.

'Dat zijn we ook,' grijnsde Philip.

'Ik vind het doodeng.'

'Ach, toe nou. Sabrina maakte wel duidelijk dat Charlie wilde dat we hier naartoe zouden komen. Je hoeft je niet schuldig te voelen. Hij vertrouwde jou.'

'Ja, en moet je zien wat er is gebeurd nadat ik bij hem was geweest.' Laura ging met een klap op een draaistoel achter een klein bureau zitten. Op het bureautje stond een computer naast een slordige stapel papieren en een uitpuilende asbak met peuken. 'Een biografie van Newton.' Laura knikte naar de boekenkast naast de televisie. 'Wil jij die proberen? Er staat nog een andere kast in de slaapkamer.'

Philip vond het boek bijna meteen. Ze gingen aan een kleine houten tafel aan de keukenkant van de woonkamer zitten, met het boek opengeslagen tussen hen in. De titel luidde: *Isaac Newton: Biography of a Maqus*, door Liam Ethwiche.

'Charlie was erg gesteld op dit boek,' herinnerde Laura zich de woorden die Sabrina had gebruikt. En ze voegde eraan toe: 'Op de sleutel staat een nummer.' Het was nummer 112.

'Een paginanummer, neem ik aan,' zei Philip, en hij bladerde het boek door tot hij bladzij 112 gevonden had.

Toen ze de eerste twee alinea's doorlazen, ontdekten ze bijna op hetzelfde moment de hapering. Midden in een regel werd een zin opeens onderbroken, om verder te gaan met de volgende woorden: *Paddington Station, postbus veertien, Geoffs feest, pauwenmeisje.*

Philip stond op en liep naar het raam. Buiten leken de grijze gebouwen en grijze hemel in elkaar over te gaan. De avondspits was al begonnen en het verkeer liep vast in New Cross Road. Aan het einde van de straat kwamen vier rijen auto's tot stilstand. De uitlaatgassen walmden door de late middag. De smetteloze zwarte Toyota die aan de overkant geparkeerd stond, viel hem niet op.

'Kun jij daar iets van maken?' vroeg hij.

'Ja, toch wel,' antwoordde Laura. 'Kom mee.' Ze stak het boek onder haar arm. 'Rijd jij of rijd ik?'

Paddington Station was hemelsbreed niet meer dan tien kilometer van New Cross, maar het kostte bijna anderhalf uur om zich een weg te banen door de files. Twintig minuten stonden ze zelfs helemaal stil op Pall Mall, vanwege wegwerkzaamheden bij Piccadilly Circus. De zon was al ondergegaan toen ze veertig minuten eerder de Theems naderden vanuit het zuiden. De stuitende gele en rode neonreclames in Praed Street onderstreepten nog eens de troosteloosheid van de afbladderende, vervuilde gevels aan weerskanten, met hun goedkope jeansshops en peepshows.

Op Paddington sloeg een menselijke vloedgolf door de hal van het station. De persoonlijke kluisjes en safeloketten bevonden zich tussen een kaartjesloket en een café, The Commuter's Brew. Aan de voorkant van elk kluisje zat een klein paneel met een numeriek toetsenbord.

'Ga je me nu eindelijk de combinatie vertellen? En wat "pauwenmeisje" betekent?' vroeg Philip aan Laura.

Ze zuchtte. 'Heb ik keus?'
'Niet echt.'
Laura leunde met haar rug tegen de kluisjes en keek naar de stroom van forenzen die hen passeerde. Toen draaide ze zich om naar nummer 14 en mompelde: 'Dat was mijn bijnaam; nou ja, Charlies koosnaam voor mij.'
Philip snoof.
'We hebben elkaar voor het eerst ontmoet in 1982, op een feest in een groot huis aan de Banbury Road in Oxford, waar een aantal mensen samenwoonde. Het was van de ouders van iemand uit ons jaar, Geoff... Geoff Townsend, geloof ik dat hij heette. Hoe dan ook, na die avond noemde Charlie mij altijd "pauwenmeisje".'
'"Pauwenmeisje"?'
'Op dat feest droeg ik een jasje gemaakt van pauwenveren.'
Philip keek haar ongelovig aan en schoot toen in de lach.
'Het is al lang geleden.'
Door haar serieuze gezicht moest hij nog harder lachen. 'Sorry hoor,' hijgde hij ten slotte, toen hij zijn gezicht weer in de plooi had. 'Maar ik zie jou al voor me in een jasje van pauwenveren. Dat is...'
'Onbetaalbaar?'
'Eh, ja.'
'Het waren de hoogtijdagen van de New Romantics, weet je nog? Ik durf te wedden dat jij een zijden overhemd en *tucker boots* droeg.'
'Ik heb nooit tucker boots gehad,' zei Philip verontwaardigd.
Nu was het Laura's beurt om te lachen. 'En je had zo'n afgrijselijk matje in je nek toen ik je voor het eerst ontmoette.'
'Dat was een echte paardenstaart.' Philip maakte een grimas. 'Oké. Wat is de combinatie?'
Laura keek naar het paneel en toetste een paar cijfers in. Philip keek mee. 1... 9... 8... 2. Toen drukte ze op ENTER, pakte de handgreep en trok.
In het kluisje zagen ze een opgerold vel papier met een zwartzijden lint eromheen. Daarnaast lag een cd in een helder plastic doosje.
Philip stak zijn hand naar binnen en haalde alles eruit.
'Een dvd, neem ik aan,' zei hij, en hij maakte het lint van het papier

los. 'En zo te zien...' Hij aarzelde. 'Nou, dat is interessant. Zelfs ik ken nog genoeg Latijn om dat te kunnen vertalen.'

Boven aan het eerste vel stond: *Principia Chemicum,* door *Isaacus Neuutonus.*

Laura en Philip spraken nauwelijks een woord toen ze zich weer in het verkeer stortten en de stad uit reden naar het westen, richting Oxford. Het was wat minder druk nu en binnen twintig minuten hadden ze de A40 bereikt, op weg naar de snelweg en de rit van tachtig kilometer terug naar huis. Ze waren allebei diep in gedachten verzonken en probeerden te verwerken wat ze hadden ontdekt. Geen van beiden wilden ze er al over praten. Philip reed, terwijl Laura het Newtondocument bestudeerde. De vellen waren gevuld met klein, keurig schoonschrift, het grootste deel geschreven in een vreemde taal of code, waardoor het allemaal onzin leek. Er waren ook regels in het Latijn bij, en lijntekeningen, vreemde symbolen, tabellen en schema's, ogenschijnlijk willekeurig door de tekst verspreid. Toen ze de lichtjes van de stad achter zich lieten en de donkere snelweg opdraaiden naar de lonkende rust van het platteland, werd het te donker voor haar om nog verder te lezen.

'Het moet een fotokopie zijn, dat is wel duidelijk,' zei Laura, 'maar waar gaat het in godsnaam over?'

'Nu heb ik spijt dat ik niet beter heb opgelet bij Latijn toen ik dertien was,' zei Philip.

'Mijn Latijn is heel redelijk, maar dit is een rare mengelmoes van talen. En wat betekenen die symbolen en codes? Het lijkt me één grote woordenbrij.'

'Maar wat moest Charlie Tucker in vredesnaam met een document van Isaac Newton? Ik had er nooit van gehoord.'

'Ik ook niet. Hij heeft natuurlijk de *Principia Mathematica* geschreven, maar...' Laura reikte naar de achterbank en pakte de biografie van Newton die ze uit Charlies appartement hadden meegenomen. Ze deed het binnenlampje aan en bladerde het boek door. '"Biografie van een magiër",' zei ze zacht. 'Ik herinner me nog wel dat dit boek verscheen. Het baarde nogal opzien in die tijd.'

Philip keek vragend.

'Het is een revisionistisch boek. Newton wordt erin afgeschilderd als een geflipte tovenaar of zoiets... Nu weet ik het weer,' ging ze verder, en ze trommelde met haar vingers op het opengeslagen boek. 'De schrijver ging ervan uit dat Newton een alchemist moest zijn geweest.'

'O ja!' antwoordde Philip. 'Dat herinner ik me nog. Het boek is een paar jaar geleden uitgekomen en ik heb de recensie gelezen in *The Times*.'

'Newton was niet zomaar een alchemist,' zei Laura, en ze keek weer op van het boek. 'Zo te zien zat hij ook tot over zijn nek in de zwarte magie. Hier staat: "Newton was een beoefenaar van de zwarte kunst. Bewijzen voor dat verbazingwekkende feit zijn te vinden in geschriften die hij tot aan zijn dood verborgen heeft gehouden. Ze werden in het geheim bewaard door zijn discipelen, uit angst om de ontzagwekkende wetenschappelijke reputatie van de man te ondergraven. Pas in 1936, onder auspiciën van de econoom en Newtonkenner Maynard Keynes, zijn deze documenten teruggevonden: meer dan een miljoen woorden over occulte onderwerpen, variërend van waarzeggerij tot alchemie."'

'Dus hij heeft zijn legitieme wetenschappelijke materiaal wel uitgegeven, maar de riskante geschriften voor de buitenwereld verborgen gehouden?'

'Blijkbaar. Hij wilde niet dat zijn interesse in het occultisme bekend zou worden; dat zou het einde van zijn carrière hebben betekend.'

'En jij denkt dat deze *Principia Chemicum* een van die geheime werken zou kunnen zijn?'

'Dat weet ik nog niet.' Laura bladerde naar het register van de biografie op haar schoot. 'Hij heeft al die stukken in het Latijn geschreven, dat was gebruikelijk in die tijd. Maar het is wel vreemd dat hij de gelatiniseerde versie van zijn naam gebruikte. En... Aha,' zei ze even later. 'Luister... "Newtons beroemdste werk, zijn *Principia Mathematica*, is helaas nooit gevolgd door een *Principia Chemicum*. Dat had een standaardwerk moeten worden met al zijn alchemistische vondsten. Hij laat ons wel hints en aanwijzingen na, maar geen manuscript met een verslag van een geslaagde poging om de mythische Steen der Wijzen te verkrijgen. Waarschijnlijk omdat Newton, net als al die honderden eerdere en latere onderzoekers, en ondanks zijn indrukwekkende gaven, zijn uiteindelijke doel niet heeft bereikt. Hij heeft nooit de Steen ontdekt die de sleutel was tot de vervaardiging van goud uit eenvoudig metaal. Hij heeft het eeuwige leven niet gevonden en is nooit in gesprek gekomen met de Almachtige, althans niet in dit leven."'

Een paar minuten later bereikten ze de afslag naar de Chilterns en begonnen aan de lange, steile afdaling naar de grens tussen Buckinghanshire en Oxfordshire. In het donker zagen ze maar weinig van het prachtige panorama dat hier overdag te zien was, een lappendeken van bewerkte akkers die zich uitstrekte tot aan de horizon.

Laura klapte het boek dicht, deed het binnenlampje uit en zette de radio aan. 'Wil je muziek horen?'

Ze drukte op de eerste voorkeurtoets, maar die produceerde ruis, evenals de tweede en de derde. Onder de vierde knop zaten de krachtige akkoorden van een Van Halen-nummer uit halverwege de jaren tachtig. Philip begon meteen te headbangen. '*Yeah, baby...*'

Laura drukte op de vijfde toets en zette het geluid wat zachter. Uit de speakers kwam een kakofonie van atonale klanken. 'Dat zal Radio 3 wel zijn,' zei Philip. 'Concert voor drie gootstenen en een vibrator,' grijnsde hij. 'Doe dan in godsnaam maar Van Halen.'

'Vergeet het maar,' lachte Laura. Ze schakelde langs een paar Franse radiostations, een rap van een onafhankelijke plaatselijke zender, en vond toen Radio Oxford, met het staartje van het nieuws.

'... het hoofd van de Estlandse delegatie, dr. Vambola Kuusk, die verklaarde dat de bijeenkomst een groot succes was geweest en hoopte dat de Europese Commissie bij haar eerdere aanbevelingen zou blijven.' Een korte stilte.

'We besluiten met lokaal nieuws. Bij de politie bestaat toenemende ongerustheid over de verblijfplaats van professor James Lightman, hoofdbibliothecaris van de Bodleian Library. Zijn auto werd vanochtend om tien uur verlaten aangetroffen op Norham Gardens in

North Oxford. Volgens de politie waren er sporen van een worsteling. De professor had zijn koffertje op de passagiersstoel achtergelaten en zijn sleuteltjes zaten nog in het contact. Aan het eind van deze uitzending zullen wij een telefoonnummer noemen voor iedereen die informatie heeft om de politie van dienst te zijn bij het onderzoek naar deze verdwijning.'

31

Oxford, 12 augustus 1690, kort voor middernacht

Een paar seconden dacht John Wickins dat hij zou flauwvallen vanwege de hitte en de pijn. Ondanks de verkoelende zalf en de zorgzame behandeling van Robert Boyle, was de brandwond op zijn arm nog bijna net zo pijnlijk als die ochtend, terwijl de bonzende hoofdpijn – die hem al de hele dag parten speelde – nauwelijks was afgenomen.

Samen met Boyle en Hooke had hij het labyrint doorkruist. Hijgend stonden ze nu in de gang naar de kamer erachter. Heel even hadden ze een glimp opgevangen van de drie andere mannen, voor hen uit, toen ze de wijnkelder van Hertford College binnenstapten: Newton, Du Duillier en een ander in een mantel met capuchon, die ze niet onmiddellijk herkenden. Het drietal was de tunnels binnengegaan en verdwenen in de doolhof.

De leden van de kliek rond Newton, de mannen die zijn duistere geheimen deelden, moesten zich nu in de kamer bevinden. Een vaag schijnsel viel naar buiten langs de deur, die op een kier stond.

Buiten op de gang drukten de drie Wachters zich tegen de natte stenen wand en probeerden hun adem in te houden. Ze hadden hun toorts gedoofd en maakten zich gereed om in actie te komen. Vanuit de kamer hoorden ze een mannenstem die onverstaanbare teksten opdreunde, lange monologen, zo nu en dan onderbroken door onbegrijpelijke formules die ook door de anderen werden uitgesproken. Een straaltje zweet liep over Wickins' rug en hij klemde zijn klamme handen om het gevest van zijn zwaard. Rechts van hem stond Hooke, die zachtjes vloekte. Zijn gezicht en tuniek waren nat van het zweet. Links van hem had ook Boyle zijn zwaard uit de schede getrokken. Het ving de smalle lichtbundel vanuit de kamer, en in de reflectie zag Wickins het vage profiel van de oude man. Hij staarde naar de deur, met al zijn spieren gespannen. Terwijl Wickins nog naar hem keek, stapte Boyle bij de muur vandaan en deed drie lange, geruisloze passen naar de deuropening. Tegelijkertijd wenkte hij de andere twee. Ze volgden hem, en Boyle rukte de deur wijd open. De drie mannen stormden de kamer binnen, met hun zwaarden in de hand.

De lucht van terpentijn, zweet en mensenvlees, de drukkende hitte, de vochtigheid en het eentonige gezang bestormden hen van alle kanten. De drie leden van Newtons kliek, met kappen over hun hoofd en gekleed in zware zwarte en grijze satijnen mantels, stonden voor de vijfhoek aan het einde van de kamer. De gedaante in het midden hield een ronde rode steen omhoog.

De Wachters hadden het voordeel van de verrassing, en dat wilde Boyle niet uit handen geven. Hij stormde op de man af die de robijnsteen in zijn hand hield, greep hem bij zijn nek en trok hem bij het pentagram vandaan. De robijnsteen viel op de grond en rolde over de stenen vloer tot onder de vijfhoek. Boyle sleurde de man weer overeind en drukte hem de punt van zijn zwaard tegen de keel. De andere gestalten in hun dikke mantels stonden verstijfd van schrik toen Hooke en Wickins naar voren renden en hen in bedwang hielden met de punt van hun zwaard op maar enkele centimeters van hun gezicht.

Boyle liet zijn gevangene los en draaide de man om zijn as. Ze hoorden de kreet van woede onder de kap, maar de man stond machteloos. Boyle drukte zijn wapen tegen de adamsappel van zijn slachtoffer. 'Doe jullie kap af, alle drie!' beval hij.

Geen van de mannen verroerde zich. 'Doe jullie kap af,' herhaalde Boyle, zonder stemverheffing, maar met een venijnige ondertoon.

Langzaam gaf Newton gehoor aan het bevel. Zijn lange, grijzende lokken plakten tegen zijn klamme gezicht. Achter het gordijn van zijn haar fonkelden zijn ogen van woede en minachting. 'Wie denken jullie in godsnaam dat jullie zijn?' siste hij. 'Wat voor gezag hebben jullie hier?'

Boyle gaf geen krimp en keek Newton strak aan. 'Anders dan u,' zei hij, 'heb ik alle recht hier te zijn, professor Newton.'

Newton wierp hem een smalende blik toe. Zijn gezicht verkrampte in vochtige plooien, als een karikatuur van Mefistofeles. 'Bemoeizieke idioot!' snauwde hij, met een trillende stem van opgekropte woede. 'Ik ben de Meester hier. Ik ben de enige die de woorden van de Wijzen begrijpt. Ik ben de ware erfgenaam van het Licht, het Pad en de Weg.'

Met een bleek, humorloos lachje dat aangaf hoe weinig hij in Newtons mening geïnteresseerd was, zei Boyle: 'John, Robert, laat eens zien wie we hier hebben.'

Met de punt van hun zwaard nog steeds tegen de keel van de twee gedaanten in hun zware mantels gedrukt trokken Hooke en Wickins hun gevangenen de kap van het hoofd en stapten achteruit.

'James? Mijn broeder James?' Boyle deinsde terug. 'Wat...?' De schok veranderde het gezicht van de oude man in een star masker. Hij leek verloren, verlamd.

Van dat moment maakte Newton gebruik. Brullend wierp hij zich naar voren, greep Boyle bij zijn pols en dwong hem zijn zwaard te laten vallen. Het wapen kletterde tegen de grond.

Newton was de enige die zo snel reageerde. De andere vijf mannen leken verstijfd in het moment. Maar ze herstelden zich snel en het volgende ogenblik veranderde het tafereel in een worstelpartij met luide kreten en het gerinkel van metaal.

Newton greep Boyle's zwaard, draaide zich om zijn as en dook naar de robijnsteen op de grond. Op hetzelfde moment greep Wickins hem bij zijn enkel en tuimelden de twee mannen over de vloer. In blinde woede rukte Wickins aan het haar van zijn tegenstander, die schreeuwde van pijn.

'Je hebt mijn vriendschap verraden!' riep Wickins in Newtons oor. 'Ik vertrouwde je.'

Ondanks zijn woede wist Wickins toch niet goed hoe het nu verder moest. Isaac Newton was aan zijn genade overgeleverd. Eén stoot met zijn wapen, besefte Wickins, en de man zou hier doodbloeden op de vloer. Maar daarvoor waren ze niet gekomen. Hoe hij de Lucasiaanse professor nu ook haatte, Wickins was geen moordenaar. Op dat moment zag hij de bol. Hij greep hem met zijn linkerhand en borg hem onder zijn tuniek. Toen sleurde hij Newton overeind, drukte hem zijn zwaard tegen de keel en liep achteruit, naar de anderen toe. Maar hij zag niet waar hij liep, botste tegen een van de zware kaarsenstandaards op en ging tegen de grond.

Newton dook naar Wickins' zwaard, rukte het uit zijn hand en draaide zich om naar de kamer. Zijn ogen bliksemden, al zijn zintuigen waren gespitst en zijn overlevingsinstinct gaf hem een bovenmenselijke kracht.

Een meter bij hem vandaan had Boyle zijn broer bij de nek gegrepen en hem tegen de wand gedrukt. Nicolas Fatio du Duillier stond naast hem, hijgend van woede, met Hooke's zwaard tegen zijn keel.

'James, James... hoe kón je?' zei Boyle. Zijn stem brak.

'Mijn grote broer Robert,' schamperde hij. 'Robert, die zichzelf altijd als mijn vader zag... bespaar me je schijnheiligheid. Ik heb er geen behoefte aan.'

'Maar waarom?' fluisterde Boyle. 'Waarom?'

'Weet je dat niet, Robert? Echt? Weet je dat niet?'

Boyle schudde langzaam zijn hoofd.

'Wat kon ik anders doen, mijn lieve broeder? Hoe had ik ooit met jou kunnen wedijveren – een man die zo'n lange schaduw wierp?'

Boyle kromp ineen toen hij de punt van een zwaard in zijn nek voelde.

'Laat je zwaard vallen,' snauwde Newton. 'Nu!'

Boyle gehoorzaamde en draaide zich om. Du Duillier en James Boyle werden nog steeds in bedwang gehouden door Hooke's onbeweeglijke wapen, terwijl Wickins alweer overeind krabbelde. Hij sprong naar voren en griste Boyle's zwaard van de stenen vloer.

'Nog één stap en ik snijd hem helemaal open!' schreeuwde Newton.

Wickins kwam nog steeds op hem af.

'Ik meen het.' En hij boorde de punt van zijn zwaard in Boyle's hals. Bloed spoot eruit.

Wickins bleef staan. 'Hiervoor zul je boeten in de hel.'

'Je vergist je, oude vriend,' antwoordde Newton op effen toon. 'Want de Heer weet dat mijn motieven zuiver zijn.' Hij haalde diep adem. 'En geef me nu die bol.'

Wickins verroerde zich niet.

'Geef me die bol.'

'Niet doen, John,' hijgde Boyle.

'Let niet op die oude dwaas. Geef me de bol. Nu. Anders zal ik hem doden, dat zweer ik je!' schreeuwde Newton.

Langzaam stak Wickins zijn hand in zijn tuniek en kromde zijn vingers om de robijnsteen.

'Nee! Niet doen!' smeekte Boyle. 'Laat mij maar sterven. Liever dan...'

Wickins haalde de robijnsteen tevoorschijn. Op hetzelfde moment smeet Hooke, die Du Duillier en James Boyle bewaakte, opeens zijn zwaard naar Newton. Newton zag het vanuit zijn ooghoek en dook weg. Dat was voldoende. Robert Boyle groef zijn tanden in Newtons hand. Newton schreeuwde het uit, maar liet zijn zwaard niet los.

Vloekend draaide Newton zich om en sloeg naar Hooke's schouder. Het volgende moment was hij verdwenen in de duisternis van de gang.

Wickins wilde de achtervolging inzetten, maar Boyle hield hem tegen. 'John! John, laat hem gaan. Je zou hem toch nooit vinden in het labyrint. We moeten alles in veiligheid brengen wat er nog over is: de robijnsteen en de documenten.' Hij klonk vermoeid en ondraaglijk verdrietig. 'Ik moet dit afschuwelijke web ontrafelen en jij moet de toekomst beschermen. Zodra we weer boven zijn, rijd jij zo snel mogelijk naar Cambridge. Zorg dat je er eerder bent dan Newton – en verbrand alles wat je kunt vinden.'

32

Oxford, 29 maart, 21:05 uur

Thuisgekomen stookte Philip de Aga op en zette een keteltje water op het fornuis, terwijl Laura naar boven liep om een wollen vest te zoeken. Even later zaten ze in de huiskamer, waar een vers haardvuur oplaaide.

'Waarschijnlijk,' zei Philip, terwijl hij van zijn hete mok thee dronk, 'heeft Lightmans verdwijning helemaal niets met de moorden te maken. Het moet toeval zijn.'

Laura keek hem uitdrukkingsloos aan. 'Ik zie ook geen enkel verband, maar het is gewoon zo... bizar.'

Philip haalde zijn schouders op. 'Had je het gevoel dat Lightman ziek was, of in de war? Kan hij geflipt zijn?'

Laura schudde haar hoofd.

'Had hij last van depressies?'

'Dat weet ik niet. Ik heb hem de afgelopen jaren maar een paar keer gezien. Hij maakte een heel normale indruk. Hoezo? Denk je dat hij zelf uit zijn auto is gestapt en zomaar is verdwenen?'

'Dat komt voor.'

'Natuurlijk. Maar zoiets zou Lightman niet doen.'

'Dus dat betekent dat hij is ontvoerd?'

Laura keek op van haar thee. 'God mag het weten, Philip. Maar wie...?'

'Nou, we zullen het gauw genoeg weten. De politie zal hier wel werk van maken. Lightman is een belangrijke figuur in Oxford en een van de rijkste mannen van Engeland.' Hij hield de dvd omhoog die ze in het kluisje op Paddington Station hadden gevonden. 'Zullen we?'

Ze zagen een paar seconden sneeuw voordat Charlie Tucker op het scherm verscheen. Hij zat op een stoel en keek recht in de camera. Achter hem zagen ze boekenkasten en op de grond naast zijn stoel stond een asbak. Hij nam een haal van een sigaret. Het leek alsof hij zichzelf filmde; de hoek klopte niet helemaal en de belichting was slecht.

'Hallo Laura, lieverd. Tenminste, ik hoop dat jíj het bent die hiernaar kijkt.' Hij lachte even nerveus naar de camera. 'Tegen de tijd dat jij dit ziet,' ging hij verder, 'ben ik dood of ergens in het buitenland.'

Laura voelde een klomp ijs in haar maag.

'Het punt is,' vervolgde Charlie, 'dat ik mijn leven niet zeker ben. Ik heb niet veel tijd om het uit te leggen, hoewel er veel te vertellen is. Ik vind het vreselijk om jou ook in gevaar te brengen, maar toen je me een paar dagen geleden kwam opzoeken... nou, toen kreeg ik het gevoel dat je er al tot aan je nek toe in zat, dus...

Oké, waar beginnen we? Goed, nou... Je bent dus naar bagagekluis nummer 14 op Paddington geweest en je hebt de tekst van Newton gevonden. Je zult je afvragen waar ik zoiets in vredesnaam gevonden heb. Het antwoord is dat ik een tijdje betrokken ben geweest bij die groep waar ik het over had. Je weet wel, die occultisten...

Ik spreek in de verleden tijd, omdat ik hoop dat ik op tijd ben weggekomen. Want ik ben er bij toeval in gerold. Ze hadden wat belastende bewijzen over mijn politieke activiteiten uit de jaren tachtig, en... nou ja, de overheid heeft een taai geheugen, vooral voor de dingen waar ik me toen mee bezighield,' zei Charlie met een samenzweerderige grijns. 'Hoe dan ook, ik ben er meteen mee gekapt toen ik begreep wat die groep precies van plan was. Daar wilde ik helemaal niets mee te maken hebben.' De sigaret was opgebrand tot het filter en hij zweeg een moment om een andere uit een pakje uit zijn zak te halen. Hij stak hem aan met de peuk, nam een flinke trek en blies een wolk rook uit.

'Hoor eens...' Charlie schoof heen en weer op zijn stoel, 'hier is waarschijnlijk geen touw aan vast te knopen. Ik zal beginnen bij het begin.' Hij hoestte.

'Laten we zestienhonderd jaar teruggaan, naar de bibliotheek van Alexandrië. Hoofd van die bibliotheek, en een groot geleerde, was een vrouw die Hypatia heette. Hypatia was een geduchte dame, niet alleen omdat ze zo geleerd was, maar ook omdat ze een enorme heisa veroorzaakte door een groot deel van het nieuwe christendom te verwerpen dat toen de wereld veroverde. Ze werd als ketter beschouwd en uiteindelijk gegeseld door een groep o zo vrome christenen.' Charlie keek smalend.

'Hypatia hield zich bezig met occulte zaken. Duizend jaar later zou ze een witte heks zijn genoemd. Ze bezat enkele van de belangrijkste voorwerpen uit de hele beschaving. In haar bibliotheek bewaarde ze zeldzame manuscripten over alle aspecten van het occultisme, zowel zwarte als witte magie, en bovendien de twee grootste alchemistische schatten ter wereld: de Smaragden Tafel en de robijnsteen.

De Smaragden Tafel is natuurlijk beroemd. In de loop van de eeuwen is het de belangrijkste pijler geworden van de alchemistische wet, een soort "handleiding" voor het werk van de alchemist. Minder bekend is de robijnsteen. De geruchten over dit voorwerp doen al sinds Hypatia's tijd de ronde in de hermetische wereld, hoewel maar weinig mensen het ooit hebben gezien en nog minder mensen weten wat voor macht het precies bezit.

De nacht waarin de bibliotheek van Alexandrië werd verwoest, 13 maart 415, zorgde Hypatia ervoor dat de Smaragden Tafel uit de stad werd gered en overgebracht naar Europa, waar hij in de loop van de eeuwen werd beschermd door een hele rij opeenvolgende alchemisten. Ondertussen verborg ze ook de robijnsteen op een geheime plek in de fundamenten van de bibliotheek. Een jaar later haalde haar vader Ecumenius het kostbare ding daar weg en bracht het naar Engeland. Hij werd daar ontvangen door de leiders van een kleine groep adepten die zich de Wachters noemden en hun geheimen ontleenden aan het oude Egypte en de eerste alchemisten. Hypatia en Ecumenius waren in dezelfde kennis ingewijd.

De Wachters verborgen de robijnsteen in een geheim gewelf dat alleen bereikbaar was via een ondergronds labyrint, dat ze dicht bij hun ontmoetingsplaats bouwden. Wie dat labyrint wilde doorkruisen, had de geheime kennis nodig om een aantal proeven te doorstaan. Bijna duizend jaar later ontstond de stad Oxford boven deze plek.

De robijnsteen bleef in zijn schuilplaats tot de zeventiende eeuw, toen Christopher Wren opdracht kreeg tot de bouw van het Sheldonian Theatre. Hij ontdekte het labyrint, maar deed verder niets met die wetenschap. Ongeveer twintig jaar later stuitte Isaac Newton, misschien wel de grootste alchemist aller tijden, op belangrijke aanwijzingen over de robijnsteen in een document dat een paar eeuwen eerder door de handen was gegaan van een andere alchemist, een zekere George Ripley.'

Charlie leunde naar achteren op zijn stoel en blies wat rook naar de camera.

'Dat werd bijna een ramp. De robijnsteen bezit een werkelijk ontzagwekkende macht, en Newton was een genie die tot elke prijs de geheimen van het universum wilde ontsluieren. De robijnsteen zou hem de kans geven zijn droom te verwezenlijken.'

Charlie zweeg weer even en drukte zijn sigaret uit. 'Je vraagt je natuurlijk af waar iedereen zoveel drukte om maakt? Wat is er zo bijzonder aan die robijnsteen? Waarom is hij zo belangrijk dat mensen hun leven willen geven om hem te beschermen – bereid zijn een moord te plegen om hem in hun bezit te krijgen? Nou, die robijnsteen is de sleutel tot de ontdekking van de Steen der Wijzen en het Levenselixer, de ultieme droom van iedere alchemist. Niemand weet precies wie de robijnsteen heeft gemaakt. Hij is minstens zo oud als het begin van de Egyptische beschaving en sommige mensen vermoeden zelfs dat hij niet van deze wereld komt. Door een bezwering uit te spreken die in een spiraalvormige inscriptie rond de robijnsteen is geschreven, kan de adept de Duivel aanroepen om de levenloze inhoud van de smeltoven te veranderen in de mythische, kostbare Steen.

Ik kan me best voorstellen, Laura, dat je dit allemaal grote onzin vindt. Maar of jij nu gelooft dat je met die robijnsteen de Duivel kunt aanroepen of niet, er zijn mensen die daar heilig van overtuigd zijn. En op dit moment is er in Oxford een groep machtige alchemisten actief die vastbesloten is het bewijs te leveren. De robijnsteen hebben ze niet, maar ze kennen wel enkele van de geheimen die nodig zijn.

Je zult je afvragen wat de connectie is tussen Isaac Newton uit de zeventiende eeuw en deze groep uit onze eigen tijd. Waarom heb ik je een kopie gegeven van Newtons geheime, gecodeerde werk? Wat heb ik er precies mee te maken en waarom loopt mijn leven nu gevaar?

Nou, Newton was de voorloper van die moderne groepering. Hij noemde zijn kliek de Orde van de Zwarte Sfinx. Dat was de oorspronkelijke naam van de oude Egyptische alchemisten die voor het eerst de robijnsteen gebruikten. Newton vormde een zogenaamde Goddeloze Drievuldigheid met zijn minnaar, de medische student Nicolas Fatio du Duillier, en hun gezamenlijke kennis James Boyle, de jongere broer van de grote Robert Boyle. Wat Newton en zijn vrienden verbindt met de moderne Orde van de Zwarte Sfinx, is de conjunctie van de planeten. Newton wist de robijnsteen in handen te krijgen, ongeveer achttien maanden voor het tijdstip van de vijfvoudige conjunctie van 1690. De volgende keer dat die conjunctie zich voordeed, beschikte professor Milliner over een deel van de geheime kennis van de Orde en deed ook hij een poging. En nu wil deze moderne groep Newtons experiment opnieuw herhalen.

Wat dat experiment is? Ik neem aan dat je daar inmiddels achter bent. De robijnsteen draagt de adepten op om vijf organen te verzamelen, die op vastgestelde tijden uit het lichaam van een jonge vrouw zijn verwijderd. Op de plaats van elk orgaan wordt een metalen muntje achtergelaten, een oude Egyptische Arkhanon met een afbeelding van vijf vrouwen: de vijf slachtoffers. Deze organen worden geconserveerd tot aan het vastgestelde uur. Dan worden ze op de punten van een pentagram – een vijfpuntige ster – geplaatst, als middelpunt van een ceremonie om de Duivel op te roepen, die vervolgens het geheim zal openbaren van de vervaardiging van de Steen der Wijzen.

Newton en zijn vrienden wisten de benodigde organen in handen te krijgen door vijf jonge vrouwen in Oxford te vermoorden. Het hart, de hersens, de nieren, de galblaas en de lever werden geconserveerd volgens technieken die waren overgeleverd door de oorspronkelijke leden van de Orde, Egyptische alchemisten die bedreven waren in de kunst van het balsemen en de mummificatie. Dat was Du Duilliers specialiteit. Hij had een uitvoerige studie gemaakt van de processen en zijn best gedaan de oude technieken te reproduceren. Het ritueel moest plaatsvinden in een kamer onder de Bodleian Library, een deel van het labyrint van de Wachters. Newton en zijn vrienden bereikten die kamer via een verborgen ingang in de wijnkelders van Hertford College, dicht bij de Bodleian. Eerst moesten ze de proeven afleggen die waren voorgeschreven door de Wachters uit de vijfde eeuw, maar dat was vrij eenvoudig omdat Newton de noodzakelijke informatie bezat uit het manuscript van George Ripley. Het is alleen aan het ingrijpen van de Wachters te danken dat Newtons experiment op het laatste moment kon worden verijdeld.

Uit wat ik ervan weet, begrijp ik dat het bestaan van de Wachters nog een veel groter geheim is dan dat van de Orde van de Zwarte Sfinx. Ze hebben ook meer succes gehad, tot nu toe. In Newtons tijd werden de Wachters geleid door Robert Boyle... Ja, ironisch, vind je niet, dat James zo'n belangrijke figuur was in Newtons groep. Robert Boyle werd geholpen door Newtons grote rivaal Robert Hooke en een zekere John Wickins, Newtons naaste collega en kamergenoot, een man die als jonge student naar Cambridge was gestuurd om Newton in de gaten te houden.'

Charlie keek scherp in de camera. 'De moderne Orde van de Zwarte Sfinx zit achter de moorden op die meisjes in Oxford. Tot de leden behoort een professionele moordenaar, een man die alleen bekend is als de Acoliet. De groep verzamelt en conserveert organen, uiteraard met de technologie van de eenentwintigste eeuw. Maar hun doel is nog steeds hetzelfde als van Newton en Milliner: een occult ritueel uitvoeren op het moment dat Mars, Venus en Jupiter in conjunctie zijn met de zon en de maan. Dat zal gebeuren op 31 maart, dus overmorgen, om 01:34 uur 's nachts.

Wat ik met de hele zaak te maken heb?' Charlie schoof nog eens heen en weer op zijn stoel voordat hij zijn eigen vraag beantwoordde. 'Herinner je je mijn bezoek aan New York, Laura? Ik was daar toen als afgezant van de Orde. De moderne Orde heeft namelijk nooit de robijnsteen in handen gehad. Behalve de Wachters waren Isaac Newton en zijn vrienden de enigen die dat kostbare voorwerp ooit hebben gezien en aangeraakt sinds de tijd van Hypatia. En nadat hun kliek in 1690 uiteen was geslagen, werd de robijnsteen weer verborgen door Robert Boyle. Bovendien werden alle papieren van Newton over dat onderwerp vernietigd, behalve één klein document in code, de *Principia Chemicum*, waarvan jij nu een kopie in je bezit hebt.

Dat is het document dat ik in New York voor de Orde heb bemachtigd. Ze wisten dat ze de robijnsteen waarschijnlijk nooit op tijd te pakken zouden krijgen voor de conjunctie, en zonder de robijnsteen hadden hun pogingen niet veel zin. Maar de leider van de Orde, een man die ik nooit heb ontmoet omdat zijn identiteit geheim moet blijven, ontdekte het bestaan van Newtons manuscript en de informatie die daarin te vinden was, waaronder een lineaire versie van de inscriptie.'

Het was tijd voor nog een sigaret. 'Ik zal het uitleggen. Ik zei dat er een inscriptie stond op de bol. Die bestaat uit een reeks Egyptische hiërogliefen, die in een spiraal rond het oppervlak van de robijnsteen zijn gegraveerd, van de ene pool naar de andere. De makers van de robijnsteen wilden voorkomen dat de kennis die in de inscriptie lag besloten bij onbevoegden terecht zou komen. Dus gebruikten ze een slimme code, die steganografie wordt genoemd en aan een concreet voorwerp is gekoppeld. Het bericht, een bezwering die bij het ritueel moet worden uitgesproken, kon op de robijnsteen worden gevonden door de symbolen verticaal te lezen, van boven naar beneden, niet met de spiraal mee. Dat is een heel oude techniek, die *scytale* heet, eigenlijk een "riem" die om de robijnsteen is gewikkeld.

Dat is leuk en aardig als je de steen in je hand hebt, maar alleen Newton en de Wachters hadden hem ooit gezien. Het document dat ik in New York ontdekte, Newtons manuscript, bevat wel een kopie van de instructies, vertaald in het Latijn, maar lineair uitgeschreven en daarom feitelijk onbruikbaar. Maar ik heb wiskunde gestudeerd, weet je nog? En ik hield me vooral bezig met encryptie: codetechnieken. De leider van de huidige Orde wist dat en hij deed me een aanbod dat ik niet kon afslaan. Ik wist toen nog niet wat ze eigenlijk van plan waren. Nou ja, totdat ik het manuscript in handen kreeg.

Het kostte me bijna een jaar om die lineaire inscriptie te ontcijferen. De ontbrekende aanwijzing was de grootte van de bol. Als je die wist, kon je de lineaire inscriptie weer in een spiraal veranderen en door de regels heen lezen om de juiste tekst te zien. Newton had nergens geschreven hoe groot de robijnsteen was dus kon je tot in eeuwigheid blijven raden, zonder ooit de oplossing te vinden. De enige andere manier om de code te kraken was met behulp van de meest geavanceerde ontcijferingstechnieken en een heel dure computer. Ik kreeg die apparatuur en... nou, de rest zit hier.' Charlie tikte tegen zijn hoofd. 'Soms is het wel handig om een genie te zijn.

Terwijl ik bezig was de code te ontcijferen, stond ik voortdurend onder druk van de Orde. Maar ik wilde ook zoveel mogelijk te weten komen over hun plannen met de code. Helaas heb ik nooit kunnen ontdekken wie de leden waren, of hun leider. Alles ging met boodschappers en gecodeerde e-mails. Maar toen ik begreep wat hun bedoeling was, wilde ik er niets meer mee te maken hebben.

Twee weken geleden heb ik de uitkomst ingeleverd. Maar wat de Orde nu in handen heeft, is nutteloos. Dat weten ze zelf niet, en daarom gaan ze door met moorden. Als niemand ingrijpt, zullen er in minder dan vierentwintig uur nog twee jonge vrouwen sterven.'

Charlie trok lang en peinzend aan zijn sigaret. 'Laura, het is nu aan jou. Ik hoop dat je hulp kunt krijgen van anderen, die je vertrouwt.

Ik kan niet veel meer doen, behalve je vertellen wat ik heb ontdekt. Dus luister goed.

Hoewel Newton niet de technologie bezat die nodig was om de organen voor de ceremonie te conserveren, had hij wel een zekere voorsprong op de huidige leden van de Orde van de Zwarte Sfinx. En nog veel belangrijker: hij had de bol. Toen de Orde in 1690 door de Wachters werd opgerold, gingen bijna al hun papieren verloren. En Boyle en de anderen zorgden er wel voor dat de geheime toegang tot het labyrint via Hertford College werd afgesloten. De Wachters maakten een heel nieuwe ingang, die je zelf zult moeten vinden uit de andere aanwijzingen die ik je zal geven. Deze route loopt via een lange tunnel naar het oorspronkelijke labyrint onder de Bodleian.

In 1851 stond Milliner dus voor drie lastige problemen. De robijnsteen had hij niet, daarom werkte hij op basis van die mysterieuze lineaire inscriptie, waarschijnlijk een kopie die Boyle's broer James voor de Wachters verborgen had kunnen houden in 1690. Ook wist hij niet precies hoe hij de organen moest conserveren die hij in Oxford had verzameld, en in de derde plaats had hij geen idee waar de ingang was van het labyrint. De toegang via Hertford College bestond niet meer. Natuurlijk kende hij de geheimen van de Wachters niet, dus wist hij niets over de nieuwe ingang die na Newtons tijd was gemaakt. Om die problemen te omzeilen, deed Milliner iets heel uitzonderlijks. Hij was al jaren op de hoogte van het bestaan van die kilometerslange tunnels onder de Bodleian. Zelfs in de victoriaanse tijd was dat al een uitgestrekt complex. Dankzij zijn grote kennis van het occultisme en de tradities van de Orde van de Zwarte Sfinx had hij wel een duidelijk idee over de locatie van de oude kamer waar de ceremonie moest plaatsvinden. Dus financierde hij een klein particulier bouwproject – of beter gezegd sloopproject – waardoor hij de dichtstbijzijnde gangen verbond met de tunnels naar de kamer. Dat werk vond plaats tussen 1845 en 1850, en de arme architect die hij daarvoor in dienst nam werd een maand na de voltooiing van het project opgehangen. De politie dacht dat hij zelfmoord had gepleegd.'

Charlie kreeg een hoestbui en kwam niet meer tot bedaren. 'Shit,' zei hij na een tijdje, 'ik moet toch eens stoppen met roken. Ik heb sterk de indruk,' ging hij verder, 'dat de huidige leden van de Orde niet weten hoe ze die kamer moeten bereiken via het labyrint van de Wachters. Maar ze kennen wel de route die Milliner heeft geforceerd om het labyrint te omzeilen. Zonder een plattegrond is het onmogelijk om van boven af bij de kamer te komen of door de tunnels te ontsnappen, en voor zover ik weet bestaat er maar één exemplaar van die plattegrond, die veilig is opgeborgen door de Orde.

Nou,' besloot Charlie met een lange zucht, 'ik ben bijna aan het eind van deze vreemde monoloog. Ik hoop dat je nu wat meer van de achtergrond begrijpt. Ik zou er graag bij zijn om je te helpen, maar... Nou ja, het enige wat ik kan doen, is je een paar aanwijzingen geven. Op deze dvd staat nog meer belangrijke informatie. Aan het einde van dit verhaal kun je de dvd in je computer steken. Je zult mijn boodschap moeten ontcijferen, Laura, een persoonlijk bericht aan jou, dat met een code is beschermd zodat het niet door anderen kan worden gelezen. Als je klaar bent, zul je gegevens vinden om je te helpen bij de vertaling van Newtons manuscript. Daaruit zul je de huidige toegang tot het labyrint kunnen afleiden. Eenmaal in het labyrint ben je op jezelf aangewezen. Ik heb geen idee wat voor blokkades de Wachters hebben opgeworpen of hoe je door het labyrint kunt komen door de drie proeven af te leggen die ooit door de Ouden zijn opgesteld. Newton is dat gelukt, met hulp van Ripleys manuscript, en later heeft hij dat nog eens herhaald met Du Duillier en de broer van Boyle, maar in zijn document schrijft hij bijna niets over het labyrint.

Vaarwel, Laura. Ik hoop dat ik nog leef als jij deze opname ziet en dat ik ergens op een exotisch strand in de zon lig. Misschien kunnen we elkaar nog eens spreken als dit allemaal achter de rug is en herinneringen ophalen aan vroeger, net als die keer toen ik naar New York kwam. Tot ziens, pauwenmeisje.'

Het scherm ging op zwart. Philip en Laura waren nog zo verdiept in wat ze hadden gezien dat ze de voordeur niet hoorden opengaan. Even later kwam Jo de kamer binnen.

Laura keek op. 'O hallo, kind,' zei ze afwezig.

'Spannende film?' vroeg Jo met opgetrokken wenkbrauwen.

'Een bericht van Charlie.'

Jo staarde haar moeder niet-begrijpend aan.

'Een opname die hij had gemaakt, vlak voor zijn dood. Dat verklaart heel veel.' Laura klikte op de afstandsbediening en de dvd startte opnieuw.

'Waar wachten we op?' zei Jo toen ze alles had gezien. 'Zet de computer maar aan.'

Philip stak de dvd in de drive en op de monitor verscheen een korte instructie:

Typ '1' en geef antwoord.

Philip toetste een 1 in, en ze zagen een nieuwe regel:

LAURA, JE VOND HET LEKKER, DIE AVOND

Philip draaide zich om en keek Laura vragend aan. 'Nou?'

'Wat? Wat moet ik daar nou mee?'

'Dat is zo'n persoonlijke aanwijzing waar Charlie het over had. Jij moet het antwoord weten,' zei Jo.

'Hebben jij en Charlie...?' vroeg Philip.

'O, alsjeblieft!'

'Nou, ik vroeg alleen...'

'Hij heeft het over New York, neem ik aan,' zei Laura. 'Dat is de enige keer in twintig jaar dat ik hem 's avonds heb gezien. We gingen toen naar Harry's Grill in West 34th Street.' Ze zweeg een moment en staarde naar het scherm, terwijl ze haar geheugen pijnigde.

'Wat was er zo bijzonder toen?' vroeg Philip.

'De crème brûlée was echt geweldig.'

'Probeer maar,' zei Jo.

Philip typte 'crème brûlée' en het scherm viel even weg voordat er een nieuw bericht verscheen:

WARM, MAAR HELAAS.

NOG MAAR TWEE POGINGEN OVER.

'Shit,' zei Philip.

'Wat? Ik dacht echt dat het dat moest zijn,' siste Laura en ze draaide zich om naar haar dochter.

Jo haalde haar schouders op. 'Te voor de hand liggend, blijkbaar.' Ze trok een stoel bij en boog zich over Philips schouder. 'Oké, we hebben nog twee kansen en dan is het afgelopen. Beter nadenken, deze keer.'

'Maar dit is onmogelijk,' zei Laura. 'Het kan van alles zijn.'

'Ja, maar het is een persoonlijke code, mam: iets wat je onmiddellijk zou weten.'

'Daarom zei ik ook "crème brûlée", Jo...'

'Oké,' zei Philip. 'Goed nadenken. Charlies aanwijzing luidde: *Je vond het lekker, die avond.* Wat kan hij verder nog bedoelen? Weet je zeker dat hij het over die avond in New York heeft?'

'Hoe moet ik dat weten?' Laura voelde de frustratie opkomen.

'Je zit op het goede spoor,' zei Jo. 'Charlie antwoordde dat je "warm" bent. Het gaat dus over die avond in het restaurant. Maar de code kan ook "crème" zijn, of "brûlée", of "cb"... wat dan ook.'

Ze zwegen alle drie een tijdje. Jo leek in gedachten verzonken. Laura streek met haar vingers door haar haar en tuurde naar het scherm.

'Ik denk dat je gelijk hebt,' zei Philip ten slotte. 'Het kan van alles zijn, maar Charlie gaf je een aanwijzing na de eerste poging. Misschien hebben we meer informatie nodig.'

'Ja, maar dan houden we nog maar één kans over.'

'Heb jij soms een beter idee?' vroeg Philip.

'Wacht eens,' zei Laura opeens. 'Als we het na drie pogingen nog niet weten, kunnen we dan gewoon de dvd er weer insteken en opnieuw beginnen?'

'Dat zal wel niet. Ik denk dat hij dan zichzelf wist,' zei Jo. 'Of zichzelf vernietigt, zoals in *Mission Impossible*!'

'O, geweldig.'

'Ik vind dat pap gelijk heeft. Zonder extra informatie kunnen we de hele nacht blijven raden. Laten we maar iets proberen en er het beste van hopen.'

'Dat klinkt niet erg wetenschappelijk,' zei Philip.
'Alleen "brûlée" dan?' opperde Jo.
Laura haalde haar schouders op. 'Mij best.'
Philip typte het woord. Na een seconde verscheen een nieuw bericht:

BEN JE STONED, LAURA? DIT MOET HEEL MAKKELIJK VOOR JE ZIJN.
HET ZIJN MAAR VIJF LETTERS, LIEVERD

'Shit,' riep Laura en ze siste tussen haar tanden. Opeens klapte ze in haar handen. 'Nee, nee. Natuurlijk! Dat is het...'
'Wat?'
'Nu weet ik het weer. We wilden net aan de crème brûlée beginnen toen *Brown Sugar* van de Rolling Stones door de speakers kwam. Charlie maakte een opmerking over die toevalligheid: crème brûlée en bruine suiker.' Ze boog zich over Philips schouder en typte vijf letters.
'Wacht even, Laura,' zei Philip, en hij draaide zich naar haar om. 'Wat typ je nou?'
'Vijf letters, natuurlijk. Dat zei Charlie toch? En hij vroeg of ik "stoned" was. Het kan niets anders zijn dan *stone*. Want waar gaat het allemaal om? Waar zit de Orde van de Zwarte Sfinx achteraan? Wat probeerde Newton te vinden?' Voordat een van de anderen iets kon zeggen had Laura al op ENTER gedrukt. Deze keer ging het scherm op zwart. En opeens verscheen het woord GEFELICITEERD.
Laura zuchtte diep. Ze drukte nog eens op ENTER en op de monitor zagen ze een nieuwe, minder simpele boodschap, die bestond uit een paar woorden, gevolgd door een serie getallen:

zwart, wit, geel, rood, new york

3.5, 12,
67498763258997
86746496688598
97684795900082

08736047437980
73849096006064
87474877345985
47932768480950

Onder de getallen stond een tekstblok van honderden letters, zonder één spatie.

'Is dat het?' vroeg Philip. Hij scrollde omlaag, maar daar bleef het bij.

'Weet je,' zei Jo, 'jullie vriend Charlie Tucker is toch een soort wiskundig genie?' Ze gaf Philip een teken om zijn stoel voor haar vrij te maken.

Laura keek haar aan. 'Nou, hij zat er niet ver naast, toen hij zichzelf zo noemde op die dvd.'

'Ik weet er alles van. Professor Norrington, onze docent groepstheorie, herinnert zich Charlie nog uit de tijd toen hij pas in Oxford les gaf. Norrington werkte als codebreker voor de CIA en MI5 voordat hij naar de universiteit overstapte. Hij zegt dat Charlie de enige wiskundige was die hij ooit is tegengekomen die codes kon verzinnen die zelfs hij... Norrington dus... niet kon kraken.'

'Ja, maar Charlie wilde wel dat wij deze informatie zouden ontcijferen. Niet dan?'

'Natuurlijk,' zei Jo. 'Maar het zat in zijn bloed. Hij kon de informatie niet open en bloot aanbieden.'

'Geweldig,' antwoordde Laura, en ze liep naar de bank.

'Maar gelukkig,' wierp Jo tegen, 'ken jij nog een ander genie... en mijn keuzevak voor het eerste jaar is groepstheorie – vrij belangrijk bij het ontcijferen van codes.' Ze boog en strekte haar vingers terwijl ze naar het scherm keek. 'En ik ben dol op een uitdaging.'

33

Oxford, 30 maart, vroeg in de ochtend

'Mam... mam, wakker worden.'

Laura sloeg haar ogen op en zag Jo's gezicht boven zich zweven. Ze schoot overeind en drukte haar vingers tegen haar slapen. Zuchtend liet ze zich terugzakken in de kussens van de bank. 'God, hoe laat is het?'

'Kwart over vier.'

'Waar is Philip?'

'Hier.' Philip kwam de huiskamer binnen met een blad. 'Hier hebben we allemaal behoefte aan.' Hij zette de koffiebekers op het lage tafeltje voor de bank. 'Nou, Jo dan. Jij hebt overal doorheen geslapen.'

Laura was nog steeds niet wakker. 'Waar heb je het over, Philip?'

Philip glimlachte naar Jo. 'Onze dochter heeft Charlies code gekraakt.'

'Gedeeltelijk,' zei Jo.

Opeens was Laura klaarwakker. Ze greep een van de koffiebekers en boog zich naar voren op de bank. 'Begin maar bij het begin. Maar wel langzaam,' zei ze.

Jo had een stapeltje papieren in haar hand. 'Eerst heb ik van alles geprobeerd wat geen resultaat opleverde. Je moet een beetje experimenteren. Na een tijdje bedacht ik wat Charlie over die robijnsteen had gezegd. Hij had het over een *scytale*-code. Die had hij eigenlijk ook op de dvd gebruikt. Een andere aanwijzing was het getal 3.5 dat hij na die lijst van kleuren had genoteerd. En dan was er dat blok van getallen,' vervolgde ze. 'Zeven rijen van veertien ogenschijnlijk willekeurige cijfers. Daar moest een combinatie in verborgen zitten, een of andere sequentie die van toepassing was. Dus besloot ik de getallen te printen. Daarna rolde ik het papier op tot een kokertje met een doorsnee van precies 3,5 centimeter.'

'En toen begreep je de getallen?'

'Nee.'

'Wat dan?'

'Het was niet zo eenvoudig als ik dacht. Ik schoot er niets mee op. Maar toen bekeek ik het bericht nog eens. Na het getal 3.5 kwam: 12, New York. Ik ging ervan uit dat New York op Charlies bezoek daar sloeg en dat het later nog van belang zou zijn.'

'Maar toen,' viel Philip in de rede, 'bleek Jo pas écht een genie.'

Jo glimlachte tegen haar vader. 'Met mooie praatjes kom je... een heel eind, pap. Maar eigenlijk lag het wel voor de hand. New York is een lettertype. Ik moest de getallen printen in New York, lettergrootte 12.'

'En dat werkte?'

'Reken maar.'

'Weer een *scytale*.'

'Het probleem was alleen dat ik nog altijd diezelfde achtennegentig cijfers had: zeven rijen van veertien. Ik zocht naar voor de hand liggende patronen, zoals nummer één tot en met zeven of zoiets simpels, maar daar kwam ik niet verder mee.'

'Wat deed je toen?' vroeg Laura.

'Eerst heb ik bijna een uur verspild aan cijferrelaties, zoals een verdubbeling van het eerste getal: 3.5 naar 7, naar 14, enzovoort. Ik weet zeker dat Charlie het zo had opgebouwd om mensen op een dwaalspoor te brengen. Maar toen ik besefte dat het daar niet in zat, dacht ik aan het andere deel van de boodschap: de kleuren. En daar kon pap me mee helpen.'

'Ik kan meer dan koffiezetten,' zei Philip.

'Blij het te horen. Dit smaakt nergens naar,' zei Laura en ze trok een gezicht. 'Nee hoor, grapje. Ga verder.'

'Pap ging achter de computer zitten om alles te zoeken wat hij kon vinden over die alchemistische dingen die Charlie had beschreven, terwijl ik aan de tafel zat met een ouderwetse, betrouwbare pen en een vel papier.'

'En net toen Jo vastliep, vond ik stomtoevallig iets over de Smaragden Tafel en wat de alchemisten wilden doen met de inscripties daarop. Er is op internet helemaal niets te vinden over de robijnsteen, maar dat was te verwachten.'

'Vooruit, laat horen. Wat heb je ontdekt?' vroeg Laura ongeduldig.

'Een heleboel onzin, om mee te beginnen,' antwoordde Philip. 'Er zat helemaal geen lijn in het werk van die alchemisten. En geheimhouding was hun obsessie. Je kunt wel begrijpen waarom het Charlie interesseerde. Het ging allemaal over codes en geheimtaal; de ene alchemist die zijn vondsten wilde verbergen voor de anderen. Ze werkten liever niet samen, en iedereen interpreteerde zijn ontdekkingen weer anders. Vaak spreken de verslagen over hun vondsten elkaar volledig tegen. Maar...' hij haalde diep adem en wreef in zijn ogen, 'er waren wel een paar dingen die ze allemaal gemeen hadden. Allereerst begon iedereen zijn experimenten met een eenvoudige selectie chemicaliën, die werden gemengd en verhit om te zien wat er zou gebeuren. In de tweede plaats gebruikten bijna alle alchemisten de teksten van de Smaragden Tafel als bron van informatie. Daaruit volgde een soort "recept". In bijna alle verslagen zagen ze hetzelfde gebeuren als ze hun chemische mengsel verhitten. De kleur veranderde, en altijd volgens hetzelfde patroon: eerst zwart, dan wit, dan geel en ten slotte rood.'

'Aha.'

'Precies,' beaamde Philip.

'Toch kwam ik daar niet verder mee,' zei Jo grijnzend. 'Behalve dat ik me nu ging concentreren op de kleuren in Charlies bericht, en wat ze te maken konden hebben met de getallentabel. Er moest een verband zijn. In cryptoanalyse heeft alles een bedoeling, en Charlie is... was... een meester.'

'Oké, wat deed je?'

'Niet veel. Ik zat naar dat kokertje met getallen te staren,' zei Jo, 'en opeens zag ik het.'

'Wat?'

'De getallen 5, 3, 4, 4 in een van de kolommen van de *scytale*, de "riem".'

'Het woord *zwart*... vijf letters, *wit* drie letters, enzovoort?' vroeg Laura.

'Precies. En dat, moeder, noemen ze een sleutel.'

'Ja, dank je, Jo. Ik ben Homer Simpson niet.'

'Dat tekstblok is een serie instructies,' viel Philip haar in de rede. En hij liet Laura een print zien.

ALLEREERST, GEBRUIK DEZELFDE SLEUTEL OM NEWTONS DOCUMENT TE ONTCIJFEREN. INTERPRETEER DE BEZWERING – DIE VIND JE MISSCHIEN WEL INTERESSANT. DE PLATTEGROND IS HET LABYRINT ONDER DE BODLEIAN. JE GAAT NAAR BINNEN VIA DE TRILL MILLSTREAM, EEN DEUR IN DE WAND, DRIEËNZESTIG PASSEN VANAF DE WESTELIJKE INGANG. ONDER AAN DE PAGINA VIND JE EEN BELANGRIJK CITAAT; DAT HEB JE LATER NOG NODIG. VEEL SUCCES!

'Geweldig, Jo!' riep Laura uit. 'Oké, mijn beurt.' Ze sprong van de bank. 'Het Newtondocument. Philip, alsjeblieft,' zei ze, 'nog véél meer van je voortreffelijke koffie.'

Laura legde het vel papier op de tafel in de eetkamer. Charlie had een fotokopieerapparaat met hoge resolutie gebruikt, waardoor elke vouw en kreukel van het oorspronkelijke document goed te zien was. Het had een donker okergele kleur, omlijst door wit omdat Charlie het een modern kartonnen passe-partout gegeven had. De letters hadden verschillende tinten grijs. Laura veronderstelde dat Newton verschillende inktsoorten had gebruikt om de tekst in de loop van de tijd aan te vullen. In de marge stonden ruwe schetsen, afbeeldingen, symbolen en formules. Laura vroeg zich af wat de betekenis kon zijn van een ramkop, een zonnesymbool en een paar Griekse letters...

Bovenaan stond *Principia Chemicum* door *Isaacus Neuutonus*, met daaronder twee regels Latijn.

'De subtitel is ongeveer het enige wat een beetje begrijpelijk overkomt,' zei Laura, terwijl ze zich over de tafel boog met haar armen gekruist. 'Die had ik al in de auto gelezen, op de terugweg uit Londen.'

'O ja?' vroegen Jo en Philip in koor.

'Waar hebben jullie op school gezeten? Hier staat: "Uit het Manuscript van de Adept Ripley en Aangevuld door Mijn Eigen Onderzoekingen en Verkenningen. Vertaald van de Oorspronkelijke Egyptische Tekst."'

De rest van de pagina was bijna exact in tweeën gedeeld. Het eerste deel bestond uit tekstregels, een blok letters dat deed denken aan het tekstblok dat Charlie op zijn dvd had gezet. Daaronder stond een schematische tekening, een netwerk van aansluitende lijnen dat op een ingewikkelde doolhof van gangen leek. Vanaf de onderkant van die tekening liep een serie lijnen bijna tot aan de voet van de pagina. Daarnaast stond één enkele regel in simpel Latijn:

ALUMNUS AMAS SEMPER
UNICUM TUA DEUS

'Zeg het maar, mam,' zei Jo vermoeid.

'Ja, het is een beetje rare zin. Er staat letterlijk: "Leerling bemin altijd... eh, uitsluitend, denk ik... uw God." Nou, dat klinkt nogal houterig. Ik denk dat je het ongeveer moet vertalen als: "Adept,"... ja adept is beter dan leerling... "heb uw God altijd lief."'

'"Adept, heb uw God altijd lief?" Een soort ondertekening? Een afscheidsfrase aan het einde van het document?' opperde Philip.

'Zou kunnen. Misschien een soort algemene frase voor een alchemist, zoiets als "Ga met God" of "Vriendelijke groeten".' Laura haalde haar schouders op. Laten we dit eerste blok maar ontcijferen, met behulp van de sleutel.'

'Dat is 5, 3, 4, 4,' zei Jo. 'Dus de vijfde letter, de achtste, de twaalfde, de zestiende.'

Terwijl ze systematisch de tekst doorliepen noteerde Philip de opeenvolgende letters op een schoon vel papier. Na een paar minuten hadden ze negen regels ontcijferd.

'Het is weer Latijn,' zei Laura. 'Ik kan de eerste paar woorden wel vertalen, maar er zitten geen spaties tussen.'

Na twintig minuten hadden ze gezamenlijk de letterreeks opgebroken in een alinea van Latijnse woorden, die Laura vertaalde en op een ander vel schreef:

Gij zijt Mercurius, de machtige bloem,
Gij zijt de eerbiedwaardigste;
Gij zijt de Bron van Sol, Luna en Mars,
Gij zijt de Vorst van Saturnus en de Bron van Venus,
Gij zijt Keizer, Prins en hoogste Koning,
Gij zijt Vader van de Spiegel en Schepper van Licht.
Gij zijt hoofd en hoogste en schoonste om te zien.
Allen loven u.
Allen loven u. Brenger van waarheid.
Wij zoeken, wij smeken, wij verwelkomen u.

'Geklets,' snoof Philip.

'Misschien, maar het is duidelijk een of andere bezwering. Ik neem aan dat dit de tekst is die de Orde van de Zwarte Sfinx gebruikt om de duivel aan te roepen.'

'En dus heeft de huidige Orde dezelfde formule nodig voor het ritueel.'

'Een formule die ze in gewijzigde vorm van Charlie hebben gekregen,' zei Philip.

'Waarom heeft hij die tekst gewijzigd als het toch allemaal onzin is?' vroeg Jo.

'Omdat hij er zelf in geloofde. Ik heb nooit goed begrepen hoe zo'n intelligente figuur zich door die flauwekul liet verlakken, maar goed. Voor Charlie was dit echt een bezwering om de duivel te laten verschijnen, en ook de leden van de Orde geloven daar heilig in, net als Newton. Maar hij leefde natuurlijk in een heel andere tijd, toen magie en hekserij nog werden geaccepteerd zoals wij de principes van de wetenschap accepteren.'

'Voor mijn part geloven ze in het monster van Loch Ness,' zei Philip, 'maar we moeten alles in het werk stellen om te voorkomen dat ze nog meer moorden plegen. En we hebben nog maar iets meer dan twaalf uur voordat de volgende op het programma staat.'

Laura richtte haar aandacht op de tekening. 'Dit moet het labyrint zijn,' zei ze.

'Dat je kunt bereiken via... wat was het ook alweer?' vroeg Jo.

'De Trill Millstream.'

'Wat is dat in vredesnaam?'

Laura keek Philip aan en ze schoten allebei in de lach. 'Ze is hier pas een paar maanden, het arme schaap,' zei Philip.

Jo rolde met haar ogen. 'O, wijze ouders, maak mij deelgenoot van uw oude kennis.'

'De Trill Millstream is beroemd, Jo. Het is een molenbeek van ongeveer anderhalve kilometer lang, die onder de stad door loopt vanaf Christ Church Meadow. Toen T.E. Lawrence nog jong was, roeide hij er vaak doorheen.'

'Je meent het.'

'Ja, en volgens de legende zou iemand daar omstreeks 1925 een roeiboot hebben gevonden met een paar skeletten in victoriaanse kleding: mensen die bekneld waren geraakt en omgekomen.'

'Griezelig,' zei Jo. 'Het klinkt als een derderangs horrorfilm.'

'Maar ik ben bang dat het de griezelige waarheid is,' zei Philip.

'En ik denk dat het tijd wordt om daar een kijkje te gaan nemen,' zei Laura.

34

Oxford, 30 maart, 12:00 uur

Het politiebureau bruiste van activiteit toen inspecteur John Monroe de deuren openduwde en naar binnen stapte. Bij de receptie probeerden twee agenten een dronken jongeman in bedwang te houden die een geelzwarte voetbalsjaal en muts droeg.

'Een supportersbus uit Watford. Straalbezopen,' legde agent Hornet uit toen Monroe naar de balie kwam. Monroe zei niets, maar schoof wat papieren naar de dienstdoende agent. 'En er zit een mijnheer Bridges in kamer 3. Hij is er al een halfuur,' vervolgde Hornet. 'Er heeft zich ook een getuige gemeld in verband met de verdwijning van professor Lightman. Een oude dame meent dat ze heeft gezien dat hij door twee mannen uit een auto werd getrokken, vlak voor haar huis in Norham Gardens. Hier is haar verklaring.'

Monroe stak zwijgend zijn hand op en liep de gang door naar achteren. Onderweg wierp hij een blik op de verklaring, maar besloot die tot later te bewaren. Hij ging verhoorkamer 3 binnen en zag Malcolm Bridges aan een tafel zitten onder het raam aan de andere kant.

'Meneer Bridges, excuus voor het oponthoud.'

De jongeman wilde overeind komen.

Monroe liet zich vermoeid in de stoel tegenover hem zakken. Hij boog zich naar voren, met zijn ellebogen op de tafel, en wreef in zijn ogen. 'Professor Lightman... kent u hem goed?' vroeg hij.

Bridges keek wat onbehaaglijk. 'Ja. Ja, ik eh... help hem in de bibliotheek.'

'En thuis?'

'Ja. Hij betaalt me goed.' Bridges veroorloofde zich een kort lachje.

'Juist,' zei Monroe ondoorgrondelijk. 'En wanneer hebt u hem voor het laatst gezien?'

'Gisteravond rond zeven uur, bij hem thuis in...'

'Ik weet waar hij woont, mijnheer Bridges.'

Bridges kuchte nerveus. 'Weet u al iets meer over zijn verdwijning?'

Monroe nam de jongeman aan de andere kant van de tafel onderzoekend op. Hij was keurig gekleed in een donker pak, maar zijn lange, vettig achterovergekamde haar onderstreepte de uitgeteerde indruk die hij maakte. Hij was ongezond mager en zijn huid opvallend bleek, alsof hij veel te veel tijd in bibliotheken en laboratoria doorbracht.

'Hoe lang kent u professor Lightman al?'

'Een jaar of twee. Ik heb hem ontmoet toen ik aan mijn doctoraalscriptie werkte. Voor die tijd studeerde ik in Cambridge.'

'Juist. En Russell Cunningham? Hoe goed kent u hem?'

'Hij is eerstejaars op onze faculteit. Ik ben zijn mentor voor zijn praktijkwerk. Geen geweldige student, om eerlijk te zijn; hij laat zich te veel afleiden. Maar wat heeft Cunningham ermee te maken?'

'Hoe goed kent u hem?'

Bridges dacht even na. 'Nauwelijks. We spreken elkaar eens in de veertien dagen op mijn kantoortje, zodat ik zijn vorderingen kan bijhouden. Verder zie ik hem soms op de faculteit. Hij is niet echt mijn type.'

Monroe trok een wenkbrauw op. 'Wat een vreemde opmerking.'

'Eerlijk gezegd vind ik dat hij zijn tijd verdoet in Oxford. Hij kan beter een baantje in de City nemen. Ik denk dat hij hier zit vanwege papa. Mannen als Nigel Cunningham sturen hun zoons naar Oxford om hun eigen image op te poetsen. Zijn vader wil met hem pronken.'

'Dus u mag de jongen niet erg?'

'Dat zei ik niet. Ik bedoel alleen...'

'... dat u een hekel hebt aan dat soort mensen.'

'Ach, een hekel... Figuren als Cunningham zijn totaal niet interessant.'

'Goed,' zei Monroe met een zucht. 'Hebt u een alibi voor de tijdstippen van de recente moorden?'

'Wát?' Bridges keek diep geschokt. 'Ik dacht dat u me hier had laten komen om u te helpen bij de zoektocht naar professor Lightman.'

'Dat is ook zo. Maar we gaan alle mogelijke connecties na. Russell Cunningham is een verdachte...'

'O ja?'

'... en u werkt met hem. U werkt ook met professor Lightman. Kunt u me zeggen waar u was van 20 op 21 maart tussen halfacht 's avonds en drie uur 's nachts?'

Bridges plukte aan zijn oorlelletje. 'De twintigste was ik de hele dag in Londen. Dat was toch een maandag? Ik was naar een bijeenkomst van de Royal Society of Psychologists in Pall Mall.'

'En wanneer was u weer in Oxford terug?'

'Tegen tien uur, halfelf, denk ik. Om halfacht 's avonds was ik in een zaal met minstens vijftig andere psychologen.'

'Wat een vreselijke gedachte. En de nacht van woensdag 22 maart? Was u toen in Oxford?'

Bridges keek naar de tafel. 'Op woensdag begeleid ik een werkgroep vanaf halfacht 's avonds. Dus ik ben nog laat op de psychologische faculteit gebleven, tot kwart voor negen of negen uur.'

'En had u de bewuste woensdag ook zo'n werkgroep?'

'Ja.'

'Dat duurt een uur?'

Bridges knikte.

'Heeft iemand u daar nog gezien na halfnegen?'

'Er waren nog wel wat mensen na afloop van de groep. Rankin vertrok wat eerder; om acht uur, denk ik. Hij was nog even langsgekomen om te praten. De studenten verdwijnen bijna meteen na het college, maar een paar postdoctoraalstudenten waren er nog.'

'Juist. Dus theoretisch kunt u het tweede en derde slachtoffer hebben gedood.'

Bridges verbleekte. 'Waarom doet u zo'n belachelijke suggestie?'
'Uw kantoor ligt maar op vijf minuten rijden.'
'Maar dat is absurd! Een heleboel plekken liggen maar op vijf minuten rijden. Waarom zou ik iemand vermoorden? Wat voor motief zou...'
'Rustig maar, mijnheer Bridges. Ik zei niet dat u die moorden hébt gepleegd, alleen dat de theoretische mogelijkheid bestaat.'
Bridges staarde Monroe aan met toenemende vijandigheid. 'Hebt u verder nog iets te vragen, inspecteur?'
'Nee, dank u, mijnheer Bridges. Niet op dit moment. U hebt me heel goed geholpen.' Monroe stond op. 'Maar u zou nog één ding voor ons kunnen doen. Wilt u zo vriendelijk zijn een DNA-monster af te staan?'

Toen Monroe uit verhoorkamer 3 vertrok, kwam er een technisch assistent binnen, die met een DNA-test naar Bridges liep.
Het was nu rustiger op de gang. Twee van de voetbalsupporters werden vastgehouden in de cel, de rest was naar Watford teruggestuurd, drie uur voordat de wedstrijd op Headington zou beginnen. Op weg naar zijn kantoor ging Monroe nog even langs de balie.
'Hornet?' riep hij naar de jonge agent die achter een computer zat.
'Ja, inspecteur?'
'Hoe verlopen de gesprekken met die studentes?'
Hornet keek in een grote agenda op de balie. 'Greene, Matson en Thompson houden parallelle gesprekken in kamers 4, 5 en 7. We hebben nu...' hij liet zijn vinger over de pagina glijden, '... even kijken... tien, elf, veertien meisjes gesproken, de drie studentes van dit moment meegerekend.'
'Oké.' Monroe trommelde met zijn vingers op de agenda, in gedachten verzonken.
Terug op zijn kantoor was Monroe blij dat hij de buitenwereld even de rug kon toekeren. Het zat hem allemaal niet lekker. Zijn rechercheurs waren triomfantelijk over wat ze de vorige dag in Cunninghams appartement hadden aangetroffen, maar er klopte iets niet. Dat joch was gestoord, maar daarom nog geen moordenaar. De drie

meisjes en Simon Welding waren vermoord door een professional, niet door een viespeuk van een rijkeluiszoontje dat zich verveelde. En wat moest hij van Bridges denken? De man was behoorlijk nerveus, maar dat leek zijn karakter. Monroe was er niet van overtuigd dat Bridges iets achterhield.

Bridges had wel de latere moorden kunnen plegen, redeneerde Monroe. Maar daar schoot hij weinig mee op, omdat hij ervan uitging dat er maar één dader was. Als Bridges een alibi had voor de eerste moord, kon hij die dader dus niet zijn.

Monroes gedachten gingen naar de aanwijzingen die de technische recherche had gevonden: een stukje leer en wat plastic. Dat had ook niets opgeleverd. Dan was er nog het bloedspoor op de plaats van de tweede moord, maar dat kon niet worden getraceerd in de database van de politie.

Monroe rommelde wat in de papieren op zijn bureau, op zoek naar het rapport van het lab. Het lag onder op een stapel. De tweede pagina gaf een uitslag van de spectrumanalyse: het DNA-patroon van het kleine bloedvlekje dat was aangetroffen in het huis, vlak bij de plek waar het lichaam van Jessica Fullerton was gevonden. Hij staarde naar de grafiek van gekleurde lijnen en blokjes op de bladzij. Dit was het profiel van iemand, dacht hij, de unieke DNA-structuur van iemand op deze wereld, iemand die waarschijnlijk hier in de buurt rondliep, iemand die in deze stad woonde. Maar zonder dat die structuur in een database te vinden was, had hij er weinig of niets aan.

Monroe gooide het papier op zijn bureau en pakte de telefoon.

'Hornet,' snauwde hij, 'bel Howard Smales bij MI5. Nu meteen. En schakel hem door naar mijn kantoor.'

Hij pakte de uitslag van de spectrumanalyse weer op en volgde het patroon van pieken en dalen toen de telefoon ging.

'Howard,' zei hij hartelijk. 'Ja, ja, een hele tijd geleden... Ach, z'n gangetje... Dat heb ik gehoord, ja. Gefeliciteerd... Zeg, Howard, ik zou je om een gunst willen vragen... Ik zeg het je vertrouwelijk, maar het heeft te maken met de moorden die... Ja, precies.' Hij lachte vreugdeloos. 'Ik heb een monster, ja, maar ik kan nergens een overeenkomst vinden in onze... Nee, dat weet ik... Zou je dat willen doen? Nee, ik kan het meteen naar je toe sturen. En... ja, er is haast bij... Dat weet ik, maar zo opereert het oude team nu eenmaal. Helaas. Geen luxe behandeling zoals bij jullie. En het betaalt ook nog slecht... Nee... Dat zou geweldig zijn... Bedankt, Howard, je houdt het van me tegoed.'

35

In de buurt van Woodstock, 30 maart, 14:00 uur

Philip had maar een paar uurtjes slaap kunnen pakken voordat hij weer op het politiebureau in Oxford moest zijn. Vier uur later, nadat hij een broodje kip had meegenomen van een bakkerij bij Carfax, was hij net op de terugweg naar Woodstock toen zijn mobieltje ging.

'Hoe gaat het?' Het was Laura.

'O, ben je wakker?'

Ze zuchtte hoorbaar. 'Ik was uit bed nadat jij net vertrokken was. Ik ben naar het huis van James Lightman geweest. Ik hoopte ik Bridges zou treffen, maar hij was er niet.'

'Blijkbaar heeft Monroe een nieuwe connectie tussen de slachtoffers ontdekt,' zei Philip. 'Ik heb hem zelf niet gesproken en iedereen deed heel geheimzinnig. De inspecteur heeft een spreekverbod afgekondigd, denk ik. Maar alle vermoorde meisjes hebben meegedaan aan een soort psychologische profieltest die vorig jaar aan de universiteit is gehouden.'

'O ja?' Laura klonk enthousiast. 'Een profieltest? Wat voor...'

'De bijzonderheden weet ik niet. Blijkbaar was het een vrijwillig onderzoek, een dag met allerlei proeven, in ruil voor een boekenbon van vijftig pond of zoiets. Ruim veertig meisjes hebben eraan meegedaan.'

'Geen namen?'

'Alleen Monroe en een paar andere rechercheurs hebben de lijst... verder weet ik niets. Iedereen is heel zwijgzaam. Waar ben jij nu?'

'Bijna thuis. Ik rijd net Woodstock binnen.'

'Dan zit ik niet ver achter je. Tot zo.'

Een paar minuten later reed Philip de oprit op. Tot zijn verbazing zag hij Laura bij de keukendeur staan, zichtbaar van streek.

'Wat is er?'

'Er is ingebroken.'

Haastig liep hij achter haar aan door de eetkamer naar de woonkamer. Zijn computer was uit elkaar gehaald en in onderdelen over de vloer gesmeten. Overal lagen papieren, boekenkasten waren omgegooid en een paar schilderijen van zijn moeder hingen scheef. Philip ging op de rugleuning van de bank zitten, met zijn armen over elkaar, en inspecteerde zwijgend de ravage voordat hij een diepe zucht slaakte. Er kwam een geweldige woede bij hem op.

'Het spijt me, Philip,' zei Laura opeens.

'Spijt het jou? Waarom?'

'Omdat ik je heb meegesleept in deze ellende. Ik en mijn stomme ideeën ook altijd! En nu zijn we alles kwijt wat we van Charlie hadden gekregen.'

'Waarom denk je dat?'

'Kijk dan,' zei ze, wijzend naar de chaos om hen heen. 'Dit is toch niet het werk van een stel kwajongens of een gelegenheidsdief, dacht je?'

'Nee, je zult wel gelijk hebben,' antwoordde Philip. 'Maar maak je geen zorgen over Charlies materiaal. Ik had een voorgevoel dat zoiets weleens zou kunnen gebeuren... en daarom heb ik alle paperassen van Charlie bij me gehouden. Ze liggen in de auto.'

36

Victoria Coach Station, Londen, 30 maart, 17:00 uur

Gail Honeywell, zongebruind, met blond haar dat was gebleekt door de Griekse voorjaarszon, zette haar rugzak op de vloer van de wachtkamer van Victoria Coach Station, zorgvuldig op een schoon plekje tussen een pluk nog vochtige kauwgom en een donkere vlek waarvan ze hoopte dat het chocola was. Ze viste haar telefoonkaart uit haar zak en deed twee stappen naar de dichtstbijzijnde telefooncel. Tot haar verbazing werkte de telefoon en kreeg ze de kiestoon. Ze toetste het nummer van haar vriendje in en wachtte tot hij opnam.

'Ray!' zei ze enthousiast. 'Hallo. Ik ben in Londen. Hoor eens, ik heb niet veel tikken meer op deze kaart. Nee, het was geweldig. Professor Truman is zó relaxed, en ik geloof dat we echt nuttig werk hebben gedaan. Alleen... zes weken is veel te lang. Ik kan niet wachten om thuis te zijn en jou weer te zien...' Door het vuile, half doorzichtige glas zag ze bussen draaien en achteruitrijden, passagiers in- en uitstappen. Een chauffeur in uniform liep langs de deur. De wachtkamer was verlaten.

'Ik neem de bus van halfzes, dan ben ik om tien over halfzeven in Headington. Nee, je hoeft me niet te komen halen. Er wordt vanavond toch gevoetbald?... Ja, ja. Nee, Ray, geen idee... Welke moorden? Nee toch? Shit, dat meen je niet! En kende hij haar? Ja. Nee.

Oké, als je het niet te lastig vindt... Welnee, rare. Ja, ik heb jou ook gemist. Ik vond het heerlijk, maar ik ben ook wel blij om terug te zijn.' Ze zweeg een moment en luisterde. 'Ja,' zei ze toen. 'Cool. Oké, dan zie ik je... Houd ook van...' En haar kaart was op.

Gail hing op en pakte haar tas, net op het moment dat een chauffeur in uniform zijn hoofd om de deur stak. 'Neem je de bus van halfzes naar Oxford, kind?'

Gail knikte.

'Ik heb nog een plekje voor negen minuten over vijf, als je wilt. Een oude dame is misselijk geworden. Ze neemt eerst een kop thee en stapt op een latere bus. Oké?'

'Graag,' zei ze. 'Bedankt.'

De Acoliet zat in de zwarte Toyota voor het huis waar Raymond Delaware woonde. Die middag had hij het definitieve besluit genomen om Gail Honeywell te gebruiken. Ze had niet het ideale medische profiel, maar de andere twee kandidates waren te lastig. Ann Clayton was met de paasvakantie naar Frankrijk, en om 19:14 uur, de exacte tijd voor de procedure, zou Sally Ringwald in een zaal met zeshonderd andere mensen zitten voor een prijsuitreiking van de theologische faculteit.

Gail Honeywell, studente archeologie, was de afgelopen zes weken in Griekenland geweest voor een opgraving, maar een uur geleden had de Acoliet bevestigd gekregen dat ze die middag in Engeland was aangekomen. Het secretariaat van de archeologische faculteit meldde dat het hele team die dag zou thuiskomen, en de Acoliet had de passagierslijst gezien in de database van de veerbootmaatschappij, die hij eenvoudig had gekraakt. Daarna had hij, met de tap die hij twee weken eerder had aangebracht, het telefoongesprek tussen Gail met haar vriendje Ray Delaware vanuit een telefooncel in Londen afgeluisterd. Ze zou omstreeks tien over halfzeven uit de bus stappen op de splitsing tussen Headington Road en Marston Road in St.-Clements. Dat gaf hem nog wat speling, wist de Acoliet. De bussen reden redelijk op tijd en hij was goed voorbereid.

Om negen minuten over zes vertrok Raymond Delaware uit het huis in South Park Road, vroeger dan de Acoliet had verwacht. Het was niet meer dan tweeënhalve kilometer vanaf het huis naar de bushalte, een route via de University Parks en door een rustig, lommerrijk laantje, Mesopotamia Walk, langs een smalle zijrivier van de Cherwell. Het stel wandelde daar graag en de Acoliet had de omgeving grondig verkend. Meer dan eens was hij hen gevolgd over het pad.

De Acoliet zag Delaware de straat uit lopen naar het oosten, en vloekte hardop. Blijkbaar wilde de jongen ruim op tijd zijn. Hij zou zijn vriendin wel missen, dacht de Acoliet vol walging toen hij bij de stoep wegdraaide en gevaarlijk snel door South Park Road reed. Aan het eind sloeg hij rechtsaf naar St.-Cross Road en toen naar Manor Road, een doodlopende straat die uitkwam bij het ijzeren hek van een weiland aan de westkant van Mesopotamia Walk.

Hij had nog maar tien minuten. Haastig sprong hij uit de auto, maar met de tegenwoordigheid van geest om niet met de zak van zijn Ermenegildo Zegna-jasje aan de deurkruk te blijven haken. Toen liep hij naar de kofferbak en pakte een grote tas met een ritssluiting en een orgaankluisje van hetzelfde type dat hij had gebruikt om Samantha Thurows nieren te vervoeren, een week geleden. Met gebogen hoofd om zijn gezicht te verbergen voor nieuwsgierige bewoners die toevallig uit het raam keken liep hij naar het hek.

De Acoliet was bijzonder fit en hoewel de orgaankluis meer dan vijftien kilo woog en het weiland behoorlijk drassig was, schoot hij toch redelijk op. Even later bereikte hij de beschutting van de bomen. Het was er stil, afgezien van de geluiden van het verkeer in de verte en de vogels dichtbij. Hij keek op zijn horloge. Het was veertien minuten over zes en de bleke zon stond al laag aan de bewolkte hemel. Binnen een halfuur zou het donker zijn, maar zo lang had hij niet. Hij zou risico's moeten nemen.

Hij zette de kluis op de vochtige grond en ritste zijn tas open. Het kostte hem niet langer dan een minuut om de plastic overall aan te trekken, met de handschoenen en het vizier. De Acoliet keek nog eens op zijn horloge en wachtte in stilte, terwijl hij probeerde wat rustiger te ademen en zichzelf kalmeerde met de tantraoefeningen die hij al jaren deed.

Gail Honeywell zat op haar bankje in de bus, ingeklemd naast een veel te dikke man in een pak. Ze verveelde zich en ze was niet op haar gemak. Zonder veel interesse probeerde ze een boek te lezen en zo nu en dan staarde ze uit het raampje naar de grauwe Londense buitenwijken die voorbijgleden voordat de bus eindelijk de hoofdweg bereikte. Een tijdje later werden ze omringd door groene velden onder een doffe hemel, gesmoord door zware, donkere wolken.

Na tien minuten op de snelweg sukkelde de man naast haar in slaap. Hij had een krant op zijn schoot, die Gail voorzichtig oppakte en begon te lezen. Het belangrijkste verhaal van de dag was de dreiging van een spoorwegstaking. Dat artikel streed om de aandacht met het zoveelste schandaal binnen de koninklijke familie en de seksuele uitspattingen van een onbelangrijk parlementslid van Labour. In Griekenland, bij de opgravingen, hadden ze nauwelijks een krant gelezen en ook geen tv gezien. De radio was Grieks en geen van de andere studenten of docenten leek geïnteresseerd in wat er zich afspeelde buiten hun kleine wereldje in het zand en stof van Athene.

Op pagina vier vond ze een klein artikel over de moorden waarover Ray haar door de telefoon had verteld, maar ze werd er niet veel wijzer van.

Gail legde de krant terug op de schoot van de man en tuurde weer uit het raampje. Heel even miste ze de Griekse zon en het werk waar ze zo van hield. Maar toen dacht ze aan Ray, haar lieve, tedere Ray. Als ooit een man geschikt was geweest als echtgenoot, dan was hij het wel, dacht Gail. Ze kon niet wachten om hem terug te zien.

Raymond Delaware stak de brug over de Cherwell over, dicht bij Parson's Pleasure, een afgescheiden gedeelte van de rivier dat al meer dan een eeuw dienstdeed als heiligdom voor nudisten, voor privégebruik door de docenten. Het was er stil om deze tijd, een troosteloze vrijdagavond. Het dichte wolkendek beloofde regen en de meeste studenten die nog in Oxford waren keken naar een vroege soap op de tv, waren op weg naar de pub of namen een snelle hap in The High of Cornmarket Street.

Ray had Gail meer gemist dat hij voor mogelijk had gehouden. Die zes weken dat ze in Griekenland had gezeten, hadden een eeuwigheid geleken. Hij wist nu dat ze heel bijzonder was, veel belangrijker dan de andere meisjes met wie hij was uitgegaan in zijn eerste twee jaar aan de universiteit. Hij wilde niet te ver vooruit denken of te serieus worden, maar aan de andere kant kon hij ook zijn gevoelens niet ontkennen.

Binnen een paar minuten bereikte hij het brede, door bomen omzoomde pad tussen de rivier en de doorweekte velden. Ray en Gail hadden hier al zo vaak gewandeld. Ze genoten vooral van deze omgeving hartje winter, in januari, als het ijzig koud was en ze zich dik moesten aankleden tegen de wind en de natte sneeuw. De vorige winter had het in Oxford zwaarder gesneeuwd dan iemand zich kon herinneren, en zelfs de Cherwell was gedeeltelijk bevroren. Het pad had een spookjeslandschap geleken. Maar zelfs nu, met de druipende bomen en de zware atmosfeer, die zwanger was van een naderende stortbui, had het gebied een ondefinieerbare charme.

Achter zich hoorde hij een geluid als van een brekende tak. Toen hij zich omdraaide voelde Ray opeens een brandende pijn in zijn hals. Geschrokken greep hij naar zijn keel. Bloed gutste tussen zijn vingers door en hij staarde een volle seconde stomverbaasd naar het rode vocht. Toen werd zijn hoofd achterover gerukt. De takken van de bomen zwiepten voor zijn ogen langs en hij kreeg geen lucht meer. Bloed stroomde over zijn gezicht, in zijn neus en zijn ogen, en verblindde hem. Hij verloor zijn evenwicht en leek een moment door de lucht te zweven, heen en weer geslingerd tussen paniek en verbazing, totdat hij met een klap op de grond terechtkwam en met zijn hoofd pijnlijk tegen een grote steen sloeg. Hij probeerde zich om te draaien en overeind te krabbelen, maar een hand duwde zijn gezicht omlaag. Toen voelde hij nog een steek, als van een gloeiende dolk. Hij trilde nu over zijn hele lichaam en het galmde in zijn hoofd.

Op de een of andere manier wist Ray een hand op te tillen en ermee over zijn ogen te wrijven. Hij ving een glimp op van een gedaante die over hem heen gebogen stond, maar het gezicht van de figuur was een onduidelijk masker. De schim richtte zich weer op en keek op hem neer. Toen werd alles zwart.

Gail zag de bus wegrijden en keek op haar horloge. Het was negen minuten voor halfzeven. Ze was twintig minuten te vroeg. Haar benen waren stijf en ze was blij om weer frisse lucht in te ademen. Omdat ze zich te ongedurig voelde om bij de bushalte op Ray te wachten, besloot ze hem tegemoet te lopen over Mesopotamia Walk. Ray zou wel vroeg zijn, dus kon ze hem tegenkomen op het pad, heel romantisch. Misschien werd het wel zo'n hollywoodkus in de regen, dacht ze met een glimlach toen ze de rugzak over haar schouders slingerde. Ze liep door Marston Road en sloeg linksaf het laantje in. Even verderop lag het eerste van de twee kleine bruggetjes over de smalle zijtakken van de rivier. Zodra ze de oude molen was gepasseerd, rechts van haar, zou ze op het brede pad langs de rivier komen, waar ze elk moment Ray verwachtte te zien.

Het begon te regenen en Gail versnelde haar pas. Ze stak het tweede bruggetje over en rende naar de beschutting van de bomen en de molen. Het grote houten rad, een overblijfsel van de industriële revolutie en nu onderdeel van een beschermd monument, stond stil. Het water stortte zich langs de roerloze schoepen. De regen kwam met bakken uit de hemel, kletterend op het pad en de bomen, wedijverend met het geluid van het stromende water door de stort en de smalle goot naast de molen. Gail trok haar rugzak wat hoger om de pijn in haar schouders te verlichten, nam een scherpe bocht in het pad en boog haar hoofd tegen de striemende regen.

Iets deed haar opkijken. Tien meter voor zich uit zag ze een surrealistisch tableau. Een soort zak, besmeurd met rode strepen, lag op de grond en eroverheen gebogen stond een man in een glinsterende natte plastic overall. Een perspexvizier verborg zijn gezicht en hij had een capuchon over zijn hoofd. In zijn hand hield hij een taps toelopend metalen voorwerp dat glansde in het zwakke licht.

Misschien twee seconden stond Gail als aan de grond genageld. Toen daagde het besef dat die zak op de vloer niets anders kon zijn dan Raymond: zijn levenloze lichaam, doorweekt met bloed. De man in het plastic pak had haar nu ook ontdekt.

Gail Honeywell trok de rugzak van haar schouders en liet hem op de grond vallen. Ze draaide zich op haar hakken om en ging ervandoor, voortgedreven door een oerinstinct, een blinde angst die haar keel dichtkneep. Ze rende zo snel als ze kon naar het pad langs de molen. Bijna had ze het gered. Maar de Acoliet was sneller. In de tijd die het Gail had gekost om te beseffen wat er gebeurde en haar zware rugzak op de grond te smijten had de Acoliet al bijna de tien meter overbrugd die hen scheidde.

Gail wist het bruggetje te bereiken. Ze hapte naar adem en rende harder dan ze ooit in haar leven had gelopen. Adrenaline pompte door haar aderen. Ze sprong op de brug en greep de leuning om op de been te blijven. Maar de houten planken waren glibberig van de regen. Halverwege raakte haar voet een plek met modder, en ze gleed weg. Bijna wist ze haar evenwicht te herstellen, maar op het laatste moment, toen ze dacht dat ze het gras aan de andere kant al had bereikt, sloegen haar benen onder haar vandaan. Ze viel op haar rug en voelde een scherpe pijn toen ze de leuning raakte.

Binnen twee seconden had de Acoliet zich boven op haar geworpen. Hij greep haar polsen, terwijl ze naar hem schopte en zich verweerde. Ze beet hem in zijn arm, maar haar tanden drongen niet door het harde plastic. Hij drukte haar met zijn knie tegen de grond. Gail probeerde te gillen, maar had niet genoeg lucht. Een rauwe, dierlijke kreet ontsnapte vanuit het diepst van haar maag. De Acoliet zocht snel in zijn zak en haalde er een rol dik plakband uit. Met geoefende vingers wikkelde hij het tape om de polsen van het meisje en plakte nog een strook over haar mond. Met zijn knie nog steeds hard tegen haar borst bond hij ook haar enkels aan elkaar.

Toen stond hij op en keek neer op Gail Honeywell. Een voldane glimlach gleed over het gezicht van de Acoliet. Gail zag het, van zo dichtbij, door zijn vizier heen. De man keek op zijn horloge. Het was een minuut over halfzeven. Hij moest drieënveertig minuten wachten voordat hij met de procedure kon beginnen, dus zou het meisje nog bijna drie kwartier in leven blijven. De Acoliet voelde een rilling van opwinding langs zijn ruggengraat glijden. 'Tijd genoeg om ons te amuseren,' mompelde hij.

37

Oxford, 30 maart, 21:15 uur

Laura en Philip zagen de dunne flarden van een donkere, violette hemel achter de rijtjeshuizen van Botley toen ze door Oxpens Road reden, allebei diep in gedachten. Philip maakte zich steeds meer zorgen over de beproeving die voor hen lag, terwijl Laura het idee niet van zich af kon zetten dat ergens, niet ver van waar zij nu reden, weer een dood meisje moest liggen, met een weggesneden galblaas.

Philip sloeg af en parkeerde op een vrije plek dicht bij Littlegate, ten zuidwesten van het centrum van de stad. Het was ongeveer twintig meter van de minst opvallende van de twee ingangen van de Trill Millstream, aan de rand van een grasveldje dicht bij een modern kantoorgebouw. Vanaf dat punt liep de beek bijna anderhalve kilometer onder de stad door, op een diepte van ongeveer tien meter, totdat hij weer aan de oppervlakte kwam op het terrein van Christ Church College, bij een ommuurd pad dat bekendstond als Deadman's Walk.

Philip stapte uit, haalde een grote canvastas uit de kofferbak en gaf die aan Laura. Daarna pakte hij een rugzak die hij over zijn schouder gooide voordat hij de kofferbak weer sloot. Het was rustig, geen mens te zien, toen ze de straat door liepen en via een hek op het grasveld kwamen. Een rij struiken verborg de ingang van de beek voor de straat.

Delen van de Trill Millstream waren ooit een open riool geweest en dus een gevaar voor de volksgezondheid. Maar halverwege de negentiende eeuw waren de bovengrondse trajecten overdekt en bebouwd. Het was een soort attractie geweest voor onverschrokken avonturiers, tot in de jaren zestig van de twintigste eeuw, toen de gemeenteraad van Oxford de beek voor het publiek had afgesloten en zware ijzeren hekken aan de beide uiteinden had laten plaatsen.

Er zat een klein poortje in het hek voor inspecties en onderhoudswerk, dat met een zware ketting en een hangslot was vergrendeld. De tunnel was ongeveer drie meter breed en misschien anderhalve meter hoog. De wanden waren nat en slijmerig. Het water, nog geen halve meter diep, sijpelde vanuit de opening in een grote metalen buis die in een flauwe hoek onder het grasveld verdween.

Laura gooide de canvastas neer en Philip legde zijn rugzak in het gras.

Laura maakte een grimas.

'Ik kan ook niet zeggen dat ik veel zin heb om daar in te kruipen,' zei Philip, 'maar we hebben geen keus.' Toen opende hij de klep van de rugzak.

Laura hurkte naast hem.

'Twee zaklantaarns plus reservebatterijen. Lucifers, onze mobieltjes, helemaal opgeladen, hoewel ik niet eens weet of we nog bereik zullen hebben zodra we door de ingang van de Wachters naar binnen zijn gegaan. Een eind touw, een padvindersmes, water, koekjes en twee extra truien.'

'Twee paar baggerlaarzen en het belangrijkste: twee grote kniptangen,' zei Laura, en ze ritste de canvastas open.

Philip pakte de kniptangen en liep naar het hek. Laura keek om zich heen, opeens nerveus. Binnen een paar seconden was de ketting doorgeknipt. Philip opende het deurtje en kwam terug naar Laura, die haar laarzen aantrok. Hij volgde haar voorbeeld en borg hun schoenen in de rugzak.

Tussen het hek en de tunnelopening was een soort kooi, waarin ze voorlopig voor het laatst rechtop konden staan totdat ze de verborgen ingang van de tunnel van de Wachters hadden gevonden. En zelfs dan hadden ze geen idee hoe het verder zou gaan. Laura hing de ketting zo terug dat hij nog intact leek en ze verstopten de canvastas in de schaduw van de opening, met wat bakstenen en een ijzeren pijp eroverheen.

'Klaar?' vroeg Philip.

'Het zal wel moeten.' Laura voelde haar hart bonzen.

Philip knipte zijn zaklantaarn aan en deed een paar aarzelende stappen de tunnel in. Hoewel hij diep bukte, raakte hij met zijn hoofd nog bijna het gewelfde dak. Laura keek naar de lichtjes van de stad en haalde diep adem. 'Au revoir,' zei ze zacht, voordat ze Philip volgde, het duister in.

Na de eerste scherpe bocht was het meteen aardedonker en kwam het enige licht van hun zaklantaarns. Laura had nooit last gehad van claustrofobie, maar nu voelde ze de klamme wanden op zich afkomen. Volgens Charlies kaart moest de ingang van het gangencomplex van de Wachters aan hun linkerhand liggen, drieënzestig passen vanaf de ingang van de Trill Millstream. Maar passen waren geen erg nauwkeurige maatstaf, dus moesten ze hun ogen openhouden.

Na een paar minuten hadden ze pijn in hun rug en was de stank bijna ondraaglijk. De wanden waren bedekt met schimmel en slijm. Opeens verbreedde de tunnel zich, maar de zoldering was nog steeds benauwend laag.

'Het kan niet ver meer zijn,' zei Laura.

Philip bleef even staan, leunde naar achteren tegen de glibberige stenen en liet zich wat zakken om de druk op zijn rug te verminderen. Hij stond zwaar te hijgen. 'Je, je hebt gelijk. Ik heb nu vijfenvijftig passen geteld, maar de mijne zijn langer dan de jouwe. Laten we maar langzaam verder schuifelen, met onze rug tegen de wand, dan kunnen we onze zaklantaarns op de andere muur richten.'

De wand gaf wat steun aan hun rug, maar niet lang. Het oppervlak was veel te ruw en scherpe stenen priemden in hun vlees. Zo geduldig mogelijk onderzochten ze de tegenoverliggende muur, maar na nog tien passen hadden ze in het licht van hun lantaarns geen enkele onregelmatigheid kunnen ontdekken in de oude wand.

'Dit heeft geen zin,' mompelde Philip. 'We hebben het over het hoofd gezien.'

'Ik voel me net Quasimodo,' antwoordde Laura. 'Oké, ik ga voorop.'

Langzaam schuifelden ze weer terug in de richting van de buitenlucht toen Laura opeens iets zag. 'Wat is dat?' zei ze. Haar stem echode door de tunnel. In het schijnsel van de zaklantaarn zagen ze een rode veeg, zo groot als een appel, ongeveer dertig centimeter boven het water. Ze richtten allebei hun lantaarn en zochten naar afwijkingen in de omgeving van de vlek. Er glinsterde iets in de rode cirkel. Philip waadde er wat dichter naartoe. Vlak bij het middelpunt van de cirkel glinsterde iets zilverachtigs.

'Wat is dat?' vroeg Laura.

'Ik weet het niet. Een dingetje van metaal. Wacht even.'

Philip viste zijn padvindersmes uit zijn achterzak en stootte zijn hoofd tegen het dak. 'O... fuck!' riep hij. 'Dat doet pijn.'

Hij negeerde de pijn, hurkte bij de wand en begon met het mes in de brokkelige wand te peuteren, binnen de rode cirkel. De steen liet zich verrassend gemakkelijk wegschrapen en het volgende moment zagen ze een zilverkleurig schijfje van ongeveer vijf centimeter doorsnee. Op het schijfje waren vijf vrouwenfiguren afgebeeld die een schaal omhooghielden met de zon. Het was een exacte kopie van het motief op de munten die bij elke moord waren achtergelaten.

Laura liet haar vingers over het glinsterende oppervlak glijden. 'Geen twijfel mogelijk,' zei ze grijnzend. Philip wilde net antwoorden, toen het metalen schijfje meegaf onder Laura's vingers en er een diep gerommel te horen was vanuit de wand. Ze deden allebei een stap terug. Er verscheen een zwarte streep naar het schijfje toe, die eromheen liep tot aan een punt op ongeveer vijftien centimeter boven het water. Langzaam verbreedde de streep zich toen de steen terugweek in het donker. Even later verstomde het gerommel en staarden ze naar een inktzwarte rechthoek, zo breed als Philips schouders. Ze richtten hun zaklantaarns op de opening en de duisternis maakte plaats voor een tunnel met stenen wanden die in de leegte verdween.

Laura stapte door het gat en liet het licht van haar lantaarn naar boven en om zich heen schijnen. Een gewelfd plafond verhief zich een meter boven haar hoofd. Philip kwam achter haar aan en ze richtten zich allebei op.

Laura slaakte een zucht van verlichting. 'Shit, dat was veel zwaarder dan ik had gedacht.'

'Wees maar blij dat je niet één meter vijfentachtig bent...' Philip zweeg halverwege zijn zin toen het gerommel weer begon. Ze draaiden zich haastig om en zagen dat de steen weer op zijn plaats schoof. Philip reageerde verbazend snel. Hij greep een grote steen en klemde die in de opening. Maar de deur schoof gewoon verder dicht en verpulverde de steen.

Laura voelde paniek opkomen.

'Het kan geen kwaad, denk ik,' zei Philip zo geruststellend mogelijk. Hij liet het licht van zijn zaklantaarn over de wanden spelen, die verrassend droog waren. 'De atmosfeer is hier veel droger dan in de tunnel. En in elk geval kunnen we weer rechtop lopen. Kom mee.'

Langzaam liep hij verder, terwijl hij de vloer en de wanden verkende en spinrag opzij sloeg. De duisternis was beangstigend en hij had grote moeite om zijn fantasie, die opeens allerlei griezelige mogelijkheden opriep, in toom te houden. Om zich te concentreren bestudeerde hij de muren en de beperkte wereld binnen de lichtcirkel van zijn lantaarn. Laura liep vlak achter hem en greep zijn hand. Hij hoorde haar ademen.

De wanden waren glad en veel droger dan in de tunnel van de Trill Millstream. De lucht was ook muffer en aardser hier; niet langer de stank van rottende groente en schimmel. Philip vervolgde behoedzaam zijn weg. Ze konden van alles tegenkomen: een gat in de vloer, een valkuil, wat voor gevaren dan ook. Het zou heel onverstandig zijn om overmoedig te worden. Ze moesten het rustig aan doen en goed kijken waar ze liepen, dacht hij.

De tunnel leek eindeloos door te gaan, zonder dat er iets veranderde. Hij was ongeveer drie meter breed, met gladde, gebogen wanden. De vloer bestond uit aangestampte aarde, droog en vlak.

Maar opeens verbreedde hij zich, zodat de lichtbundels van hun zaklantaarns alleen nog vage, verspreide lichtvlekken wierpen op de wanden links en rechts. Ze deden nog een paar stappen naar voren en beseften dat ze in een cirkelvormige ruimte stonden.

'Wat is dat?' Laura scheen met haar lantaarn naar een punt op de dichtstbijzijnde wand, op ongeveer hoofdhoogte. Daar zat een kleine metalen beugel met een oude, crèmekleurige kaars die half was opgebrand. Philip liet zijn lichtbundel over de wand glijden, van links naar rechts, en ze zagen nog meer kaarsen, op onderlinge afstanden van ongeveer drie meter.

'Zouden ze nog bruikbaar zijn?' vroeg Laura.

'Er is maar één manier om daarachter te komen,' antwoordde Philip. 'De lucifers zitten in het linker achtervak van de rugzak.'

Laura streek er een aan en sloop ermee naar de dichtstbijzijnde kaars. Hij sputterde en vonkte even, voordat de pit oplaaide in een rustig geel vlammetje. Even later hadden ze meer dan twintig kaarsen aangestoken.

Toen pas zagen ze hoe groot de ruimte was. Maar nog belangrijker was dat ze bij het licht van de kaarsen ook een groot aantal versieringen ontdekten, op de vloer, de wanden en de zoldering. De hele kamer was beschilderd met ingewikkelde afbeeldingen. Op het plafond was een voorstelling van een groot wit hert aangebracht, met een gewei van minstens drie meter lang. Andere dieren sprongen en dansten eromheen. Een wolf sloop dicht bij de onderrand van het gewelfde plafond, terwijl een vlucht vogels – grote, gouden adelaars – vanaf de andere rand boven het hert bleef zweven. Langs de zijkanten liep een fresco met een hele menagerie van wezens in warme kleuren: amber, rood, oker en prachtig koningsblauw.

De muren waren versierd met hele rijen alchemistische symbolen van verschillende grootte, geschilderd in zilver en goud. Sommige waren manshoog, vanaf de vloer tot halverwege het plafond, andere dicht opeen geplaatst en klein. De ronde vloer, ongeveer twaalf meter in doorsnee, vormde één enkele voorstelling van vijf maagden in mantels die een schaal met de zon omhooghielden.

Philip zette zijn rugzak op de grond en liep langzaam de kamer rond. Hij raakte een paar symbolen aan en hurkte toen op de vloer om de afbeelding te bestuderen. Laura ging in het midden op de grond zitten en tuurde omhoog naar de zoldering.

'Niet te geloven,' zei ze na een tijdje.

'Het lijkt wel iets uit *Indiana Jones*,' mompelde Philip bitter.

'En te bedenken dat waarschijnlijk maar een handvol mensen dit ooit heeft gezien.'

'En dat nog geen dertig meter boven ons hoofd de bussen door St.-Aldates rijden.'

'Wat zou het zijn?' vroeg Laura peinzend.

Philip haalde zijn schouders op. 'Ik denk dat het een ontmoetingsplaats voor de Wachters is... was. Wat denk jij?'

Maar Laura was net iets anders opgevallen. 'Kijk,' zei ze, 'daar zit een deur.'

Je zag het gemakkelijk over het hoofd omdat het niet meer was dan een omtrek in de stenen.

Philip haalde de fotokopie van Newton tevoorschijn. 'Dat moet de ingang zijn van het labyrint zelf,' zei hij.

Laura draaide zich om en bekeek het manuscript.

'Hier is de gang die vanuit de wijnkelder van Hertford College liep.' Philip bewoog zijn vinger vanaf de onderkant van het vel naar een deur die een complex netwerk van elkaar kruisende lijnen verbond. 'Wij zijn uit een andere richting gekomen omdat de oude tunnel is afgesloten. De Wachters moeten deze kamer na 1690 hebben gebouwd. Voorbij deze deur zouden we dus... hier moeten uitkomen. En daarachter ligt het labyrint.'

'Maar dan moeten we wel eerst die deur open krijgen.' Laura bukte zich om de symbolen voor haar uit te bestuderen. Philip maakte de riempjes van zijn rugzak los en pakte hun schoenen. Hij ging zitten en trok zijn laarzen uit. Laura deed hetzelfde, maar tuurde nog steeds naar de symbolen rond de deur. Philip gaf haar haar schoenen. Ze trok ze aan en strikte de veters zonder goed te kijken wat ze deed.

'Het is die spreuk van de Wachters: *Alumnus amas semper unicum tua deus.* "Adept, heb uw God altijd lief",' zei ze, wijzend naar één enkel zinnetje tussen alle symbolen en voorstellingen.

'En wat is dit?' vroeg Philip, doelend op een sleuf die als een kleine schoorsteen in de deur omhoogliep. Hij liet zich bijna tot op de grond zakken en keek erin. 'Het zit vol met spinrag, maar het lijkt een rijtje gekleurde trekkoorden.'

'Laat eens kijken.' Laura hurkte naast hem en veegde met haar zaklantaarn de spinnenwebben weg. Ze telde tien kleurige koorden.

'Die moeten gekoppeld zijn aan de kleuren van Charlies code: de kleurveranderingen die door de alchemisten werden gevolgd,' zei Philip.

Laura stak haar hand in de sleuf en greep het zwarte trekkoord, halverwege de rij. Het was gemaakt van zacht leer. Ze trok. Het kwam gemakkelijk omlaag en klikte weer vast op dertig centimeter vanaf zijn oorspronkelijke positie. Laura keek naar Philip en trok een wenkbrauw op. 'Nou, in elk geval is er niets ontploft.'

'Nog niet, nee...' antwoordde hij. 'Probeer de andere eens: wit, geel en rood.'

Ze hield zich aan de volgorde en trok eerst aan het witte en toen aan het gele koord. Ten slotte sloten haar vingers zich om het rode leren trekkoord en ze gaf het een rukje. Er klonk een holle klik, maar verder gebeurde er niets.

Laura kwam overeind terwijl Philip de rugzak optilde en de laarzen bij de deur wegschopte. Het bleef nog even stil, maar toen hoorden ze een soort gekraak. Het werd luider en ze deden een stap achteruit toen de stenen plaat de kamer in draaide. Erachter gaapte een donker gat.

'Daar gaan we,' zei Philip.

Zodra ze de deur door waren zagen ze twee oude toortsen van hout en lappen in houders tegen de muur. Laura pakte haar lucifers. De oude fakkels gaven niet veel licht en ze hadden nog steeds hun zaklantaarns nodig. Philip stapte voorzichtig naar voren.

Ze bevonden zich in een volgende stenen ruimte, maar veel kleiner dan de kamer die ze net hadden verlaten. Bovendien was deze ruimte rechthoekig, met een laag plafond. Recht voor hen uit zagen ze een boog, vol met spinrag. Ze richtten hun lantaarns op de doorgang. Erachter begon een gang die in de duisternis verdween. Een halve meter voor hen uit eindigde de vloer van de kamer, zonder enige waarschuwing. Laura slaakte een onderdrukte kreet en Philip greep haar arm.

'Wauw,' zei ze.

Ze lieten het licht van hun lantaarns over het gapende gat spelen: een afgrond van minstens zes meter breed, die het grootste deel van de kamer besloeg. Aan de andere kant was nog zo'n platform van een halve meter breed, voor een doorgang. Links en rechts liep de afgrond helemaal tot aan de wanden van de kamer. Het was een pikzwarte, diepe kuil, waarvan de bodem niet te zien was. Maar toen hun ogen aan het licht gewend waren zagen ze de vage omtrekken van zestien gekleurde cirkels, als stapstenen over de afgrond. Elke cirkel was de bovenkant van een smalle zuil die in de duistere diepte van de put verdween.

'Wat denk je?' vroeg Philip.

'Ik zie de zwarte, witte, gele en rode cirkel op ongeveer de juiste afstanden. Kom.' Voordat Philip kon reageren was Laura al op de zwarte zuil in de eerste rij gestapt.

Met één voet nog op de vloer dicht bij de deur en de andere op de zwarte cirkel leek het heel even of ze de juiste keus had gedaan, zodat ze snel de afgrond zouden kunnen oversteken. Maar zodra ze haar volle gewicht op de zuil liet rusten begon hij te verbrokkelen. Laura gilde en verloor haar evenwicht. De zuil viel weg onder haar voet. Ze draaide om haar as en Philip zag de blinde paniek in haar ogen toen ze met haar armen zwaaide, zonder houvast te vinden. Haar hand miste de rand van de kuil op minstens vijftien centimeter en ze stortte de leegte in.

38

Oxford, 30 maart, 21:35 uur

Monroe voelde zich behoorlijk depressief toen hij over The High reed, op weg vanuit de binnenstad naar Headington Hill. Er was weer een dubbele moord gepleegd. Hoewel het zijn vermoeden bevestigde dat Cunningham niet de dader kon zijn, betekende het ook dat er weer twee jonge mensen waren omgekomen, terwijl hij nog geen stap dichter bij de maniak was die dit alles op zijn geweten had. Het bewees ook zonder een spoor van twijfel dat Laura Niven en Philip Bainbridge vanaf het eerste begin gelijk hadden gehad met hun astrologische connectie. Deze laatste gruweldaad was gepleegd op het exacte tijdstip dat zij hadden voorspeld.

Hij drukte op een toets van zijn autotelefoon. De dienstdoende agent op het bureau nam bijna meteen op. 'Heb je Bainbridge al bereikt?' vroeg Monroe.

'Nee, inspecteur. Ik kreeg weer zijn voicemail.'

'Oké, probeer elke vijf minuten zijn mobieltje en zijn vaste nummer. Waarschuw me zodra je hem te pakken hebt.'

Vlak voor Headington Hill sloeg Monroe af naar Marston Road. Een paar honderd meter verder draaide hij naar links, een modderig pad op dat Kings Mill Lane heette. Hij zag het meteen, vijftig meter voor zich uit: de schijnwerpers en reflecterende jacks van zijn team. Drie politiewagens en een ambulance stonden langs de kant van het weggetje geparkeerd. Toen hij dichterbij kwam, zag hij een oudere man in de ziekenwagen zitten met een rode deken over zijn schouders en een zuurstofmasker voor zijn gezicht.

Monroe stopte naast de andere auto's en liep naar de ambulance. 'Wat is er hier gebeurd?'

De ziekenbroeder nam Monroe even apart. 'Die oude man heeft de lichamen gevonden, ongeveer veertig minuten geleden. Hij is in shock.' Monroe trok een wenkbrauw op. 'Hij zegt dat hij er vlak langs liep op weg naar Mesopotamia Walk vanaf Headington, maar pas later besefte dat er iets niet klopte. Op de terugweg naar huis keek hij nog eens, en... Kijkt u zelf maar, dan ziet u wel wat ik bedoel.'

Het weggetje was doorweekt door de zware regen en Monroes schoenen sopten in de modder. Hij had moeite om op de been te blijven. Maar een paar meter verder kwam het laantje uit bij een smal asfaltpad naar een oude molen en de route langs de rivier.

Tien meter voor hem uit had de technische recherche net een wit plastic zeil over het pad gespannen. Toen Monroe naderbij kwam, hield een jonge agent de flap voor hem omhoog. Monroe dook onder de stang door en richtte zich weer op.

Er waren twee schijnwerpers opgesteld die een fel citroengeel licht over de omgeving wierpen. Zes meter verderop hing nog zo'n wit zeil over het pad. Het begon weer te motregenen en de schijnwerpers deden de druppels glinsteren in de bleke nacht. Rechts zag Monroe een bankje naast het pad. Hij ving een glimp op van twee figuren die daar zaten, half verborgen achter iemand in een overall van de technische dienst. Toen de man zich oprichtte herkende Monroe een grimmige Mark Langham, die een stap terug deed om Monroe zijn eerste blik op het dode stel te gunnen.

Ze waren neergezet alsof ze elkaar omhelsden, met hun gezichten dicht bijeen en hun lippen bijna op elkaar. Een voorbijganger die niet echt oplette zou hen voor een vrijend stelletje hebben aangezien. Monroe voelde een golf van walging.

Hij boog zich naar het bankje en keek wat scherper. In het licht van de schijnwerpers had de huid van hun gezicht en handen een paarse tint. Hun dode ogen staarden in het niets. Ze waren allebei volledig aangekleed, maar hun kleren waren verfomfaaid en besmeurd. Gail Honeywell had haar linkerhand om Raymond Delaware's nek alsof ze hem naar haar lippen trok. Monroes keel werd dichtgeknepen toen hij de diepe, zwartrode snee in haar hals zag. Langham hurkte bij Monroe neer. 'Ze zijn al minstens twee uur dood,' zei hij. 'En kijk hier...' Hij wees naar een bloeddoordrenkte plek vlak boven de zoom van het openhangende jasje van het meisje. 'Dit moet de plaats zijn waar de moordenaar een orgaan heeft weggesneden. Ik neem aan dat het dezelfde dader is, met dezelfde werkwijze. En dan is er nog dit...' Voorzichtig draaide hij Gail Honeywells hoofd om.

De zijkant van haar gezicht was een lappendeken van diepe snijwonden. Brede stralen bloed liepen over haar hals en haar rechterschouder en hadden haar blouse rood gekleurd. Haar rechteroog was verdwenen.

'De hoeveelheid bloed wijst erop dat deze verwondingen pas na het intreden van de dood zijn toegebracht,' zei Langham. 'Dat is anders dan bij de eerdere moorden. Heel bizar.'

Monroe zei niets. Hij richtte zich op en staarde naar de levenloze gezichten van het jonge stel. Toen viel hem een doffe, versleten metalen plaquette op die tegen de houten rugleuning van het bankje was geschroefd. De plaquette moest al zo oud zijn als het bankje zelf. *O, rust wat. Want dit is een bijzondere plek om uit te rusten.*

'Heel geestig,' mompelde hij.

Monroe stond een paar passen bij de auto vandaan toen zijn telefoon ging.

'Rogers, inspecteur. Ik dacht dat ik u hiervoor wel kon storen. Ik kreeg net het rapport terug van het lab over het bloedspoor dat op de plaats van de tweede moord is gevonden.'

'En?'

'Het DNA komt volledig overeen. Het bloed is van Malcolm Bridges.'

39

Oxford, 30 maart, 22:15 uur

'Idioot!' De Meester keek hem woedend aan. Zijn ogen puilden uit hun kassen en het zweet liep over zijn wangen. 'Achterlijke... Je had alles kapot kunnen maken.' Hij sloeg de Acoliet hard in zijn gezicht.

Bijna verloor de Acoliet zijn zelfbeheersing. Zijn rechterhand trilde.

De Meester zag die onwillekeurige beweging en er kwam een smalende trek om zijn mond. Hij keek de Acoliet aan met een blik van onverholen dreiging. 'Wil je me soms slaan? Dat voel ik aan je. Of amuseer je je toch liever met jonge meisjes?'

De Acoliet zei niets en staarde strak voor zich uit.

De Meester sloeg hem opnieuw in zijn gezicht. Een rode striem verscheen op de wang van de man. Weer trof de hand van de Meester zijn gezicht, nog harder nu.

De Meester deed een stap naar achteren en nam de getrainde moordenaar onderzoekend op. Zijn mond vertrok van minachting en hij spuwde de Acoliet in zijn gezicht.

De Acoliet reageerde niet, zelfs niet toen het speeksel over zijn wang droop.

'Verdwijn... smerig zwijn dat je bent,' zei de Meester. 'En als je me nog eens zo'n streek levert, zal ik je erger te grazen nemen dan jij Gail Honeywell te grazen hebt genomen.'

40

Oxford, 30 maart, 22:18 uur

Met een bliksemsnelle reflex dook Philip naar voren om Laura's arm te grijpen toen ze viel. Hij zette zich schrap tegen de rand van de kuil en sleurde haar met moeite weer omhoog. Ze beefde over haar hele lichaam toen ze op het smalle platform zat. Philip kwam naast haar zitten. 'Een beetje dom,' zei hij, terwijl hij zijn arm om haar schouders legde. Laura kon geen woord uitbrengen.

Hij pakte de fles water uit zijn rugzak. 'Hier, drink wat.'

'Jammer dat je niks sterkers hebt.' Ze grijnsde even, nam een flinke slok en veegde haar mond af toen ze de fles teruggaf. 'Dank je wel,' zei ze, en ze liet haar hoofd op haar knieën zakken.

'Het is al goed. Ik had toch geen zin om in mijn eentje verder te gaan.'

Laura glimlachte bleek. 'Maar wat nu?'

'Goede vraag.'

'Ik was ervan overtuigd dat de route iets te maken moest hebben met die alchemistische kleuren.'

Philip haalde zijn schouders op.

'In omgekeerde volgorde, misschien? Anders slaat het nergens op.'

'Oké, maar hoe komen we daarachter?'

'We gebruiken de rugzak.'

'Maar die is niet zwaar genoeg, en als we hem kwijtraken...'

'Beter dan dat we zelf in dat gat vallen.'

Philip pakte de tas. Hij liep naar de rand van de afgrond en legde de rugzak voorzichtig op een rode cirkel naast de plek waar de zwarte zuil had gestaan. Langzaam liet hij hem los en stapte achteruit. Er gebeurde niets.

'Goed,' zei hij, en hij tilde de tas weer op. 'Maar ik ben nog niet overtuigd. Laten we het touw gebruiken. Bind het om je middel, dan maak ik het vast aan die haak in de muur om te zien of die sterk genoeg is. Als hij je gewicht houdt, dan is het goed. Zo niet, dan vang ik je wel op.'

Laura wikkelde het touw in twee lussen om zich heen en Philip legde een stevige knoop. Toen gooide hij het andere eind over de haak in de wand en zette zich schrap op de rand, met zijn voeten gespreid. Laura liep voorzichtig naar voren en zette één voet behoedzaam op de rode zuil. Ze ademde zwaar en zweet parelde op haar voorhoofd. 'Vooruit dan maar.'

Het ging goed. Triomfantelijk draaide ze zich om naar Philip en stak haar duim omhoog.

'Probeer de volgende,' riep hij tegen haar. 'Ik zal je wat meer speling geven.'

Laura tuurde naar het patroon van cirkels voor zich uit. In de tweede rij, tweede van links, zag ze een gele stapsteen. Zo voorzichtig als ze kon, zette ze haar voet erop. Even later slaakte ze een diepe zucht van opluchting.

'Ik zal eerst naar de overkant gaan,' zei ze. 'Het is te gevaarlijk voor ons om allebei op die stapstenen te staan.' Ze draaide zich om, keek weer naar de 'brug' van stapstenen en probeerde de witte zuil in de derde rij. Daar bleef ze even staan om diep adem te halen, voordat ze de zwarte stapsteen in de laatste rij koos. Een paar seconden later had ze de overkant bereikt.

'Oké, jouw beurt,' riep Laura, met bonzend hart.

Ze maakte het touw los en liet het vieren, zodat Philip aan de oversteek kon beginnen met de reddingslijn over de haak en om zijn middel geknoopt. Haar uiteinde van het touw bond Laura aan een haak in de wand naast de doorgang aan haar kant. Als een van de zuilen afbrokkelde, zou Philip zich aan het touw naar de overkant kunnen trekken.

Snel, maar zo voorzichtig mogelijk, volgde Philip dezelfde route die Laura had genomen: rood, geel, wit en zwart. Even later stond hij veilig naast haar.

'Jemig,' mompelde hij, terwijl hij het zweet uit zijn ogen veegde. 'Ik zou liegen als ik zou beweren dat het leuk was.'

Via de doorgang kwamen ze in een gangetje dat eerst scherp naar links boog en toen naar rechts. Na de tweede bocht kwamen Laura en Philip in een ronde ruimte, die werd verlicht door een schijnsel van boven. En dat niet alleen. Het hele plafond leek te stralen.

De zoldering was van massieve rots, maar op de een of andere manier leek de steen lichtgevend.

'Mijn god,' zei Philip, terwijl hij omhoog staarde. De steen was korrelig en gevlekt. Toen hij wat beter keek zag hij een laagje gele kristallen over het hele oppervlak. 'Het moet een soort kristal zijn met lichtgevende eigenschappen,' mompelde hij.

'Slim hoor, die alchemisten.'

'Het zal wel. Je begint je toch af te vragen...'

De kamer was leeg. In de wand tegenover de ingang zagen ze een volgende opening. Laura wierp een blik naar binnen. Er liepen gangen naar links en rechts. Tegen de wand voor hen uit zaten twee metalen schijfjes, elk ongeveer zo groot als een cd. In het linkerplaatje waren twee concentrische cirkels geëtst. Het plaatje rechts had een ander symbool, een cirkel met twee hoorns erboven en een kruis aan de onderkant.

'Enig idee?' vroeg ze.

Philip bestudeerde het Newtondocument. 'Die tekeningen staan hier ook. Kijk, vlak naast het labyrint.'

'Dat symbool links is het teken voor Sol, de zon. Het andere is zeker Mercurius?'

Philip knikte.

'Wat doen we nu? Volgen we de zon of Mercurius?'

'Wat zijn hun betekenissen?'

'Mercurius is de gevleugelde boodschapper. De zon is... nou... het licht? De oppervlakte, misschien?'

'Daar hebben we niet veel aan. Mercurius was niet alleen een godheid, maar ook een metaal: kwikzilver, het belangrijkste metaal voor de alchemisten, een van de drie basiselementen die waren gebruikt voor de schepping van de Aarde.'

'Deze kant op, dan?' Laura wees naar het gangetje rechts.

'Zou kunnen. Maar de zon is het middelpunt van alle dingen in de astrologie.'

De plafonds van beide gangen waren op dezelfde manier verlicht als de kamer achter hen. 'Ik zou voor links kiezen: de zon.'

'Oké.'

Laura ging voorop. Ze liepen heel langzaam. Na een paar meter boog de gang naar rechts, toen naar links, en even later kwamen ze bij een volgende splitsing. Hier vertakte de route zich in twee kleinere gangen, in een hoek ten opzichte van elkaar, de ene op tien uur en de andere op twee uur. Tussen de doorgangen stond een stenen zuil. Ongeveer ter hoogte van Laura's hoofd zat weer een schijfje. Het werd verdeeld door een verticale lijn. Links daarvan zagen ze het zonnesymbool, de cirkels die ze al eerder waren tegengekomen, maar rechts was een ander teken in het metaal gegraveerd. Het leek op een letter 'h' met een horizontale lijn erdoorheen.

'Wil dat zeggen dat we steeds het symbool voor de zon moeten volgen? Dat kan niet de bedoeling zijn,' zei Laura fronsend.

'Nee, dat voelt niet goed,' beaamde Philip.

'Dat betekent dat we nu die kant moeten nemen...' ze wees naar de gang rechts, 'of terug moeten gaan naar die eerste twee symbolen om toch de andere route te kiezen.'

Laura pakte het Newtondocument uit Philips hand en liet zich op de grond zakken, leunend met haar rug tegen de stenen zuil tussen de twee gangen. Het licht vanuit de zoldering was helder genoeg om bij te lezen.

'Wat voor informatie hebben we tot nu toe gebruikt?' vroeg Laura. 'De kleurcode? Daar zijn we al twee keer van uitgegaan, maar die lijkt nu niet van toepassing. Kwikzilver is een metaal, maar de andere symbolen zijn Mars en de zon, dus hier zal wel de planeet Mercurius worden bedoeld en niet het metaal.'

Philip hurkte naast haar. 'En de positie van de symbolen?' zei hij peinzend. 'Misschien worden we daar iets wijzer van.'

Ze tuurden allebei naar het papier om de posities van de symbolen te verbinden aan het schema van het labyrint dat Newton uit het origineel had overgeschreven.

'Nee, het zit niet in de posities,' zei Laura opeens. 'Het gaat om de relatie met de bezwering. Kijk hier.' Ze wees op de Latijnse regels die ze met behulp van Charlies code hadden gevonden. Philip zocht in zijn zakken naar de vertaling die ze de vorige avond hadden uitgeschreven:

Gij zijt Mercurius, de machtige bloem,
Gij zijt de eerbiedwaardigste;
Gij zijt de Bron van Sol, Luna en Mars,
Gij zijt de Vorst van Saturnus en de Bron van Venus,
Gij zijt Keizer, Prins en hoogste Koning,
Gij zijt Vader van de Spiegel en Schepper van Licht.
Gij zijt hoofd en hoogste en schoonste om te zien.
Allen loven u.
Allen loven u. Brenger van waarheid.
Wij zoeken, wij smeken, wij verwelkomen u.

'Ja... "Gij zijt Mercurius, de machtige bloem,"' las Laura hardop. 'En de derde regel... "Gij zijt de Bron van Sol, Luna en Mars..." Dat is het. We hebben meteen al de verkeerde aftakking genomen. We hadden Mercurius moeten volgen, het gangetje naar rechts.'

Terug bij de doorgang vanuit de ronde stenen kamer bleven ze nog even staan bij de twee schijfjes aan de wand en vertrokken toen door de gang voor hen uit, die naar rechts boog vanuit de kamer. Even later kwamen ze bij een T-splitsing. Op de wand tegenover hen zaten weer twee schijfjes. Het rechterplaatje had het symbool van Venus, een cirkel met een kruisje eronder. In het linkerplaatje was het teken voor de zon gegraveerd.

'Het labyrint moet nog vier splitsingen hebben,' merkte Philip op, 'met symbolen voor de maan, Mars, Saturnus en Venus, in die volgorde. We hadden onmogelijk de weg kunnen vinden zonder dit document.' Hij ging voorop door de linkergang.

De tunnel naar de volgende splitsing kronkelde alle kanten op en leek eindeloos door te gaan totdat ze bij een steile helling kwamen. Toen ze eindelijk boven waren, stonden ze te hijgen en te zweten. Philip steunde met zijn handen op zijn knieën. Laura wiste het zweet uit haar ogen en keek naar de twee plaatjes tegen de wand, die de volgende afslag bepaalden. Op het rechterschijfje stond een sikkel, het symbool van de maan. Midden in het linkerschijfje was het teken voor Mercurius afgebeeld.

Ze bleven nog even staan om op adem te komen voordat ze de vierde vertakking namen. Nu ging Laura voorop, totdat ze het symbool van Mars vonden, een cirkel met daarop een pijltje naar rechts. Ze volgden de route, die opeens weer steil afdaalde. Beneden kwamen ze uit in een ruime gang van ongeveer vier meter breed. Aan het eind was een wand met drie openingen. Links van de eerste zaten drie plaatjes tegen de muur, met de symbolen van Mercurius, Jupiter en de zon.

'De middelste,' zei Laura beslist, en ze namen een smalle gang, niet veel breder dan Philips schouders. De tunnel liep enigszins omlaag en kwam uit in een ronde ruimte met een koepelplafond. Op regelmatige afstanden rond de kamer zagen ze zes uitgangen. Links van elke opening waren de bekende schijfjes aangebracht. Elk plaatje had een ander symbool, dat een van de planeten uit de bezwering vertegenwoordigde. Tweede van links was de uitgang met het teken van Venus.

Philip deed zijn rugzak af en gaf de waterfles aan Laura. Terwijl ze een paar slokken nam keek hij op zijn horloge. Het was dertien minuten over halfelf. Hij ritste nog een vak van de rugzak los en probeerde zijn mobieltje.

'Geen bereik, natuurlijk,' zei hij, en hij stopte het weer weg.

Laura probeerde haar eigen toestel. 'Nee, niets. Dat kon je verwachten. We zitten onder een rotslaag van vijfentwintig of dertig meter dik.'

Philip gooide zijn rugzak weer over zijn schouders. 'Oké?'

Laura knikte.

'Vooruit maar weer.'

De gang begon erg smal. Philip moest zijn rugzak weer afdoen en zijn ellebogen schuurden pijnlijk langs de grillige rotswand. Maar na een meter of tien werd de tunnel zo breed dat ze zelfs naast elkaar konden lopen.

De kristallen in het plafond zaten hier dichter opeengepakt en in deze tunnel was veel meer licht dan in de vorige. Ze versnelden hun pas. Recht vooruit zagen ze een doorgang naar een volgende kamer. Philip bleef abrupt staan en tuurde naar de grond. Laura liep een paar meter achter hem en zag dat hij naar iets op de aarden vloer keek. Langzaam deed hij nog een paar passen, zakte toen half door zijn knieën en bestudeerde de afdrukken. 'Kijk!' riep hij over zijn schouder. 'Het zijn Engelse woorden. Hier staat...'

Laura hoorde het zoevende geluid nog voordat ze de beweging zag. Het leek vanuit de wand rechts van hen te komen. Er klonken drie zware klappen en Philip werd ergens door geraakt, terwijl twee andere dingen langs hem heen scheerden en zich in de linkerwand boorden. Philip viel voorover en meteen was alles weer stil. Laura dook naar de grond en kroop naar hem toe. 'Gaat het?'

'Ik geloof het wel. Wat is er gebeurd?'

Op de vloer, links van hem, zag Philip twee gebroken pijlen liggen, allebei nauwelijks tien centimeter lang. Twee andere staken uit zijn rugzak. 'Plat tegen de grond,' hijgde hij, terwijl ze langzaam naar de opening kropen.

Aan de andere kant van de doorgang ging hij voorzichtig rechtop zitten en trok een van de pijlen uit zijn rugzak. 'Dat had verkeerd kunnen aflopen,' zei hij, terwijl hij het ding wegsmeet.

'Die rugzak heeft je leven gered.' Laura inspecteerde de scherpe punten van de andere pijlen. Wat zag je nou op de vloer?'

'Een paar woorden in het Engels. In gouden letters: "Alleen wie zuiver is mag hier passeren."'

Laura keek hem in zijn ogen en wilde net iets zeggen toen ze allebei een vaag gerommel voelden, nog voordat ze het hoorden. De wanden leken te vibreren, seconden lang. Laura en Philip doken naar de tegenoverliggende wand en klampten zich aan elkaar vast. Stof en gruis daalden neer vanuit het plafond en dwarrelden in hun haar. Voordat het gerommel was verstomd, voelden ze een luchtstroom langs hen heen gaan, alsof elke molecuul zuurstof uit de ruimte werd weggezogen. Een zwaar blok steen stortte uit de zoldering van de doorgang omlaag en kwam met een klap op de stoffige vloer terecht. Ze waren ingesloten.

41

Oxford, 30 maart, 22:38 uur

Monroe keek op de klok aan de muur van zijn kantoor en zag de seconden wegtikken. Hij had net een stuk of tien agenten naar drie verschillende punten in Oxford gestuurd om Malcolm Bridges op te sporen: zijn kleine flat in Iffley Road, Lightmans huis in Park Town in het noorden van de stad en zijn kantoor op de psychologische faculteit. Maar hij verwachtte niet de man te vinden.

Bridges was dus op de plaats van de tweede moord geweest. Hij had geen waterdicht alibi voor dat tijdstip, maar wel voor de eerste moord. Dus moest hij met iemand samenwerken. Maar op de een of andere manier klopte dat niet met Monroes instinct. Bovendien was er geen enkel bewijs dat die theorie kon ondersteunen.

Dus wat was de situatie? Nog een moord, een reeks van in totaal vier incidenten, zes vermoorde jonge mensen... en wat wist hij nu helemaal? Bridges moest erbij betrokken zijn, maar hij kon niet in zijn eentje hebben geopereerd. En vanavond, kort na middernacht, zou er weer een moord worden gepleegd. Hoe kon hij dat voorkomen, tenzij hij Bridges te pakken kreeg? En het was nog maar de vraag of de arrestatie van Bridges de volgende moord zou kunnen tegenhouden. Monroe wreef in zijn ogen en voelde zich opeens doodmoe.

De telefoon ging. 'Monroe,' zei hij vermoeid.

'Howard hier.'

'Ik hoop dat je goed nieuws voor me hebt.'

'Nou, ik heb wél nieuws,' antwoordde Smales. 'Maar ik weet niet wat ik ervan moet denken. Het materiaal heeft nogal... hoe zal ik het zeggen?... gevoelige identificatie opgeleverd.'

42

Oxford, 30 maart, 22:43 uur

Laura en Philip zaten in het pikkedonker. De lage zoldering van deze ruimte had geen lichtkristallen en toen de grote steen voor de ingang was neergeploft, had hij ook het schaarse licht vanuit de gang afgesneden. Philip zwaaide zijn rugzak van zijn schouder en vond de rits. Hij stak zijn hand erin, zoekend naar de zaklantaarns. Nog in de tas knipte hij ze al aan, voordat hij ze eruit haalde en er een aan Laura gaf. Ze lieten zich allebei tegen de wand zakken en richtten hun lichtbundels door de ruimte. Ten slotte stond Philip op om de plek te inspecteren waar daarnet nog een doorgang was geweest. Hij liet het licht van de zaklantaarn over de gladde steen glijden. Er was zelfs geen naad te zien. Het stenen blok paste precies.

Laura liep naar de andere kant en richtte haar zaklantaarn op de stenen wand, de vloer en de zoldering. De kamer was niet meer dan vier bij vier meter en had een laag plafond. Opeens vroeg ze zich af of er wel genoeg zuurstof zou zijn. En toen, met een schok, ontdekte ze een afwijking in de gladde rots. Het was een inscriptie, de inmiddels bekende frase: *Alumnus amas semper unicum tua deus.*

'Philip, kijk.' Ze bukte zich om de tekst wat beter te bestuderen en betastte de letters met haar vingertoppen. De woorden waren gevormd uit metaal en staken ongeveer twee millimeter uit de wand.

Toen ze wat harder drukte verdwenen de letters naar binnen. Ze sprongen weer terug zodra Laura ze losliet.

'Het wordt steeds vreemder,' zei ze.

Philip drukte ook op een paar letters en zag ze weer terugspringen. 'Zou het een soort code zijn, een combinatieslot?' vroeg hij. 'Als we de juiste volgorde weten, komen we hier misschien weer uit.'

'Dat is wel te hopen, verdorie,' antwoordde Laura grimmig. 'Maar hoe komen we in vredesnaam achter de juiste combinatie? We kunnen het niet raden; er zijn letterlijk miljarden mogelijkheden.'

'Nee, dat is duidelijk. Raden heeft geen zin. Die woorden hebben natuurlijk een verborgen betekenis. "Adept, heb uw God altijd lief." Dat moet op de een of andere manier de sleutel zijn.'

Laura kneep in de brug van haar neus en sloot haar ogen. Toen ze weer opkeek waren haar ogen bloeddoorlopen, en Philip besefte hoe hard ze zich al die tijd had ingespannen.

'Oké, we moeten iets bedenken. Hoe lang hebben we nog voordat we stikken?' vroeg Laura.

'Dat dacht ik ook, op het moment dat die steen naar beneden kwam,' antwoordde Philip. 'Voelde jij ook hoe de lucht naar buiten werd gezogen? Anders hadden we het hier wel uren kunnen volhouden. Maar volgens mij begint de atmosfeer nu al ijl te worden, als ik eerlijk ben.'

'Ja, dat gevoel heb ik ook.'

'We moeten proberen rustig te ademen en kalm te blijven. Het laatste wat je moet doen is je hartslag verhogen.' Hij keek Laura aan, die er behoorlijk overspannen uitzag.

'Ik bén kalm!' snauwde ze. 'Oké, laten we ons concentreren op die verrekte inscriptie.'

Systematisch probeerde ze een aantal verschillende combinaties, maar niets werkte. Opeens kreeg ze het benauwd, en voordat ze wist wat ze deed begon ze woest te vloeken en met haar vuisten op het metaal te beuken.

Philip was in twee stappen bij haar en trok haar handen weg voordat ze zichzelf kon verwonden. Laura zakte snikkend in zijn armen. Hij drukte haar tegen zich aan en kuste haar zachtjes op haar wang.

Hij voelde hoe ze beefde en wist dat hij haar moest laten uitrazen. Na een paar seconden nam hij haar mee naar de wand dicht bij de afgesloten doorgang en liet haar op de grond zakken voordat hij naast haar kwam zitten.

'Hier komen we niet meer uit,' snikte ze.

'Natuurlijk wel, rare...'

'Philip, er is niet genoeg lucht. De zuurstof raakt op, ik merk het.'

Dat kon hij niet ontkennen. Alleen al de afgelopen twee minuten leek de lucht ijler te zijn geworden en kreeg hij steeds meer moeite met ademhalen. Hij hield haar nog steviger in zijn armen.

Ze zwegen een moment. Laura snikte niet langer, maar hield haar hoofd tegen Philips borst. 'Ik heb er echt spijt van, weet je dat?' zei ze zacht.

'Spijt waarvan?' vroeg hij, maar hij wist precies waar ze het over had.

'Je weet wat ik bedoel, Philip. Ik hoef het toch niet te spellen?'

Hij zweeg.

Laura haalde haar hoofd van zijn schouder. 'Het... het leek me gewoon het verstandigst, op dat moment. Ik dacht niet dat we samen een toekomst hadden. Dat zag ik verkeerd. Ik had moeten blijven. Ik had met je moeten trouwen.'

Philip voelde zich opeens verloren. Dagenlang waren ze al samen bezig met de oplossing van het mysterie van de moorden, en daarna waren ze door de wringer gehaald in dit stinkende hol onder de Bodleian Library. Toch duurde het maar even voordat al die oude emoties weer bovenkwamen. Bijna twintig jaar had hij geprobeerd ze te onderdrukken en daar was hij grotendeels in geslaagd, vond hij. Steeds als Laura terugkwam naar Engeland of als hij zelf in New York was, sprongen de oude wonden weer open. Dat vond hij ellendig, maar hij kon nu eenmaal niet leven zonder Laura en Jo zo vaak mogelijk te zien. Eén moment wist hij geen woorden te vinden. Wat moest hij zeggen?

Hij nam Laura's gezicht aandachtig op. In het vage licht van de zaklantaarn zag hij de sporen van haar tranen. Haar mascara was doorgelopen. Toen, opeens, voelde hij haar lippen op de zijne, haar

haar tegen zijn wang, haar warmte, haar vertrouwde nabijheid. Dat alles had hij zo gemist. Maar veel te snel deinsde ze weer terug. Ze keken in elkaars ogen.

'Wat...?' vroeg hij.

'Ik wilde alleen je adem stelen.'

Philip lachte. 'Van mij mag je, Laura.'

Ze legde een vinger tegen zijn lippen en glimlachte. Toen boog ze zich naar voren om hem weer te kussen.

Een ogenblik later slaakte ze een kreet, nog steeds met haar lippen op de zijne. 'Dat is het!'

Zonder iets te zeggen, liep Laura naar de tegenoverliggende wand, hurkte bij de letters en stak haar vinger uit. Ze drukte er vijf in, bewoog haar hand toen snel van links naar rechts totdat ze bij de 'm' van *unicum* kwam, trok haar hand terug en drukte met een zwierig gebaar op die laatste letter. Philip kon een lachje niet onderdrukken.

Ze wachtten een paar lange, angstige seconden. Toen hoorden ze een zacht piepje, gevolgd door een krakend geluid in de wand haaks op de oorspronkelijke opening. Een paar zenuwachtige hartslagen later opende zich een spleet in de wand. Langzaam gleden er twee grote stenen platen omhoog en verdwenen in gleuven in de zoldering. Philip greep de rugzak en ze doken zo vlug ze konden door de nieuwe opening.

43

Oxford, 30 maart, 22:45 uur

Op het moment dat Monroe weer ophing werd er op de deur geklopt. Hij was nog zo verbijsterd door wat hij net had gehoord, dat het een paar seconden duurde voordat hij zich kon concentreren op de omvangrijke gestalte van agent Steve Greene die naar zijn bureau toe liep.

'Inspecteur, dit is een uur geleden binnengekomen. Met excuses van Chatwin, want hij was het vergeten... drukke avond en zo. Ik heb het net van hem gekregen. Het was blijkbaar bezorgd door een koerier.'

Op de voorkant stond zijn naam getypt: *Inspecteur Monroe, politiebureau Oxford.* Daaronder het woord 'dringend', geschreven in rode hoofdletters. Monroe schudde zuchtend zijn hoofd. Toen scheurde hij de envelop open. Er zat maar één vel papier in. Hij wierp een snelle blik op de tekening, een onoverzichtelijk complex van kruisende lijnen, als het schema voor een ingewikkelde elektrische schakeling. Daarnaast stond een ratjetoe van Latijnse woorden en bizarre symbolen. Monroe las de boodschap in het Engels, die boven aan het vel geschreven was.

44

Oxford, 30 maart, 23:10 uur

Ze bleven in de gang staan, diep voorover, met hun handen op hun knieën, wachtend tot ze weer een beetje op adem waren gekomen.

'Wat had je nou bedacht?' hijgde Philip.

'Het lag eigenlijk wel voor de hand... Goud.'

'Kun je iets duidelijker zijn?'

'*Aurum*, het Latijnse woord voor goud. Dat hadden de Wachters gespeld in die mysterieuze frase. *Alumnus amas semper unicum tua deus.* De "a" en de "u" uit *alumnus*, de "r" uit *semper* en de "u" en de "m" uit *unicum.*'

'Laura, je bent een genie,' zei Philip.

'Ik weet het.'

'En het is prettig dat je er met je aandacht helemaal bij was toen je me kuste.'

'Ik ben een vrouw, Philip, ik heb geen probleem met *multi tasking*,' antwoordde ze grijnzend.

Voor hen uit, een meter of twintig verderop, was een deur. Hij stond op een kier en er viel licht naar buiten, de gang in.

Ze slopen langs de wand naar de kier toe en keken voorzichtig naar binnen.

De kamer werd verlicht door een kroonluchter met kaarsen, onder het midden van een gewelfd plafond. Aan de andere kant stond een groot gouden pentagram, ruim twee meter in doorsnee, dat rustte op een platform vlak bij de tegenoverliggende muur. Rechts van het pentagram zag Laura een glazen deur in de wand. Het leek wel een grote koelkast, alsof het glas was bedekt met een laagje ijs.

Bij het pentagram stonden twee mannen in lange, zwarte mantels, met de capuchons naar achteren geworpen in hun nek. De man rechts boog zich naar voren om wat aan de metalen constructie te veranderen.

Laura wilde zich net omdraaien om iets tegen Philip te fluisteren, toen de toorts die ze in haar hand hield uit haar vingers gleed en met een klap op de grond terechtkwam. Haastig deed ze een stap naar achteren, terwijl ze een verwensing mompelde.

'Laura, ik ben blij dat je bent gekomen,' klonk een bekende stem vanuit de kamer.

Laura voelde een schok van afschuw door zich heen gaan, een zuiver fysieke reactie, heftig en onmiddellijk. Ze draaide zich om naar Philip, die haar stomverbaasd aanstaarde. Laura sloot haar ogen toen de pijn van het besef haar met volle kracht raakte. Philip dacht dat ze in huilen zou uitbarsten, maar in plaats daarvan keerde ze zich op haar hakken om en liep de kamer binnen.

James Lightman maakte een belachelijk ontspannen indruk, alsof ze elkaar ontmoetten in de salon bij hem thuis of in een lunchroom in The High. Hij stond met zijn handen voor zijn middel gevouwen en leek vervuld van zelfvertrouwen en energie. Zijn intense bruine ogen glinsterden in het kaarslicht. Naast hem stond Malcolm Bridges, die uitdrukkingsloos voor zich uit staarde. Door de schaduwen die over zijn gezicht vielen, deed de jongeman griezelig denken aan Magere Hein.

'Je komt op een heel bijzonder moment,' zei Lightman.

Laura voelde zich misselijk worden. 'Wat is dit, in godsnaam?' riep ze uit. Ze had een hoogrode kleur gekregen. 'Hoe kun je...'

Lightman viel haar in de rede, met een spoor van een glimlach op zijn gezicht. 'Je had toch wel een vermoeden, Laura? Jij, met je levendige fantasie?'

'Ja, van hém had ik het nog kunnen geloven.' Ze keek woedend naar Bridges, die onbewogen terugstaarde. 'Maar van jou, James? Waarom, in vredesnaam?'

'Waarom ik het eeuwige leven zou willen, Laura? Nou, laat me denken...'

'Maar occulte rituelen...'

'Het zou toch een saaie wereld worden als we allemaal in hetzelfde geloofden, vind je niet? Maar kom, genoeg hierover. Ik moet jullie allebei feliciteren dat jullie de proeven van de Wachters zo goed hebben doorstaan. Dat is maar weinigen gelukt. Ik had graag het document willen zien dat jullie daarbij hebben gebruikt, maar ik heb dat soort dingen niet meer nodig. Mijn taak zal spoedig zijn volbracht.' Hij gebaarde naar het pentagram.

'Zoals je al hebt ontdekt bij je onvermoeibare onderzoek, zal ik vanavond het laatste orgaan in mijn bezit krijgen en kan het echte werk beginnen. Het laatste element kan nu snel hier zijn.'

Laura wilde iets zeggen, maar Lightman hief zijn hand op. 'Ik weet zeker dat het heel belangwekkend is wat je te melden hebt, Laura, kind, maar mag ik eerst mijn verhaal afmaken? Het zal je interesseren. Kijk, jullie tweeën...' hij keek even naar Philip, 'zullen nooit het daglicht meer zien. Het is onmogelijk om dezelfde route terug te volgen door de tunnels van de Wachters, en er is maar één andere uitweg: de route van hier naar de bibliotheek. En ik alleen heb die plattegrond.' Hij tikte op zijn borst.

'De route die is aangelegd door John Milliner,' zei Laura.

'Mijn voorganger, in meer dan één opzicht.'

Laura keek verbaasd.

'Aha, nog een stukje van de puzzel dat jullie is ontgaan,' zei Lightman. 'John Milliner was niet alleen professor in de medicijnen aan de universiteit, maar ook hoofdbibliothecaris. Alle beheerders van de Bodleian Library waren leiders van mijn orde, de Orde van de Zwarte Sfinx, al minstens tien of twaalf generaties lang. Ieder van ons heeft iets toegevoegd aan het uitgestrekte netwerk van tunnels onder de bibliotheek. De bouw is lang geleden gestaakt, maar daarna hebben we allemaal een eigen versiering of andere verfijning aangebracht. Mijn eigen bijdrage is deze ingenieuze koel-vriescombinatie.'

'En hij is zeker jullie beul?' Laura knikte naar Bridges.

'Welnee, mijn slimme Laura,' zei Lightman. 'Daar vergis je je in, helaas. Malcolm hier heeft vele talenten, maar hij is niet jouw moordenaar. Dat was het werk van een andere jonge collega. Hij heeft in de loop der jaren talloze schuilnamen gebruikt, maar de universiteit kende hem als Julius Spenser. Voor de buitenwereld is hij een geniale psycholoog, die tegenwoordig in Amerika werkt. Althans, dat denkt de politie. Ik ben bang dat die arme inspecteur Monroe de laatste tijd niet veel geluk heeft gehad bij zijn inspanningen... Maar, lieve meid, ik kan je wel iets anders vertellen over mijn collega.'

Lightman deed een stap naar achteren en trok een pistool onder zijn mantel vandaan. Hij richtte het wapen op Bridges en zei koud: 'Malcolm, misschien kun jij zelf uitleggen wat jouw rol is in dit hele verhaal.'

Opeens was het stil in de kamer, zo stil als in een mausoleum. Hier, een meter of dertig onder de Bodleian Library, waren de geluiden van alledag – het gedruis van het verkeer, de stemmen en bezigheden van de mensen – verstomd. Dat was allemaal achtergebleven in de bovenwereld. Het leek wel of ze met hun vieren waren teruggereisd in de tijd. Afgezien van Lightmans koelinstallatie hadden ze in deze ruimte kunnen staan toen Milliner hier voor het eerst kwam, of toen Newton een heel andere verzameling menselijke organen hier bestudeerde.

Bridges sperde geschrokken zijn ogen. Langzaam en nadrukkelijk stak hij zijn handen op, terwijl hij van het gezicht van de oude man naar zijn wapen keek, en weer terug. Laura zag zweetdruppels op zijn voorhoofd.

'Wat?' zei hij, terwijl hij even zijn hoofd schudde. 'Wat bedoelt u precies...?'

'Je zult het natuurlijk niet graag toegeven...'

Philip wilde tussenbeide komen, maar Lightman keek hem woedend aan. 'Dit heeft niets met u te maken, mijnheer Bainbridge.' Hij gebaarde met het pistool naar Bridges. 'Nou?'

'Ik weet niet...'

'Malcolm, Malcolm,' zuchtte Lightman en hij schudde zijn hoofd.

'Mijn tijd is kostbaar. Laten we maar bij het begin beginnen. Ik zal je helpen. Ik weet namelijk meer van je dan jij misschien denkt. Ik heb heel veel nuttige connecties op allerlei interessante plaatsen. Zo weet ik bijvoorbeeld dat jij aanwezig was toen mijn collega... zullen we hem Julius noemen?... goed, toen Julius bezig was met het oogsten van de hersens. De politie heeft een miniem druppeltje van jouw bloed in het huis van het meisje aangetroffen. Toen, twee weken geleden, werd je op film vastgelegd terwijl je mijn studeerkamer thuis doorzocht. En ik heb bewijzen van heel belastende contacten tussen jou en je opdrachtgevers.'

Opeens leek Bridges een gedaanteverandering te ondergaan. Verdwenen was de bleke academicus, de vampierachtige medeplichtige aan een reeks gruwelijke moorden. De man die nu tegenover Lightman stond, leek veel gewoner. 'Je weet dus voor wie ik werk,' zei hij, terwijl hij Lightman strak aankeek. 'Jouw belastingen betalen mijn salaris. En als je werkelijk mijn berichten hebt onderschept, wat ik betwijfel, weet je dat ze naar Millbank gaan. Ik was inderdaad in het huis van het vermoorde meisje, in de hoop dat ik Spenser nog zou kunnen tegenhouden. Helaas kwam ik te laat om haar leven te redden. Ik zag hoe hij haar opensneed. En nu ben ik hier, om te voorkomen dat jij je werk zult afmaken.'

Lightman lachte kort en ijzig. Maar Laura voelde dat zijn ogenschijnlijk onaantastbare zelfvertrouwen toch een paar barstjes vertoonde.

'Ach, de zelfverzekerdheid van de jeugd,' zei hij. 'Wat heb ik daar een bewondering voor. Maar ik vrees dat je te laat bent, jongeman. Natuurlijk kon je ons niet eerder aanpakken, omdat er geen bewijzen waren. Julius is heel grondig. Wat zouden jouw superieuren hebben gezegd als je met een kletsverhaal bij hen was gekomen dat de hoofdbibliothecaris van de Bodleian – die zo geheimzinnig is verdwenen – in werkelijkheid de leider was van een occulte groep die de diensten van de Heer der Duisternis wilde inroepen met een misdadig ritueel? Maar terwijl ik dit zeg, is Julius al bezig met het oogsten van het laatste element.'

Bridges zei niets en liet langzaam zijn handen zakken.

'Dat zou ik niet doen. Houd ze omhoog,' snauwde Lightman, en hij maakte weer een beweging met het pistool. Bridges gehoorzaamde. 'Goed,' vervolgde Lightman met een snelle blik naar Laura en Philip, 'jullie denken misschien dat ik een zwakke oude man ben, maar koester vooral niet de illusie dat je me kunt overmeesteren. Ik ben een uitstekend schutter en in veel betere conditie dan ik lijk.' Hij haalde diep adem. 'Ga daar zitten, als je wilt.' Hij wees met het wapen in de richting van het pentagram.

'James, vind je niet dat dit ver genoeg is gegaan?' zei Laura.

'Ik geloof dat je het niet echt begrijpt, Laura,' antwoordde Lightman. 'Dit is geen spelletje. Dit is dodelijke ernst. Ik heb de afgelopen tien jaar van mijn leven besteed aan de voorbereiding van dit uiterst delicate proces, en vanavond zal de climax en bekroning worden van dat werk. Ik kan niet toestaan dat jullie roet in het eten gooien. Doe alsjeblieft wat ik vraag.' Hij legde een hand op Laura's schouder om haar naar de andere kant van de kamer te loodsen, maar ze rukte zich nijdig los.

'Ik kan dit niet van jou geloven,' siste ze.

Philip pakte haar arm en Lightman bracht het drietal naar het platform met het pentagram. Op de vloer stond een gereedschapskist. Lightman opende het deksel. In de kist lagen een tang, een paar schroevendraaiers, een verzameling sleutels, bouten en moeren, en een rol hobbytape. Hij pakte de rol en gaf hem aan Laura.

'Bind hun polsen aan het pentagram. Ga zitten, jullie. Daar,' zei hij tegen de twee mannen. Hij drukte het pistool tegen Bridges' rug, hard genoeg om hem de loop tussen zijn schouderbladen te laten voelen.

Philip deed zijn rugzak af en legde hem vlak bij zich voordat hij op de stenen vloer ging zitten. Lightman liep om de achterkant van het pentagram heen, met zijn pistool nog steeds op hen gericht. Hij schopte Philips rugzak weg en keek hoe Laura bij Philip neerhurkte en tape om zijn polsen wikkelde. Lightman controleerde de stevigheid terwijl Laura naar Bridges liep en bij hem hetzelfde deed.

'Ga zitten, alsjeblieft, Laura,' zei hij toen ze klaar was. Daarna bond hij zelf haar polsen aan het pentagram.

'Goed. Nu heb ik nog veel te doen.' Lightman keek van de een naar de ander. Laura wendde vol walging haar hoofd af.

'Het is allemaal tijdverspilling, dat weet je toch?' Bridges' stem klonk rustig maar met gezag.

'Maak me niet kwaad, Malcolm,' snauwde Lightman. 'Hoewel je toch zult sterven, zijn er manieren om dood te gaan waar je liever niet aan wilt denken, dat verzeker ik je.'

'De inscriptie is vals.'

'Ach, meen je dat?'

'Charlie Tucker ontdekte wat jullie van plan waren en heeft een fout verwerkt in de gedecodeerde inscriptie. Hij was duidelijk een gelovige. Je hebt hem te vroeg vermoord, professor.'

Lightman staarde Bridges even aan. Toen hij eindelijk reageerde, klonk zijn stem merkwaardig bedeesd. 'Ik heb Tucker niet laten vermoorden.'

'Nou, wie het ook heeft gedaan, Charlie Tucker heeft jullie een waardeloze inscriptie nagelaten waarmee je nog geen kabouter kunt oproepen, laat staan Mefistofeles.'

Er brandde een duistere woede in Lightmans ogen. 'Denk maar wat je wilt, Malcolm,' schamperde hij. 'Je doet niets anders dan wat je in je handboek hebt geleerd. Ik zie het al voor me. Truc nummer 72: Probeer je tegenstander van zijn stuk te brengen met onthutsende maar onzinnige informatie.'

Bridges haalde zijn schouders op. 'Oké. Ik kan wel wachten.'

'O ja?' blafte Lightman en hij deed een stap naar voren. 'Wees daar maar niet zo zeker van.' En hij richtte zijn pistool op Bridges' hoofd.

'Nee!' gilde Laura. Lightman draaide zich om naar haar en Philip, zwaaiend met zijn wapen voor hun gezicht.

Toen lachte hij en stapte naar achteren om te kijken hoe ze aan het pentagram zaten vastgesnoerd. 'Wat een zielig stelletje zijn jullie.'

'Ach, houd toch je kop, James,' snauwde Laura terug. 'Als er íémand zielig is, ben jij het wel. Je bent volkomen gestoord.'

Lightman liep naar Laura toe, die tussen Bridges en Philip in zat, en boog zich naar haar toe, met zijn gezicht vlak bij het hare. Ze voelde zijn adem op haar wang.

'Je hebt geen enkel vermoeden, is het wel?' zei hij.

'Vermoeden? Waarvan?' vroeg Laura nijdig. 'Waar heb je het over, in godsnaam?'

'De identiteit van het laatste slachtoffer, natuurlijk.' Hij glimlachte.

Het duurde even voordat de betekenis van zijn woorden tot Laura doordrong.

'Aha, ik zie dat je het begrijpt,' zei Lightman koud. 'Je dochter zal worden gedood over...' hij keek op zijn horloge, 'ongeveer vijfenveertig minuten. Daarna zal Julius haar lever verwijderen en hier naartoe brengen.'

Een ijzige kou sloeg door Laura heen, als een poolwind. Ze voelde dat Philip naast haar aan de tape om zijn polsen rukte om zich te bevrijden van het pentagram.

'Spaar uw adem, mijnheer Bainbridge,' zei Lightman zacht. 'U wilt toch zeggen dat het me nooit zal lukken? Maar wie moet me tegenhouden? Monroe? Hij heeft geen idee.'

Laura was sprakeloos van angst en afgrijzen. Gedachten tolden door haar hoofd. Ze zag Jo alleen thuis zitten, in Woodstock, terwijl de kille Julius Spenser door de achterdeur naar binnen sloop. Philip had zijn ogen dicht en zijn lippen op elkaar geklemd. Hij zag doodsbleek.

'Jullie vragen je natuurlijk af waarom Monroe niet heeft geraden dat Jo mijn laatste slachtoffer zou zijn.' Niemand antwoordde, maar Lightman praatte rustig door. 'Onze inspecteur is wel een sukkel, maar toch was dit niet alleen *zíjn* fout. Het punt is dat Jo... ik mag haar toch wel Jo noemen?... altijd de naam Newcombe, de naam van haar stiefvader, op alle officiële papieren gebruikt, dus ook voor de administratie van de universiteit. Onder die naam stond ze op de lijst van die psychologische toets waaraan ze heeft deelgenomen met die andere meisjes. Dat kon Monroe natuurlijk niet weten.'

Bridges slaakte een overdreven zucht en Lightman richtte zijn aandacht weer op hem.

'Ik zeg het nog maar een keer, professor. Het is allemaal tijdverspilling.'

Lightman richtte het pistool weer op Bridges. Ze zagen de hand van de oude man trillen, en opeens herinnerde Laura zich haar bezoekje aan Lightmans kantoor in de Bodleian, een week geleden. Toen had hij zo'n vreemd knijpapparaat gebruikt tegen de pijn van zijn artritis. Maar ze kon niets doen. Haar handen waren zo strak vastgebonden dat ze nauwelijks nog haar vingers voelde.

Lightman nam het wapen in zijn andere hand, liet zijn rechterhand langs zijn lichaam vallen en schudde ermee alsof hij de pijn wilde verlichten. 'Weet je, Malcolm...' Zijn stem beefde enigszins. 'Ik krijg er een beetje genoeg van dat je steeds hetzelfde zegt.' Ze zagen allemaal hoe hij het pistool naar Bridges' voorhoofd bracht. Langzaam, bijna sensueel, streelde hij Bridges' gezicht met de koude loop. Het metaal liet witte strepen achter. 'We zijn zulke breekbare schepsels, nietwaar?' fluisterde Lightman. Hij liet het pistool zakken tot een paar centimeter boven Bridges' borst, bewoog de loop toen langs zijn linker- en rechterarm, terug naar zijn borst en ten slotte omlaag naar zijn kruis. Daar liet Lightman het wapen even rusten, voordat hij het over het rechter- en linkerbeen van de jongeman bewoog. Ook bij zijn knie aarzelde hij weer even. Hij scheen Bridges' been te bestuderen, hield zijn hoofd schuin en herhaalde: 'Zo breekbaar.'

Toen keek hij Malcolm Bridges in de ogen en vuurde.

Het geluid galmde door de kamer en kaatste tegen de stenen wanden. De kogel verbrijzelde Bridges' knie. Malcolm Bridges schreeuwde, begon heftig te stuiptrekken en viel achterover tegen het metalen geraamte van het pentagram.

Lightmans gezicht stond uitdrukkingsloos. Hij negeerde het kronkelende lichaam van de jongeman en richtte zijn aandacht op Laura en Philip, die allebei verlamd waren van schrik.

'Zoals ik al zei, ik heb nog veel te doen,' mompelde Lightman.

Vanuit de ingang van de kamer klonk een beleefd kuchje. Daar stond inspecteur Monroe, geflankeerd door twee politiemannen. Ze droegen helmen en kogelvrije vesten. De twee agenten in uniform hadden hun geweren op Lightmans hoofd gericht. 'Geen beweging! Laat uw wapen zakken,' zei Monroe.

Lightman deed een stap naar rechts en greep Laura bij haar haar, zodat ze gilde van pijn. Hij drukte zijn pistool tegen haar rechterslaap en zei: 'U kunt beter uw eigen wapens laten zakken. Ik houd niet van een bloedbad.'

Laura dacht bliksemsnel na. Ze vocht tegen haar paniek. Daar had ze nu helemaal niets aan, en Jo zeker niet. Monroe en de twee politiemensen stapten de kamer binnen. Als reactie drukte Lightman de loop van het pistool nog harder tegen haar slaap, waardoor er golven van pijn door haar hoofd sloegen.

Zonder precies te weten wat ze deed, draaide Laura opeens haar hoofd met kracht naar achteren, tegen een dwarsstang van het metalen pentagram waar ze tegenaan zat. Weer ging er een scheut van pijn door haar heen, maar het moest Lightman nog meer pijn hebben gedaan, want zijn vingers werden geplet tussen het metaal en Laura's achterhoofd.

Hij slaakte een kreet, probeerde zijn hand los te trekken en verloor zijn evenwicht. Meer hadden de scherpschutters niet nodig. Twee schoten en Lightman sloeg tegen de grond, klauwend naar zijn borst.

Monroe was in twee stappen de kamer door. Toen hij het pentagram had bereikt, stormden er nog twee agenten naar binnen.

'Jones, geef me de eerstehulpkist,' riep Monroe.

De andere politieman rende naar Lightmans lichaam.

'Zorg voor deze man. Snel.' Monroe wees naar Bridges. 'Breng hem naar boven en bel de ambulance zodra je telefoon weer bereik heeft.' Toen draaide hij zich om naar Laura en Philip. 'Gaat het?'

Laura was doodsbleek en beefde over haar hele lichaam. 'Jo... jullie moeten Jo redden!' hijgde ze.

Monroe keek verward. 'Wat...?'

'Jo is het laatste slachtoffer,' zei Philip met onvaste stem. 'Onze dochter. Ze is thuis in Woodstock. De moordenaar is onderweg.'

Monroe aarzelde geen moment. 'Harcourt, Smith!' riep hij naar de twee agenten die samen met hem waren binnengekomen. 'Onmiddellijk terug naar boven.' Hij draaide zich weer naar Philip. 'Wat is het adres?'

'Somersby Cottage, Ridley Street. Een zijstraat van de hoofdweg, twee huizen voorbij het postkantoor.'

'Waarschuw alle eenheden. Uiterste behoedzaamheid!' snauwde Monroe. 'De verdachte is gewapend en is bijzonder gevaarlijk.' Toen liep hij om het pentagram heen en sneed de tape door. Laura en Philip sprongen overeind en masseerden hun polsen.

'We moeten hier weg,' zei Laura schor. Haar hart bonsde tegen haar ribben.

'Je kunt het aan ons overlaten, Laura,' zei Monroe dringend.

'Dat hoop ik. Maar ik blijf hier geen seconde langer.'

Een van de politiemensen die bij Lightman geknield zat richtte zich op. 'Hij is dood,' zei hij.

Laura bleef niet eens staan om een blik op Lightmans lijk te werpen toen ze naar de deur rende, met Philip en Monroe op haar hielen. Onderweg ving Philip nog een glimp op van Bridges, die probeerde overeind te gaan zitten. Jones had een tourniquet boven zijn knie gelegd en drukte een zuurstofmasker tegen zijn gezicht.

'Bedankt,' zei Philip toen hij langs hem heen rende.

Monroe ging voorop en sloeg linksaf naar een doorgang met een gewelfd plafond van lichtkristallen.

'Hoe heb je ons gevonden?' vroeg Philip onder het lopen.

'Daar moet je onze vriend Malcolm Bridges voor bedanken,' antwoordde Monroe.

Het kostte hun een paar minuten om boven te komen. Monroe bleef een paar keer staan om de kaart te raadplegen die Bridges hem eerder had gestuurd. De tunnels kronkelden en draaiden, maar ze liepen langzaam omhoog. Het was vermoeiend, maar ze hadden geen seconde te verliezen. Ze renden verder terwijl Monroe zijn mobieltje pakte. Een groen lichtje gaf aan dat hij bereik had. Hij ramde op de beltoets.

'Harcourt? Ben je al op weg? Goed. Alle eenheden naar Woodstock. Luister, de verdachte is een zekere Julius Spenser. Zeg dat Smith onderweg een profiel opvraagt. We weten dat hij een getrainde moordenaar is, en goed bewapend.' Monroe haalde een paar keer diep adem onder het rennen en voelde een pijn in zijn borst. Hij moest weer naar de sportschool, dacht hij. 'We komen zo snel als we kunnen. Jenkins heeft de leiding tot ik er ben. Hij is onderweg.'

Toen ze de laatste hoek omsloegen, kwamen ze bij een zware eikenhouten deur. Maar ze hoefden geen codes te bedenken, want de deur stond al open. Monroe rende Lightmans kantoor binnen. Ze stormden de kamer door met nauwelijks een blik om zich heen, langs de twee agenten die de wacht hielden in de gang. Een paar seconden later stonden ze in de koude nacht. Monroe had zijn auto vlak bij de hoofdingang geparkeerd. Philip en Laura sprongen achterin terwijl de inspecteur zich achter het stuur liet vallen. Op volle snelheid reden ze via Parks Road naar het noorden, richting Woodstock. Achter hen zagen ze de lichten van een ambulance die stopte voor de hoofdingang van de bibliotheek.

45

Woodstock, 30 maart, middernacht

Het huis was bijna helemaal donker toen de Acoliet zijn zwarte Toyota parkeerde op de oprit, die tot achter het huis liep. In de keuken brandde nog licht, dat een vaag schijnsel wierp over het pad onder het keukenraam. Hij wist dat Tom en Jo de enigen waren in huis. Bijna drie uur eerder had hij Laura en Philip in de Trill Millstream zien verdwijnen. Daarna had hij de Meester ontmoet voordat hij naar St.-Giles en Jo's college was vertrokken. Om kwart voor elf had hij Jo en haar vriend uit de hoofdingang zien komen. Hij was hun auto gevolgd naar het noorden, op weg naar Woodstock. Daar waren ze het huis binnengegaan, terwijl de Acoliet een eindje doorreed om op een weggetje in de buurt te wachten.

Dit zou de laatste oogst moeten zijn: een lever van Jo Newcombe. Als dat was gebeurd zou hij zo snel mogelijk naar Oxford rijden om naast de Meester te kunnen staan als ze het ritueel uitvoerden. Morgenochtend zou hun werk zijn volbracht.

De Acoliet probeerde de kruk van de keukendeur. Die zat op slot. Hij zette de orgaankluis op de grond, opende een zak van zijn plastic overall, haalde er een soort lange naald uit en stak die in het slot. Even later was de deur open en stapte hij naar binnen.

Hij hoorde geluiden uit een kamer vlakbij. Hij was hier al eerder op de dag geweest en kende de indeling van het huis. Hij sloop door de donkere eetkamer naar een deur die uitkwam in de smalle hal. Voorzichtig opende hij de deur. Alles leek te kraken en te kreunen in dit oude huis. Vanuit de gang hoorde hij nu duidelijk het geluid van de tv in de grote zitkamer recht voor hem uit. Links was een smalle, bochtige trap. Hij liep de gang door. De deur van de woonkamer stond op een kier. Voorzichtig duwde hij hem wat verder open aan zijn scharnieren.

In de hoek bij de deur brandde een lamp, maar het flakkerende licht van de televisie was het enige schijnsel aan de andere kant van de kamer. Jo en Tom zaten dicht bij elkaar op de bank, verdiept in een oude film. De Acoliet ving een glimp op van de acteurs: zwartwitbeelden van een stel dat elkaar kuste achter het raampje van een treincoupé, met wolken stoom om hen heen. *Brief Encounter*, dacht hij. Heel toepasselijk.

Hij keek op zijn horloge. Het was tijd. Overdreven voorzichtig zette hij de orgaankluis op de grond en trok toen geruisloos een scalpel uit een zakje op zijn mouw. Het lange, griezelig scherpe mes ving het licht en glinsterde even. Hij deed een stap naar voren, maar toen hij zijn gewicht op zijn voet overbracht kraakte er een oude vloerplank. Jo en Tom draaiden zich om.

De Acoliet was snel, maar Jo en Tom waren sneller. Ze waren al van de bank gesprongen voordat de moordenaar twee stappen had gedaan. Jo gilde en liet zich achter Tom vallen, die een cricketbat greep. De Acoliet aarzelde niet. Hij stormde recht op hen af, met het scalpel voor zich uit. Tom en Jo deinsden terug naar de muur. Jo was doodsbleek en bijna verlamd van angst. Tom probeerde wanhopig om kalm te blijven en deed een wilde uitval naar de Acoliet. Hij miste. Jo gilde weer, greep Toms shirt dat openscheurde. Ze liepen achterwaarts naar de deur. De Acoliet gromde van ongeduld en kwam weer achter hen aan. Tom zwaaide met het cricketbat en raakte de Acoliet met kracht tegen zijn arm. De moordenaar jammerde en het scalpel viel op de grond.

Jo en Tom hadden een seconde tijdwinst geboekt en renden naar de hal. Jo greep de kruk van de voordeur en trok. Op slot. Ze vloekte.

'Naar boven,' schreeuwde Tom en hij duwde haar voor zich uit, terug naar de smalle trap, net op het moment dat de Acoliet uit de huiskamer opdook. De moordenaar had het scalpel nu in zijn linkerhand. Zijn rechterarm hing slap langs zijn zij. Tom ving een glimp op van het gezicht achter het perspexvizier. De ogen waren uitdrukkingsloze zwarte cirkels, het gezicht hoorde eerder bij een wassen beeld dan bij een levend mens.

Jo rende de trap op, met Tom achter zich aan. Ze stormden met twee treden tegelijk naar boven, terwijl Tom weer uithaalde met het cricketbat. Maar de Acoliet ontweek de klap behendig en Tom raakte de leuning en sloeg een stuk pleisterwerk uit de muur.

'De slaapkamer,' riep Tom toen ze op de overloop kwamen. De Acoliet zat hem nu op de hielen en Tom zwaaide nog eens met het slaghout. Deze keer schampte hij de schouder van de Acoliet, niet voldoende om de man zelfs maar een moment te vertragen. Tom sloeg opnieuw. Hij miste, en het bat bleef tussen twee spijlen van de balustrade steken en vloog uit zijn hand. In de fractie van een seconde voordat hij verder rende, keek Tom weer in de ogen van de Acoliet. Het enige wat hij daar zag was zijn eigen dood.

Jo had de deur van de slaapkamer bereikt en dook naar binnen terwijl Tom nog de gang door rende. Tom was in topconditie en snel genoeg, maar zijn achtervolger was niet meer dan één stap achter hem. Jo hield de slaapkamerdeur open voor Tom en sloeg hem de Acoliet in het gezicht, maar de moordenaar duwde de deur weer terug met al zijn kracht.

'Doe hem op slot!' brulde Tom, terwijl hij zijn schouders tegen de deur gooide. Jo slaagde er op het nippertje in de grendel ervoor te schuiven. Ze beefde over haar hele lichaam en was bijna hysterisch; haar ogen stonden wild en al het bloed was uit haar wangen geweken.

De Acoliet begon met ongelooflijke kracht tegen de deur te beuken. Een van de panelen versplinterde. Jo gilde.

'Het raam uit!' riep Tom. 'Naar buiten... springen... wat dan ook. Naar buiten!'

'Maar...'

'Nu!'

Jo was al bij het raam en probeerde het open te krijgen, maar haar handen trilden te veel. Misselijk van angst lukte het haar ten slotte, net op het moment dat een in handschoen gestoken hand door het verbrijzelde paneel naar binnen kwam en naar de grendel tastte. Tom greep het eerste wat hij kon vinden, een zware glazen vaas, en liet die op de in plastic gestoken vingers van de Acoliet neerkomen. Tot zijn voldoening hoorde hij een onderdrukte kreet van achter het vizier. De hand verdween.

Tom liep achterwaarts naar het raam toen de hele deur werd versplinterd door een woedende trap. De Acoliet wist dat het moment voorbij was... de astrologische omstandigheden waren alweer veranderd... maar hij werd nu gedreven door pure moordlust. Woedend stormde hij op de jonge mensen af.

Monroe sloeg vanuit de hoofdstraat af naar Ridley Street. Voor hem uit reden drie politiewagens met gedoofde lichten. Hij schakelde ook zijn eigen koplampen uit en reed voorzichtig verder.

Vier agenten in volledige bepantsering en gewapend met geweren slopen naar de zijkant van het huis. Twee van hen trokken een sprint, onder dekking van de anderen.

Laura gooide het portier al open nog voordat de auto stilstond.

Monroe greep haar arm. 'Doe niet zo stom! Mijn mannen gaan naar binnen. Zij kunnen...'

Laura rukte zich los. 'Als jij denkt...'

'Het kan je dood worden als je nu naar binnen gaat. Misschien veroorzaak je zelfs de dood van je eigen dochter. Denk toch na, mens! Is dat wat je wilt?'

Laura verslapte opeens en sloeg haar handen voor haar gezicht. 'O, mijn god,' zei ze. Philip legde een troostende arm om haar heen.

Monroe rende naar de dichtstbijzijnde patrouillewagen. Agent Smith sprak in zijn radio. Monroe wilde hem net bevel geven om naar de andere kant van het huis te gaan, toen ze een luide klap hoorden. Ze keken omhoog naar de ramen van de slaapkamer. Het volgende moment klonk er een doordringende gil. 'Jenkins! Wat was dat?' schreeuwde Monroe in zijn radio.

Er kwam geen antwoord.

'Smith, snel! Langs de zijkant daar.' Monroe trok zijn pistool en rende naar de achterkant van het huis.

Toen ze de schaduwen opzij van het huis bereikten, werd er een raam op de bovenverdieping opengegooid, met zoveel kracht dat het trilde aan zijn scharnieren. Laura zag het vanuit Monroes auto. Voordat Philip haar kon tegenhouden was ze al opgesprongen en naar het grasveld aan de voorkant gerend. Ze keek op en zag Jo's doodsbange gezicht verschijnen. Jo hees zich langs de vensterbank omhoog toen er drie schoten klonken vanuit het huis. Toen nog een schot, en een vijfde. Laura kromp ineen en sloot een moment haar ogen. Toen ze weer omhoogkeek, was Jo verdwenen.

Het lichaam van de Acoliet lag voorover op de vloer van de slaapkamer, als een roodwitte etalagepop. De achterkant van de kap over zijn hoofd was aan flarden gescheurd en vuurrood verkleurd. Twee gapende gaten gaven de plaats aan van de kogelwonden tussen zijn schouderbladen. Overal om hem heen lagen stukken versplinterd hout.

Tom en Jo praatten al met Monroe toen Laura en Philip de kamer binnenrenden. Laura nam haar dochter in haar armen.

Philip legde een hand op Toms schouder. 'Heel dapper van je.'

'Een goed stuk wilgenhout redt je uit alle problemen,' antwoordde Tom met onvaste stem.

Philip keek verbaasd.

'Ik heb de hele avond met een cricketbat op schoot gezeten. Na die inbraak wilde ik geen enkel risico nemen,' verduidelijkte Tom.

'Heel verstandig, Tom,' antwoordde Philip, en hij liep naar Laura en Jo, die elkaar omhelsden. Hij sloeg zijn armen om zijn dochter heen en kuste haar betraande gezicht. Toen legde hij zijn ene arm om Jo's schouder en trok met de andere Laura naar zich toe. 'Mijn gezin,' zei hij.

46

Los Angeles, twee dagen later

Een lange, slanke man in een wijde cargoshort en met een slappe hoed over zijn ogen stapte naar buiten, in de felle zon van deze prachtige ochtend in Californië. Het was nog stil langs het strand, veel te vroeg voor de kraampjes om al open te zijn.

Hij stak de steiger over en slenterde op blote voeten door het rulle, warme zand van Venice Beach naar het water toe. Daar draaide hij zich om en tuurde naar de ruime, helderwit geschilderde strandhuizen met hun balkons van staal en glas, voordat hij op het strand ging zitten en over de zee uitkeek.

Zijn mobieltje piepte. Hij bekeek de display en las het sms'je. De tekst luidde: 'Missie volbracht. Laatste meisje gered. Meester en bediende allebei dood. Ik wens je eeuwig geluk. Bradwardine.'

Charlie Tucker glimlachte en staarde peinzend naar de golven. Het was niet eenvoudig geweest om zijn eigen dood te ensceneren in Londen, maar als leider van de Wachters beschikte hij over heel wat middelen. De politie- en ambulancemensen op de plaats van zijn 'moord' waren trouwe leden van de broederschap geweest. Ze hadden hun werk uitstekend gedaan, en terwijl hij al begon te wennen aan de Californische zon hadden anderen zijn begrafenis in Croydon georganiseerd. Hij had het heel vervelend gevonden om Laura in die gevaarlijke situatie te brengen, maar ze had zichzelf al in het mysterie gestort, zoals hij had opgemerkt op de dvd die hij haar had achtergelaten.

Hij had veel te danken aan zijn 21e-eeuwse Bradwardine. Dat was de codenaam van een van zijn trouwste vrienden en medewachters, Malcolm Bridges. Malcolm had de gevaarlijkste missie van allemaal. Hij had alles op het spel gezet. De Wachters hadden hem gebruikt om MI5 en Oxford te infiltreren zoals John Wickins ooit in Cambridge was geplaatst, bijna drieënhalve eeuw geleden, om Newton in het oog te houden. Bridges had maar weinig kunnen doen om de autoriteiten te waarschuwen. Daarom had hij gekozen voor de tactiek die alle Wachters nu al eeuwen volgden: toezien en wachten, vrienden maken en invloed uitoefenen, zo goed en kwaad als dat ging, zonder de aandacht te vestigen op de oude organisatie waarvan hij deel uitmaakte. Charlie had dat goed begrepen, omdat hij precies hetzelfde had gedaan. Ook hij had anderen gebruikt en hen in posities gemanoeuvreerd om te doen wat er gedaan moest worden.

En vanaf de andere kant van de wereld had Bradwardine/Bridges hem op de hoogte gehouden van alle gebeurtenissen. Hij had het gehoord toen Lightman ondergronds was gegaan – letterlijk. De professor had een soortgelijke tactiek toegepast als Charlie zelf en zijn eigen verdwijning in scène gezet, tot en met een getuige die beweerde dat ze zijn ontvoering had gezien. Hij wist ook dat Laura en Philip het labyrint waren binnengegaan. Van tienduizend kilometer afstand had hij weinig anders kunnen doen dan wachten en hopen dat hij hun genoeg informatie had gegeven om hen veilig door de doolhof te loodsen zonder zijn eigen dekmantel prijs te geven. Inmiddels wist hij dat Jo veilig was en dat Lightman en Spenser het niet hadden overleefd.

Met een zucht zocht Charlie in zijn zak en haalde het kostbare voorwerp tevoorschijn dat hij nu overal met zich meedroeg: een volmaakte robijnsteen. Hij hield hem tegen het licht en bestudeerde de dunne lijntjes van hiërogliefen die in dicht opeengepakte spiralen van pool naar pool liepen. De zon weerkaatste in de peilloze diepte van het object. Hij stak de robijn weer in zijn zak, tuurde over de glazen vlakte van de blauwe oceaan en voelde zich tevreden met de wereld.

Nawoord van de schrijver

Hoewel *Equinox* een roman is, bevat het verhaal een groot aantal feitelijke elementen. Oxford is bovengronds een prachtige stad, maar herbergt ook verbazingwekkende onderaardse geheimen. Hoewel er geen bewijs is dat ze ooit voor satanistische rituelen zijn gebruikt, lopen er vanaf de Bodleian Library kilometers lange oude tunnels onder de stad, die een duistere honingraat vormen onder het centrum van Oxford. Ook de Trill Millstream bestaat en T.E. Lawrence heeft die stroom inderdaad in zijn jeugd verkend. In de jaren twintig van de vorige eeuw is er ook een roeiboot gevonden met twee skeletten in victoriaanse kleding.

Hypatia was zeker een geduchte dame, zoals Charlie opmerkte. Ze leefde in Alexandrië in de vijfde eeuw en was beheerder van de bibliotheek. In het jaar 415 werd ze vermoord door een christelijke meute die haar voor een tovenares hield. De bibliotheek van Alexandrië bevatte talloze oude alchemistische geheimen, die voorgoed verloren gingen toen de bibliotheek werd verwoest in dezelfde nacht dat Hypatia werd vermoord.

Isaac Newton wordt terecht beschouwd al de grootste natuurwetenschapper uit de geschiedenis, maar hij was ook gefascineerd door alchemie en het occulte. Toen hij in 1727 overleed, liet hij een uitgebreide bibliotheek van hermetisch materiaal na. Hij was een onaangenaam mens in de omgang en het is bekend dat hij zich uitvoerig bezighield met de wereld van de zwarte kunsten. Er zijn sterke aanwijzingen dat hij een homoseksuele verhouding had met een jonge leerling, de Zwitserse natuurfilosoof Nicolas Fatio du Duillier, die tweeëntwintig jaar jonger was dan hij. Du Duillier was een occultist die Newton hielp bij zijn alchemistische experimenten tussen 1689 en 1693. In die jaren mocht hij zich koesteren in de schijnwerpers van Newtons roem, maar later raakte hij betrokken bij de Rozenkruisers en andere mystieke groeperingen, totdat hij door de Engelse wetenschappelijke wereld werd verstoten. Omstreeks het eerste decennium van de achttiende eeuw was hij in de vergetelheid verdwenen.

Binnen de occulte broederschap gebruikte Newton zijn doorzichtige pseudoniem *Isaacus Neuutonus*. Als hij incognito wilde reizen, bediende hij zich van de schuilnaam Mr. Petty.

In 1693 kreeg Newton een zenuwinzinking. De oorzaken zijn niet duidelijk, maar het gebeurde op een moment in zijn leven dat zijn alchemistische proeven waren vastgelopen en hij besefte dat hij nooit zijn grootste ambitie zou kunnen waarmaken: het schrijven van een aanvulling op zijn *Principia Mathematica*, de *Principia Chemicum*, een verhandeling waarin hij de wereld van atomen wilde uiteenzetten. Na zijn herstel keerde hij de wetenschap de rug toe, vertrok uit Cambridge en verbrak al zijn banden met het occultisme. Het jaar 1693 was ook het moment waarop hij zich eindelijk wist los te maken van de destructieve invloed van Fatio. Ze gingen als vijanden uiteen.

Newtons laboratorium in Trinity College, Cambridge, ging verloren door een brand waarbij de wetenschapper verscheidene kostbare documenten kwijtraakte, maar dit gebeurde in 1677 en er zijn geen aanwijzingen dat de brand was veroorzaakt door John Wickins.

Wickins was inderdaad meer dan twintig jaar Newtons kamergenoot. Hij hielp Newton bij zijn eerste alchemistische experimenten en fungeerde als amanuensis van de grote man. Maar in 1683 kreeg hij een aanvaring met Newton (mogelijk vanwege Newtons toenemende belangstelling voor de zwarte kunsten) en verliet hij Cambridge voorgoed. Hij zou Newton nooit meer terugzien.

Het Sheldonian Theatre in Oxford is ontworpen door Christopher Wren, als zijn eerste opdracht, hoewel er geen bewijzen zijn dat hij tijdens de bouw vreemde tunnels zou hebben ontdekt.

Isaac Newton en Robert Hooke hadden een grote hekel aan elkaar en raakten een paar keer bijna slaags. Hooke was inderdaad misvormd en heel klein (volgens sommige beschrijvingen niet langer dan één meter vijfenveertig op hoge hakken). Newton heeft hem ooit een brief geschreven waarin hij beweerde dat als hij, Newton, ooit iets waardevols in zijn werk had bereikt dat alleen te danken was aan het feit dat hij op de schouders van reuzen had gestaan.

Ook Robert Boyle was een gedreven alchemist en occultist en deelde veel van Newtons contacten met magiërs en hermetici in heel Europa. Hij was een Ierse aristocraat uit een gezin met veertien kinderen en hij bracht het grootste deel van zijn academische leven in Oxford door.

De naam Liam Ethwiche ten slotte, de biograaf van Newton in dit boek, is een anagram.

De feiten achter de fictie

Equinox is natuurlijk fictie, maar sommige elementen in het verhaal zijn op feiten gebaseerd. Hieronder volgt een overzicht van die elementen en de waarheid erachter.

Alchemie

Alchemie, beschouwd als de voorloper van de moderne chemie, wordt al duizenden jaren beoefend en heeft nog altijd volgelingen. Sommige mensen beweren dat deze oude 'wetenschap' haar wortels heeft in de vroegste tijden en dat ook figuren zoals Mozes zich ermee bezighielden. Dat moet bijna zeker een verdichtsel zijn.

Wel weten we dat de alchemie minstens tweeduizend jaar teruggaat, omdat er bewijzen bestaan voor het werk van vroege alchemisten uit het oude China en de stad Alexandrië. Een groot deel van dit werk werd in het begin van de vijfde eeuw van onze jaartelling vernietigd door bisschop Theophilus. De oude Chinezen waren gedreven alchemisten en mogelijk hebben zij al het buskruit uitgevonden, eeuwen voordat het in Europa werd herontdekt door de grote dertiende-eeuwse filosoof Robert Bacon. De oude Chinezen hielden ook geschriften bij van alchemistische experimenten die werden uitgevoerd op menselijke proefkonijnen: veroordeelde misdadigers.

Alchemisten geloofden dat er een magisch materiaal bestond, de zogeheten Steen der Wijzen, waarmee elk eenvoudig metaal in goud kon worden veranderd. Om de Steen der Wijzen te vinden zwoeg-

De Alchemist, door David II Teniers (1610-1690), Vlaams schilder, ND-120140.

den vele duizenden mannen en vrouwen jarenlang in donkere, obscure laboratoria, op zoek naar die ongrijpbare schat.

De alchemisten geloofden oprecht in wat ze deden en een groot aantal van hen raakte volledig geobsedeerd door hun werk. De grote psycholoog Carl Jung was gefascineerd door de alchemie en besefte dat de processen die de alchemisten in hun laboratoria toepasten in feite rituelen waren die verband hielden met een vorm van religieuze obsessie. Eigenlijk probeerden alchemisten hun eigen psyche of 'ziel' te transmuteren bij hun pogingen om gewone metalen in goud te veranderen. Dit lijkt enigszins op het religieuze proces waarin de adept de volmaaktheid of het 'goud' in zichzelf tracht te vinden. Alchemisten waren zich maar gedeeltelijk bewust van dit aspect van hun inspanningen, maar beseften wel dat ze 'zuiver van geest' moesten zijn om hun doel te kunnen bereiken. Vaak bereidden ze zich jarenlang geestelijk voor op deze taak.

Sommige hedendaagse occultisten houden nog altijd vol dat de alchemie een serieuze wetenschap is en trachten parallellen te trekken tussen de alchemie en de moderne kwantummechanica, de wetenschappelijke theorie die de subatomische wereld beschrijft. In werkelijkheid bestaat er geen enkel verband. De kwantummechanica is een harde wetenschap, gebaseerd op bijna een eeuw van experimenten, terwijl de alchemie is gegrondvest op de illusie dat gewone metalen in een smeltoven in edelmetaal kunnen worden veranderd. Belangrijker nog is dat de objectieve wetenschap ons een reële, tastbare technologie heeft opgeleverd, zoals laser, televisie en micro-elektronica. De alchemie is volstrekt subjectief en heeft geen logische fundering.

Alchemie is een heel verwarrend onderwerp om te bestuderen omdat het zo'n eigenzinnige praktijk vormde. Iedere alchemist had zijn eigen methoden om de zogenaamde Steen der Wijzen te vinden. De oudst bekende documenten over het onderwerp werden bewaard in Alexandrië. Vanuit de stukken die de brand in de beroemde bibliotheek hadden overleefd, ontwikkelden Arabische filosofen in de zevende en achtste eeuw een meer geavanceerde alchemistische kennis, die omstreeks de elfde eeuw ook tot Europa doordrong en algauw populair werd op het hele continent. Tegen de zestiende eeuw waren er honderden rondreizende magiërs die emplooi vonden bij lichtgelovige rijke kooplieden en de Europese adel.

Honderden alchemisten schreven boeken over de technieken die ze gebruikten, maar verborgen die tegelijkertijd achter codes of poëtisch taalgebruik, zodat andere alchemisten ze niet konden overnemen. Een andere reden waarom ze hun ontdekkingen op die manier verborgen was het feit dat hun pogingen uiteindelijk op niets waren uitgelopen.

In 1404 verklaarde de Engelse koning Hendrik IV de beoefening van de alchemie tot een halsmisdrijf. Immers, als er ooit een alchemist in zijn opzet zou slagen, zou de wereldorde ernstig worden verstoord door de productie van grote hoeveelheden goud, die het geldstelsel volledig zouden ondermijnen. Maar later nam koningin Elisabeth I zelf alchemisten in dienst in de hoop de koninklijke schatkist te spekken. Een van haar gunstelingen was John Dee, een begaafd natuurfilosoof en occultist.

Alchemisten hadden geen enkele kans om gewoon metaal in goud te veranderen omdat ze de samenstelling trachtten te wijzigen met niets anders dan een oven en een mengsel van eenvoudige chemicaliën. Transmutatie is tegenwoordig alleen mogelijk in het hart van een kernreactor, waar grote atomen worden gespleten in kleinere deeltjes volgens het proces van 'kernsplijting'. Hoewel het technisch mogelijk is om andere metalen in goud te veranderen, is de benodigde hoeveelheid energie (en dus de prijs) veel hoger dan de uiteindelijke waarde aan het einde van het proces.

De methoden van de alchemisten waren nogal primitief. Meestal begonnen ze met het mengen van drie stoffen in een vijzel: een metaalerts, meestal onzuiver ijzer, nog een metaal (dikwijls lood of kwikzilver) en een organisch zuur, zoals citroenzuur uit vruchten of groente. Die werden met elkaar vermengd, soms wel zes maanden lang, om een volledig mengsel te verkrijgen, dat vervolgens in een smeltoven of kookvat werd verhit. De temperatuur werd heel langzaam opgevoerd tot de ideale hitte, die tien dagen werd aangehouden. Dit was een gevaarlijk proces, waarbij giftige dampen vrijkwamen, en menig alchemist die in een kleine, niet geventileerde ruimte werkte bezweek aan kwikdampen. Anderen werden langzaam gek door lood- of kwikvergiftiging.

Na het verhittingsproces werd het materiaal uit de smeltoven gehaald en in een ander zuur opgelost. Vele generaties alchemisten experimenteerden met verschillende oplosmiddelen. Zo werden salpeter-, zwavel- en ethaanzuur ontdekt.

Als het materiaal uit de smeltoven met succes was opgelost, moest de verkregen stof worden verdampt en gereconstitueerd door middel van distillatie. Het distillatieprocédé was het lastigste en meest tijdrovende onderdeel en kostte de alchemist dikwijls jaren om naar tevredenheid te voltooien. Bovendien was het opnieuw een gevaarlijk stadium, omdat het vuur in de werkplaats nooit mocht doven. Dus er gebeurden nogal wat ongelukken.

Als de alchemist niet bij een brand was omgekomen en het materiaal niet verloren was gegaan door een gebrekkige techniek kwam de volgende stap, die duidelijk mystieke connecties had. Volgens de meeste alchemistische teksten zou het juiste moment om met de distillatie te stoppen worden aangegeven door een 'teken'. Geen twee alchemistische handboeken waren het eens over hoe en wanneer dit zou gebeuren. De arme alchemist moest maar afwachten totdat hij zelf het einde van de distillatie gekomen achtte, zodat hij aan het volgende stadium kon beginnen.

Het materiaal werd uit de distillator gehaald, onder toevoeging van een oxidatiemiddel, meestal kaliumnitraat, een stof die al bij de oude Chinezen en mogelijk ook bij de Alexandrijnen bekend was. Maar in combinatie met de zwavel van het metaalerts en de koolstof van het organische zuur had de alchemist nu letterlijk een bom in handen: buskruit.

Talloze alchemisten die vergiftiging en brand hadden overleefd vlogen alsnog de lucht in met hun werkplaats.

Wie al deze stadia had doorstaan kon nu doorgaan met de laatste fasen, waarin het mengsel in een speciaal, afgesloten vat werd gedaan en zorgvuldig verhit. Na afkoeling werd soms een witte, vaste stof waargenomen, bekend als de Witte Steen, waarmee volgens de verhalen gewoon metaal in zilver kon worden omgezet. De meest ambitieuze fase, die door verhitting, afkoeling en zuivering van het distillaat een vaste rode stof opleverde, bekend als de Rode Roos, moest uiteindelijk de Steen der Wijzen opleveren.

Al deze stadia van het procédé werden allegorisch in de handboeken beschreven, omgeven met veel mystieke taal en geheimzinnige, esoterische verwijzingen. Het mengen van de oorspronkelijke ingrediënten en hun verhitting werd bijvoorbeeld aangeduid als 'de twee draken met elkaar in gevecht brengen'. Zo werden de mannelijke en vrouwelijke elementen van de stoffen, gesymboliseerd door een koning en koningin, vrijgelaten en weer bijeengebracht of 'gehuwd'. Dit was het concept achter een van de beroemdste van alle alchemistische boeken, de allegorische roman *De Chemische Bruiloft*, die op een bepaald niveau een beschrijving van het transmutatieproces moest zijn.

Alchemie was een bizarre wetenschap, maar leverde wel degelijk resultaten op. Alchemisten ontdekten of verbeterden talloze technieken, zoals verhittingsmethoden, het klaren van vloeistoffen, rekristallisatie en verdamping. Ze experimenteerden ook met een groot aantal chemische instrumenten, waaronder verhittingssystemen en gespecialiseerd glaswerk.

Opeenvolgende generaties alchemisten verfijnden de techniek van de distillatie, voor het eerst ontwikkeld door magiërs uit Alexandrië, bijna tweeduizend jaar geleden. Tegenwoordig zou geen enkel chemisch laboratorium compleet zijn zonder distillatieapparatuur. Dezelfde technieken, maar dan op veel grotere schaal, worden ook toegepast bij de raffinage van olie, om die grondstof in haar componenten te scheiden.

Aanbevolen literatuur: *Isaac Newton: The Last Sorcerer*, Michael White, Fourth Estate.

Astrologie

Volgens de meeste historici ligt de oorsprong van de moderne westerse astrologie in Mesopotamië, omstreeks 4000 v.Chr. De Mesopotamiërs verdeelden de hemel in twaalf sterrenbeelden, min of meer volgens het systeem dat wij nog altijd kennen.

De grondslagen van deze oude wetenschap werden later door de oude Grieken overgenomen als belangrijk onderdeel van het filosofisch stelsel uit die tijd. Socrates, Plato en Aristoteles beoefenden allemaal de astrologie, en het was een onderwerp dat de grote Helleense veroveraar Alexander de Grote – een leerling van Aristoteles – na aan het hart lag.

Na de komst van het christendom raakte de astrologie op een zijspoor, hoewel sommige vroegchristelijke kerkvorsten de astrologische principes bleven onderschrijven en zelfs probeerden de astrologie in de christelijke theologie te integreren. Dat veranderde aan het begin van de middeleeuwen, toen er een periode was waarin de Kerk astrologen beschuldigde en een groot aantal beoefenaren als ketters op de brandstapel liet brengen.

Mogelijk als gevolg van dat theologische verzet ging de astrologie ondergronds en ontwikkelde zich tot een subversieve praktijk, zoals talloze andere elementen van de occulte traditie, waaronder alchemie en toekomstvoorspelling. Veel alchemisten waren ook astroloog. De twee onderwerpen overlapten elkaar grotendeels – zoals voor de leden van de Orde van de Zwarte Sfinx in *Equinox*. De meeste beoefenaren onderzochten verbanden tussen alchemistische ontdekkingen en de tekens van de dierenriem en geloofden dat de alchemie en de astrologie een gemeenschappelijke oorsprong hadden in de leer van de oude Egyptenaren.

De wetenschap van de sterrenkunde had eigenlijk de doodsklok moeten luiden voor de astrologie. Het valt niet te ontkennen dat de pretenties van de astrologie aanzienlijk werden ondermijnd door de ontwikkeling van de wetenschap en het toenemende besef dat de mensheid slechts een onbeduidende soort is in een bijna onbegrensd universum. Maar er zijn nog altijd veel mensen die geloven in de betekenis van sterrenbeelden en menen dat hun leven op een of andere manier door de sterren wordt bepaald. De astrologie is waarschijnlijk de populairste tak van de occulte wetenschap in de eenentwintigste eeuw. De meeste mensen lezen wel eens hun horoscoop of vertellen op feestjes wat hun sterrenbeeld is, zonder dat ze dit onderwerp rechtstreeks associëren met de occulte traditie.

Volgens sommige statistieken zou negenennegentig procent van de mensen tegenwoordig hun sterrenbeeld kennen, terwijl vijftig procent van de bevolking regelmatig een horoscoop raadpleegt. Maar de meerderheid van wetenschappers verwerpt de astrologie als niets anders dan behoeftebevrediging. Ze wijzen erop dat experimenten hebben aangetoond dat er geen enkel verband bestaat tussen de geboortedatum van iemand en zijn karakter of levensloop. En ze benadrukken het feit dat de meeste horoscopen wel een zogenaamde 'Barnum-verklaring' bevatten (genoemd naar de bedenker van de uitspraak: 'Er wordt er elke minuut wel een geboren.') Barnum-verklaringen zijn van die vage opmerkingen als: 'U houdt van een uitdaging' of 'Soms voelt u zich extravert, maar op andere momenten ook introvert.'

Bij één beroemd experiment om aan te tonen hoe zulke verklaringen kunnen worden aangepast aan de lezer van de horoscoop, plaatste de Franse wetenschapper Michel Gauquelin een advertentie in het tijdschrift *Ici Paris*, waarin hij een gratis horoscoop aanbood aan iedereen die zich meldde. Hij kreeg honderdvijftig reacties en stuurde braaf de horoscopen op. Vervolgens vroeg hij alle ontvangers wat ze ervan vonden. Vierennegentig procent antwoordde dat het een heel goed beeld gaf van hun persoonlijkheid. Wat Gauquelin er niet bij vertelde was dat ze allemaal dezelfde horoscoop hadden kregen, namelijk die van dr. Petroit, een beruchte Franse massamoordenaar.

Het andere ernstige bezwaar tegen de astrologie, dat ook naar voren wordt gebracht door Jo in *Equinox*, is dat de sterren geen vaste posities hebben aan de hemel en dat ze in de zesduizend jaar sinds de sterrenbeelden voor het eerst werden vastgesteld een heel eind zijn verschoven aan de nachthemel.

Het belangrijkste argument tegen de astrologie is echter simpele

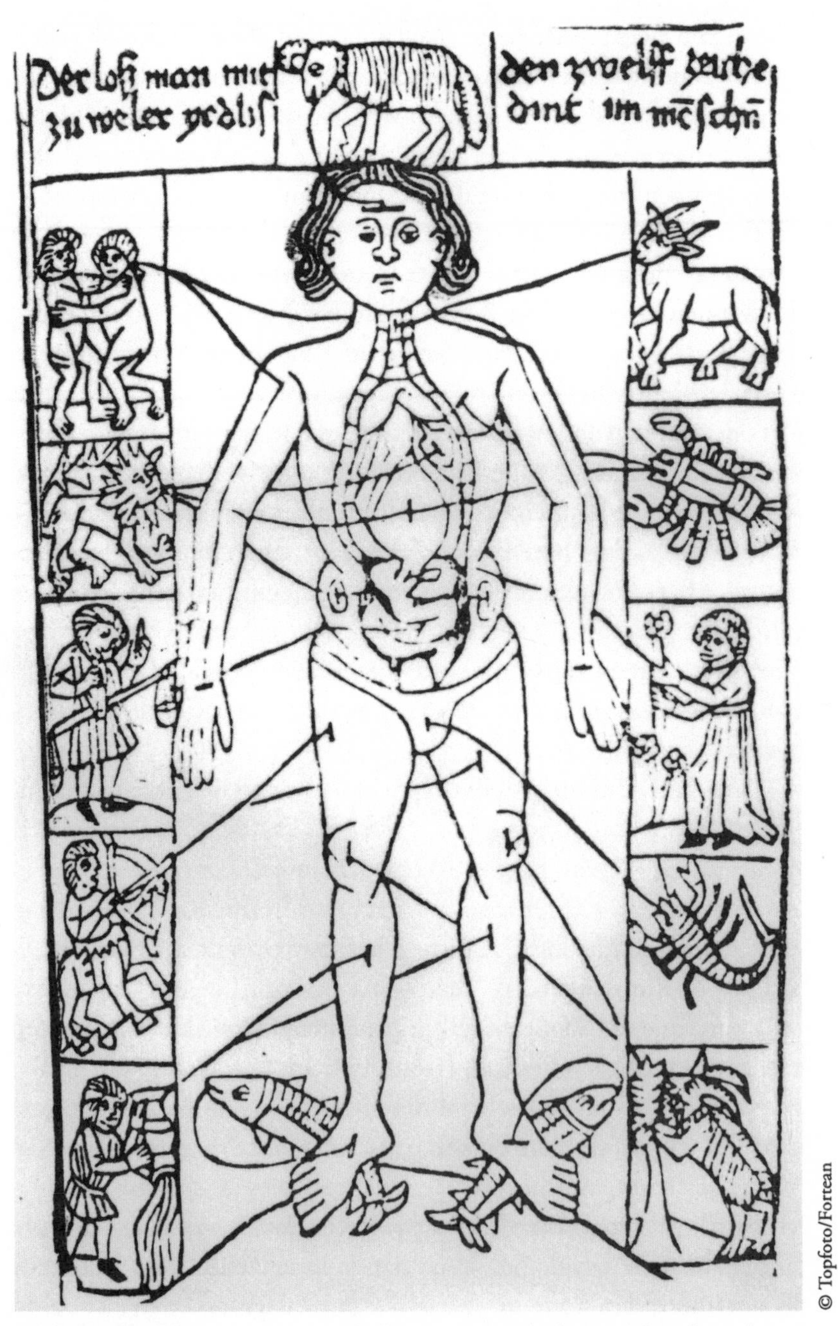

Duitse afbeelding van een zodiakmens, met de heersende tekens boven het lichaam en de inwendige organen. Eind vijftiende eeuw.

logica. Het hele idee werd voor het eerst geopperd door een betrekkelijk primitief volk dat geen enkel besef had van de opbouw van het heelal. Voor de mensen van 4000 v.Chr. was de aarde een bijzondere plek en de mensheid uniek. In hun ogen bestuurden de goden alle facetten van het menselijk leven en was de hemel het decor van het menselijk bestaan. Tegenwoordig kennen we de lessen van Darwin en de astronomen, vanaf Galileo tot moderne onderzoekers die werken met de meest geavanceerde radiotelescopen. Zij hebben ons geleerd dat de mensheid niet echt belangrijk is in de kosmos en dat de aarde maar een onbetekenend stofje vormt in een spiraalarm van een doodgewoon melkwegstelsel tussen miljarden andere. Tegen die achtergrond is het moeilijk voorstelbaar dat verre sterren – waarvan sommige duizenden lichtjaren bij onze wereld vandaan staan – enige invloed zouden hebben op ons nietige mensenleven. Ieder ander geloof is misschien wel een ultiem voorbeeld van egocentrisme.

Aanbevolen literatuur: *Pseudoscience and the Paranormal*, Terence Hines, Prometheus Books, 1988.

De Bear Inn, Oxford

In *Equinox* is dit de herberg waar Newton logeert voordat hij de bijeenkomst van de Orde van de Zwarte Sfinx onder de Bodleian Library bijwoont. Het is een werkelijk bestaande pub, die volgens de legende zijn naam dankt aan het feit dat hij boven een berenkuil is gebouwd. Het is een van de oudste pubs in Oxford, daterend uit 1242.

De bibliotheek van Alexandrië

Waarschijnlijk werd deze bibliotheek al in de derde eeuw v.Chr. gesticht. De oorspronkelijke 'kern' zou een collectie boeken zijn die ooit het bezit was geweest van Aristoteles.

De bibliotheek van Alexandrië was zeker de grootste boekenverzameling uit de oudheid en telde op zijn hoogtepunt naar schatting een half miljoen tekstrollen. Het was een koninklijke bibliotheek, gesticht per decreet van Ptolemaeus III van Egypte. Er wordt beweerd dat Ptolemaeus alle bezoekers aan Alexandrië bevel gaf de boeken die ze bij zich hadden over te dragen om te worden gekopieerd. De oorspronkelijke bibliotheek werd gebouwd op de plek van de Tempel der Muzen, het *Musaeum* (waarvan het woord 'museum' is afgeleid).

Het is onduidelijk wie er verantwoordelijk is geweest voor de vernietiging van de bibliotheek in het jaar 415. De Romeinse geleerde Plutarchus wees Julius Caesar als schuldige aan, maar de vermaarde historicus Edward Gibbon legde de schuld recentelijk bij Theophilus, de christelijke patriarch van Alexandrië.

Al sinds de verwoesting van de bibliotheek betreuren geleerden en filosofen dit verschrikkelijke verlies voor de wereld van de wetenschap. Niemand weet hoeveel handschriften er zijn vernietigd toen de bibliotheek in de as werd gelegd, maar gelukkig werd een deel gered en voor toekomstige generaties behouden. De fractie die aan de vlammen ontsnapte werd later ontdekt door Arabische geleerden, en sommige van deze teksten vonden in de veertiende en vijftiende eeuw hun weg naar Italië en Spanje, waar ze mede de grondslag legden voor de renaissance. Andere restanten vielen in handen van Arabische alchemisten, die hun kennis doorgaven aan hun Europese broeders en zo de ontwikkeling van de mystieke en occulte kennis stimuleerden.

Aanbevolen literatuur: *The Library of Alexandria: Centre of Learning in the Ancient World*, Roy MacLeod, I.B. Tauris Publishers, 2004.

The Bodleian Library

De Bodleian is de grootste universiteitsbibliotheek ter wereld en misschien ook de oudste. De bibliotheek is voortgekomen uit de boekenverzameling van Thomas Cobham, de bisschop van Worcester, die in de jaren twintig van de veertiende eeuw aan de universiteit van Oxford werd geschonken. Toen Cobham stierf, werden

Bodleian Library, Oxford.

zijn boeken verpand om de successierechten te betalen. Later werden ze gekocht door Oriel College in Oxford, waar ze bijna vier eeuwen bleven.

Sir Thomas Bodley (1545-1613), bestuurslid van Merton College, bracht de fondsen bijeen voor de bouw van een onafhankelijke bibliotheek voor de universiteit. Cobhams verzameling werd de kern van deze nieuwe bibliotheek, die in 1602 openging en in 1604 naar zijn stichter Bodley werd vernoemd.

Tegenwoordig is de Bodleian Library gehuisvest in een aantal gebouwen in het centrum van Oxford en omvat nu ook de New Bodleian, die in 1939 gereedkwam. Het grootste deel van de vijf miljoen boeken van de bibliotheek is opgeslagen in een tunnelcomplex van meer dan honderd kilometer lengte, onder de stad Oxford.

Over de oorsprong van die tunnels is niet veel bekend, maar vermoedelijk zijn ze aangelegd in de achttiende eeuw en sindsdien geleidelijk uitgebreid. In de Tweede Wereldoorlog werden ze gebruikt voor de opslag van kunstschatten en kostbare oude voorwerpen, als bescherming tegen bombardementen door de Luftwaffe. Voor zover ik weet zijn de tunnels nooit gebruikt voor occulte rituelen.

Robert Boyle (1627-1691)

Sir Robert Boyle (1627-1691), van oorsprong Iers filosoof en chemicus. Hij formuleerde de wet van Boyle, die luidt dat het volume van elke willekeurige gasmassa bij een constante temperatuur omgekeerd evenredig is aan de druk.

Na Newton en Galileo was Robert Boyle misschien wel de belangrijkste geleerde uit de zeventiende eeuw. Hij was vooral geïnteresseerd in wat later de scheikunde zou gaan heten, maar hij was ook een adept van de alchemistische traditie. In veel opzichten kunnen we Boyle beschouwen als de man die de brug sloeg tussen de oude alchemie en de moderne wetenschap van de chemie.

Boyle, in 1627 in Ierland geboren, was een van de grondleggers van de Royal Society en een soort nestor in de wetenschappelijke wereld van de zeventiende eeuw. Zijn belangrijkste bijdrage aan onze wetenschappelijke kennis was zijn boek *The Sceptical Chymist*, dat in 1661 verscheen.

Boyle was van adellijke afkomst en de veertiende en jongste zoon van de graaf van Cork. Hij had dus geen jongere broer James, zoals beschreven in *Equinox*. Hij was wel de meest vermaarde wetenschapper in Oxford en had een laboratorium in University College aan The High. Tegenwoordig vinden we nog een plaquette aan de muur van het College tegenover de High Street:

In een huis op deze plaats
woonde tussen 1655 en 1668
ROBERT BOYLE

Het is bekend dat Boyle ook lid was van geheime genootschappen die bijeenkwamen om over alchemistische kennis te spreken en occulte wetenschap te delen. Hij kende Isaac Newton goed en was een van de weinige mannen voor wie de Lucasiaanse professor bewondering had. Het was Robert Boyle die de jonge Newton ervan doordrong dat hij zijn alchemistische onderzoek geheim moest houden uit angst om zich belachelijk te maken in de wetenschappelijke wereld en mogelijk in conflict te komen met de Kerk en de kroon.

Aanbevolen literatuur: *The Aspiring Adept: Robert Boyle and his Alchemical Quest*, Lawrence Principe, Princeton University Press, 2000.

Thomas Bradwardine (ca. 1297-1349)

Thomas Bradwardine's exacte geboortedatum is niet bekend. Historici gissen ernaar op basis van het gegeven dat hij in 1321 in Oxford afstudeerde. Hij werd een vooraanstaande figuur aan de universiteit en bekleedde daar verscheidene belangrijke posities voordat hij in 1337 naar het koninklijk hof vertrok. Hij werd benoemd tot kanselier van de kathedraal van St.-Paul's en later tot hofprediker. De laatste twee jaar van zijn leven was Bradwardine aartsbisschop van Canterbury. Hij overleed aan de Zwarte Dood die eind jaren veertig van de veertiende eeuw door Europa waarde.

Bradwardine was niet alleen vermaard als theoloog, maar hij was ook een heel begaafd en progressief wiskundige. Hij leefde in een tijd waarin de meeste intellectuelen kritiekloos de leer van Aristoteles volgden, maar Bradwardine plaatste vraagtekens bij talloze ideeën van de Griekse wijsgeer. In Oxford stond Bradwardine bekend als 'Doctor Profundus', de diepzinnige doctor, en hij liet een heel oeuvre van pionierswerk op het gebied van logica en probleemoplossing na.

Coopers boekhandel

William Cooper had een boekhandel in Little Britain, een wijk van Londen die bekendstond om zijn literaire traditie. Isaac Newton kwam hier vaak en reisde speciaal naar Londen om zijn boeken daar te kopen. William Cooper stond in aanzien, maar was in zekere kringen ook bekend als handelaar in illegale occulte teksten. Hij vormde een belangrijk contact voor Newton en leverde hem talloze verboden boeken toen de geleerde na 1670 met zijn alchemistische experimenten begon.

Liam Ethwiche

De naam van de auteur van de biografie van Isaac Newton die in *Equinox* wordt genoemd is een anagram.

Nicolas Fatio du Duillier (1664-1753)

Fatio du Duillier kwam uit een rijke familie die hem bijna zijn hele leven in de watten heeft gelegd. Hij genoot enige tijd een zekere reputatie binnen de intelligentsia, maar dat duurde niet lang. Als zevende van twaalf kinderen groeide Fatio op in Zwitserland. Zijn vader was een rijke grootgrondbezitter.

In 1682, toen hij achttien was, leefde Fatio van een genereuze toelage in Parijs. Hij was een talentvol wiskundige, een vroegrijpe jongeling, die indruk maakte op een hele reeks vooraanstaande filosofen. In 1687 reisde hij naar Engeland met de specifieke bedoeling om Newton te ontmoeten.

Hij wist zich geliefd te maken bij de grote wetenschapper en tussen 1689 en 1693 hadden ze een intense relatie. Op een gegeven moment wilde Newton dat Fatio bij hem zou intrekken in Cambridge, maar daar kwam nooit iets van. Zeker is wel dat Fatio een overtuigd aanhanger was van de occulte traditie en Newton aanspoorde om zelf ook dieper in de magie te duiken. Samen voerden ze talloze alchemistische experimenten uit, en het is mogelijk dat Fatio bij Newton een belangstelling voor de zwarte kunsten heeft aangewakkerd.

Fatio genoot niet echt het vertrouwen van de Engelse wetenschappelijke wereld en hij had veel vijanden. In 1693 gingen hij en Newton met ruzie uit elkaar. Fatio verloor zijn beschermer en het ging snel bergafwaarts met hem.

Over het latere leven van Fatio du Duillier is weinig bekend. Hij was een van die vreemde figuren die in de marge van de wetenschappelijke wereld van die tijd opereerden. Het staat vast dat hij betrokken was bij de Rozenkruisers en andere exotische randgroeperingen, en minstens één keer werd hij wegens antisociale activiteiten in het cachot van Charing Cross gegooid. Hij werd negentig, maar hij stierf in armoede en bijna geheel vergeten.

Robert Hooke (1635-1703)

Robert Hooke, geboren in 1635, was de zoon van een geestelijke. Zijn vader had in 1648 zelfmoord gepleegd door zich te verhangen, toen Robert nog maar dertien was. Als jongen toonde hij talent voor tekenen en schilderen. Nadat hij een bescheiden erfenis van honderd pond had gekregen werd hij naar Londen gestuurd om les te nemen bij de schilder Sir Peter Lely. Door een gelukkig toeval trok hij de aandacht van Richard Busby, een leraar aan Westminster School, die inzag dat de intellectuele capaciteiten van de jongen veel groter waren dan zijn artistieke talent. Onder Busby's leiding kreeg hij het beste onderwijs van die tijd. Hij werd toegelaten aan Christ Church College in Oxford, waar hij in 1663 afstudeerde.

Hooke moest zijn studie betalen door als bediende te werken. Na zijn afstuderen werd hij betaald assistent van Robert Boyle en werkte hij in diens laboratorium in Oxford. Zo raakte hij betrokken bij het Invisible College (de voorloper van de Royal Society) en kwam hij in contact met de invloedrijke denkers uit die tijd. Het was Boyle die Hooke later, in 1662, de positie van Curator van Experimenten in Londen bezorgde.

Hooke bezat een rusteloze energie en had steeds weer een nieuwe bevlieging. Hij kon nooit lange tijd zijn onverdeelde aandacht aan iets geven en daarom kwam hij op veel mensen nogal amateuristisch over. Zijn belangrijkste werk, *Micrographia*, was in feite een verhandeling over microscopie, maar bevatte ook een aantal oorspronkelijke theorieën over de aard van het licht. Het verscheen in 1665 en het was een boek dat Newton goed kende en heimelijk bewonderde.

Hooke en Newton waren gezworen vijanden. Ze hadden een totaal verschillend karakter. Hooke hield van het koffiehuis, roddelen met zijn vrienden bij een fles port, en de attenties van minstens één maîtresse. Hij was een man die zijn seksuele escapades en de kwaliteit van zijn orgasmen in zijn dagboek noteerde. Newton leidde een teruggetrokken, sober monnikenbestaan in Trinity College, Cambridge. En hij kon alleen maar minachting opbrengen voor mensen die een onderwerp zo oppervlakkig behandelden als Hooke scheen te doen.

Hooke op zijn beurt zag Newton als een dorre, levenloze man, die dan wel briljant mocht zijn maar ook geobsedeerd, eigengereid en behept met een overdreven rooskleurig zelfbeeld. Hun ego's versterkten hun onderlinge tegenstellingen nog, zodat ze zich allebei onbewust gedwongen voelden hun eigen werkwijze te verdedigen. Geen van beiden waren ze in staat ooit iets verdienstelijks in de ander te zien. Ze bleven bittere vijanden tot Hooke's dood in 1703.

Aanbevolen literatuur: *The Curious Life of Robert Hooke: The Man who Measured London*, Lisa Jardine, HarperCollins.

Hypatia (ca. 380-415)

Hypatia was inderdaad een 'geduchte dame', zoals Charlie Tucker opmerkte. Over haar leven is niet veel bekend. Waarschijnlijk werd ze omstreeks 380 geboren. Haar vader, Theon, was een gerenommeerd

Hypatia (ca. 370-415), neoplatonistisch wiskundige en filosofe, vermoord door de volgelingen van Cyrillus, patriarch van Alexandrië. Reconstructie van een kunstenaar uit het midden van de negentiende eeuw. Houtgravure.

wiskundige, die lesgaf aan de grote school van de bibliotheek van Alexandrië.

Vast staat wel dat Hypatia veel reisde en later een vooraanstaand geleerde werd, vooral bekend om haar werk op het gebied van de wiskunde en de natuurfilosofie. Ze zou drie belangrijke verhandelingen over geometrie en algebra hebben geschreven, en een over astronomie. Volgens sommige verhalen was ze ook de laatste beheerder van de bibliotheek van Alexandrië.

Hypatia kwam gewelddadig aan haar eind. Ze werd verdacht van hekserij en een christelijke meute trok haar uit haar leslokaal de straat op, waar ze met oesterschelpen werd doodgegooid.

Hypatia had opvallend moderne ideeën. Zo beweerde ze bijvoorbeeld: 'Alle formele dogmatische religies zijn misleidend en mogen door iemand met enig zelfrespect nooit als laatste woord worden aanvaard.' En ergens anders merkte ze op: 'Behoud je het recht voor om te blijven nadenken, want zelfs het verkeerde denken is beter dan helemaal niet denken.'

Geen wonder dat de vroege christenen haar niet moesten.

Aanbevolen literatuur: *Hypatia of Alexandria*, Maria Dzielska, Cambridge, Harvard University Press, 1995.

Isaac Newton (1642-1727)

Bij de naam Isaac Newton denken de meeste mensen aan een appel die van een boom valt, waardoor Newton de theorie van de zwaartekracht ontdekte. Maar het is sterk de vraag of dit moment beslissend is geweest voor het ontstaan van deze theorie. De werkelijke inspiratie die Newton op het spoor bracht van een van de belangrijkste theorieën uit de geschiedenis van de wetenschap, was zijn occulte belangstelling.

Isaac Newton werd geboren in 1642 in een betrekkelijk welgestelde familie die woonde in het dorpje Woolsthorpe bij Grantham in Lincolnshire. Hij was een nogal afstandelijke, teruggetrokken jongen die het op school niet bijzonder goed deed, totdat hij omstreeks zijn veertiende de aandacht trok van zijn schoolhoofd, Henry Stokes.

In 1661 ging Newton studeren aan de universiteit van Cambridge, waar hij algauw onder de invloed kwam van oudere geleerden die iets in hem zagen en hem stimuleerden. De belangrijksten waren twee bestuursleden van de universiteit, Henry More en Isaac Barrow. Beide mannen waren natuurfilosofen, maar ze hielden zich ook bezig met de oude wetenschap van de alchemie, een interesse die ze op Newton wisten over te dragen.

Voor Isaac Newton was de alchemie een middel tot een doel. Hij was een puritein die geloofde in Gods woord en Gods werken. Anders gezegd, hij was de leer van de bijbel – Gods woord – toegedaan en zag het als zijn taak om het raadsel van het leven op te lossen en alles te onderzoeken wat er te weten viel over de wereld. Hij stelde zich ten doel om Gods werken te bestuderen.

In Newtons tijd was alchemie bij de wet verboden. Er stond zelfs de doodstraf op. Het zou het einde van zijn academische reputatie hebben betekend als ooit bekend was geworden dat hij aan alchemie deed. Toch besteedde hij veel meer tijd aan alchemistisch onderzoek dan aan de orthodoxe natuurwetenschap. Toen hij in 1727 overleed ontdekte men dat hij de grootste bibliotheek van occulte literatuur bezat die ooit bijeen was gebracht en dat hij zelf meer dan een miljoen woorden over het onderwerp had geschreven.

In dezelfde tijd dat Newton de alchemie bestudeerde, doorliep hij natuurlijk ook een conventionele wetenschappelijke carrière. In 1669, nog pas zevenentwintig jaar oud, werd hij de tweede Lucasiaanse professor in de wiskunde aan de universiteit van Cambridge (een leerstoel die tegenwoordig wordt bezet door professor Stephen Hawking), als opvolger van zijn vriend en mentor Isaac Barrow. Vanaf omstreeks 1670 begon hij ook naam te maken buiten Cambridge en later werd hij geaccepteerd als lid van de Royal Society.

Volgens de geschiedenisboeken deed Newton zijn belangrijkste ontdekking – de theorie van de zwaartekracht, in 1666 – terwijl hij bij zijn moeder in Woolsthorpe verbleef. Het is een feit dat Newton, evenals de rest van de academische gemeenschap, Cambridge ontvluchtte in de jaren van de pestepidemie, 1665-1666. Hij keerde inderdaad terug naar het huis van zijn moeder, op het platteland. Het

© Topfoto/Roger Viollet

Isaac Newton (1642-1727), Brits wiskundige, natuurkundige en astronoom, door J. Vanderbank. Londen, National Portrait Gallery, ND-108248.

is best mogelijk dat Newton op een dag onder een appelboom over de betekenis van de zwaartekracht zat na te denken en een appel zag vallen. Misschien heeft dat hem geholpen, maar het is een belachelijke veronderstelling dat het hele concept van de zwaartekracht hem opeens, in die ene seconde, zou zijn geopenbaard. Newton heeft dat verhaal waarschijnlijk verzonnen om het feit te verdoezelen dat hij alchemie had toegepast bij de ontwikkeling van zijn beroemde theorie.

Het kostte Newton bijna twintig jaar om zijn theorie van de zwaartekracht uit te werken, en het concept kreeg pas vorm toen hij begon aan zijn grote werk, *Principia Mathematica*, dat in 1687 verscheen. In de twintig jaar tussen die eerste vonk van inspiratie in de tuin in Woolsthorpe en de verschijning van dit boek is zijn theorie door talloze invloeden bepaald.

Om te beginnen was er de wiskunde. Newton was een uitstekend wiskundige, al op zijn vierentwintigste een van de besten van zijn tijd. Hij was ook een geboren natuurfilosoof en kende in feite alle natuurwetenschappelijke wetten van zijn tijd. Tegen de tijd van de pestepidemie en zijn vlucht naar het platteland in 1665 had hij de grote denkers van zijn tijd – zelfs mannen als Robert Boyle en René Descartes – al achter zich gelaten en begon hij zijn eigen ideeën te ontwikkelen. Aan die talenten dankte hij het inzicht dat de zwaartekracht de factor was die de planeten in beweging hield. Newton suggereerde zelfs een verband tussen de afstand tussen twee lichamen (zoals planeten) en hun onderlinge zwaartekracht, de 'omgekeerde kwadratenwet van krachten'.

In die tijd was het nog een onvoorstelbare gedachte dat het ene voorwerp de beweging van het andere zou kunnen beïnvloeden zonder het daadwerkelijk aan te raken. Dit wordt nu 'actie op afstand' genoemd en als een normaal verschijnsel beschouwd, maar Newtons tijdgenoten begrepen er niets van en zagen het als magie of een occulte eigenschap.

Zijn experimenten in de alchemie stelden Newton in staat de zwaartekracht met veel meer onbevangenheid tegemoet te treden dan de meesten van zijn collega's. Zijn eerste onderzoeken op alchemistisch gebied dateerden uit omstreeks 1669. Hij reisde naar Londen om verboden boeken te kopen van zijn medealchemisten en voerde eigen experimenten uit, verborgen voor de autoriteiten en zijn rivalen binnen de wetenschappelijke wereld. Zijn eerste proeven waren nog vrij simpel, maar toen hij alles had gelezen wat hij kon vinden over de alchemie ging hij algauw veel verder dan de grenzen die door zijn voorgangers waren gesteld. Als serieus wetenschapper benaderde hij elk experiment logisch en met grote nauwgezetheid, en noteerde uitvoerig wat hij had ontdekt. Terwijl eerdere alchemisten jarenlang rommelden zonder precies te weten wat ze deden, ging Newton heel systematisch te werk.

Een ander groot verschil tussen Newton en zijn voorgangers was dat hij geen enkele interesse had in het maken van goud. Hij verdiepte zich alleen in de alchemie om de verborgen wetten te vinden die volgens hem het heelal regeerden. Hij heeft misschien nooit vermoed dat hij via de alchemie of andere occulte praktijken een theorie van de zwaartekracht zou ontdekken, maar hij was ervan overtuigd dat zijn onderzoek een fundamentele wet of een verborgen oude kennis moest opleveren.

Zijn doorbraak, dankzij de alchemie, vond plaats toen Newton de materialen in zijn smeltoven bestudeerde en zag hoe ze reageerden onder de invloed van krachten. Bepaalde deeltjes werden door elkaar aangetrokken, andere juist afgestoten, zonder dat ze fysiek contact of een andere tastbare verbinding met elkaar hadden. Met andere woorden: in de smeltoven van de alchemist zag hij het principe van 'actie op afstand' in werking. Op dat moment begon hij te beseffen dat de zwaartekracht misschien op dezelfde manier werkte en dat dit verschijnsel in de microkosmos van de smeltoven en het alchemistische vuur zich misschien ook voordeed in de macrokosmos: de wereld van sterren en planeten.

Maar er waren nog andere occulte invloeden aan het werk. Vanaf omstreeks 1675, toen Newton begin dertig was, tot aan zijn dood in 1727, was hij geobsedeerd door religie. Jarenlang bestudeerde hij de bijbel, omdat hij geloofde dat de oorsprong van alle ware kennis te vinden was bij de oude volkeren uit het Oude Testament. En koning Salomo was volgens hem de hoogste autoriteit.

Newton noemde koning Salomo 'de grootste filosoof ter wereld' en verdiepte zich jarenlang in het ontwerp van Salomo's tempel zoals dat wordt beschreven in het boek Ezechiël van het Oude Testament.

De tempel van Salomo, gebouwd omstreeks 1000 v.Chr. op een plek die toen al heilig was voor de joden, was het meest vereerde symbool van wijsheid en geloof, lang voordat Newton er zijn eigen, persoonlijke interpretatie aan gaf. Bijna vanaf het moment van de bouw tot aan de Verlichting, bijna drieduizend jaar later, boezemde de tempel hetzelfde heilige ontzag in als de piramiden of Stonehenge dat deden bij de heidense gelovigen die deze monumenten hadden opgericht.

Newton meende dat Salomo de wijsheid van de Ouden – de kern van het Oude Testament – in gecodeerde vorm in de plattegrond van zijn tempel had verwerkt. Bovendien geloofde hij dat hij, door de bijbel te analyseren met Salomo's plattegrond als sleutel, de toekomst zou kunnen voorspellen. Volgens Newton fungeerde het ontwerp als een model: de dimensies en geometrie van de tempel leverden aanwijzingen op voor tijdtabellen en de uitspraken van de grote bijbelse profeten (met name Ezechiël, Johannes en Daniël).

Door deze plattegrond te combineren met zijn interpretaties van de Schrift, kwam Newton met een gedetailleerde opzet voor een alternatieve 'wereldchronologie'. Daartoe verbond hij bepaalde data aan gebeurtenissen zoals de Wederkomst van Christus en de Dag des Oordeels.

Maar de configuratie van Salomo's tempel hielp Newton ook op andere manieren. Hij beschreef de oude tempel als '... een vuur voor het brengen van offers [dat] eeuwig brandde in het midden van een heilige plaats' en visualiseerde het middelpunt van de tempel als een centraal vuur waar omheen de gelovigen zich verzamelden. Die opstelling noemde hij een *prytaneum*.

Het beeld van een vuur in het midden van de tempel, met discipelen in een cirkel rond de vlam droeg bij aan de vorming van zijn concept van de universele zwaartekracht. De invalshoek daarbij is dat Newton het licht niet vanaf het vuur naar *buiten* zag stralen, maar het visualiseerde als een kracht die de discipelen naar het middelpunt *toe* trok. Binnen zo'n schema zijn de overeenkomsten tussen het zonnestelsel en de tempel meteen duidelijk: de planeten waren symbolen voor de discipelen, en het tempelvuur (soms ook 'het vuur in het hart van de wereld' genoemd) stond model voor de zon.

Samen met de werking van krachten die hij in de smeltoven had gezien en zijn inzicht in de omgekeerde kwadratenwet, bracht dit Newton op het idee dat er een onzichtbare kracht werkzaam was tussen alle objecten, die minder sterk werd naarmate die objecten zich van elkaar verwijderden. De manier waarop deze kracht veranderde werd bepaald door de omgekeerde kwadratenwet.

Al deze invloeden, samen met de experimenten die Newton op zijn kamers uitvoerde en de waarnemingen die hij over planeten en kometen deed, overtuigden hem van de geldigheid van zijn theorie. De bekroning van zijn werk was zijn *Principia*, dat nu wordt beschouwd als misschien wel de belangrijkste wetenschappelijke verhandeling ooit geschreven. Ironisch genoeg is het een boek dat niet alleen voortsproot uit Newtons wetenschappelijke genie, maar ook uit zijn obsessie voor het occulte en de kennis van de Ouden.

Isaac Newton was een bijzonder onaangenaam mens, getekend door een ongelukkige jeugd. Zijn vader was al voor zijn geboorte gestorven en toen hij drie was trouwde zijn moeder, met wie hij een hechte band had, opnieuw en liet hem bij zijn grootouders achter. Hij had zich nooit hersteld van deze afwijzing, zoals hij het zag, en ontwikkelde zich tot een introverte, eenzelvige persoon die bijna niet in staat was vrienden te maken.

In 1692, toen hij vijftig was, kreeg Newton een zenuwinzinking. Die crisis volgde kort na zijn periode van diepste betrokkenheid bij het occulte en het einde van een homoseksuele affaire met Nicolas Fatio du Duillier. Bijna van het ene moment op het andere zette Newton een streep onder zijn wetenschappelijke werk. In 1696 verhuisde hij van Cambridge naar Londen. Hij werd Meester van de Koninklijke Munt in de Tower van Londen en stuurde een groot aantal mensen naar de galg wegens het 'besnoeien' van munten (kleine randjes van goud- en zilverstukken afsnijden en omsmelten). Later werd hij lid van het parlement voor de universiteit van Cambridge: een invloedrijke en zeer vermogende steunpilaar van de gevestigde orde, alom geprezen en gelauwerd voor zijn bijdragen aan de wetenschap en de staat. Newtons occulte belangstelling bleef een geheim tot na zijn dood.

Aanbevolen literatuur: *Isaac Newton: The Last Sorcerer*, Michael White, Fourth Estate.

De Orde van de Zwarte Sfinx

Net als de Wachters is de Orde van de Zwarte Sfinx slechts fictie. Toch zijn beide organisaties gebaseerd op geheime genootschappen en occulte groeperingen die al eeuwen werkelijk bestaan.

De beroemdste zijn de vrijmetselaars en de tempeliers. Andere voorbeelden zijn de Illuminati, de rozenkruisers en – meer recent – de Hermetic Order of the Golden Dawn. Een snelle zoekactie met google onthult het bestaan van nog veel meer vreemde en obscure geheime genootschappen. De meeste hiervan worden gevormd door onschuldige fantasten, maar er zijn allerlei complottheorieën die beweren dat groeperingen zoals de Illuminati en de vrijmetselaars in feite organisaties zijn in dienst van schimmige figuren die de werkelijke macht uitoefenen in deze wereld, mannen die aan de touwtjes trekken in de financiële en politieke kringen van onze huidige maatschappij.

Aanbevolen literatuur: *Secret Societies*, Nick Harding, Pocket Essentials, 2005.

De Royal Society

Oorspronkelijk bekend als het 'Invisible College' ontstond de Royal Society in 1648 aan Wadham College, Oxford. In die tijd was het nog weinig meer dan een informele bijeenkomst van academici, samengebracht onder de bezielende leiding van John Wilkins, een vermaard wiskundige. Tot de oprichters behoorden illustere figuren als Robert Boyle, Henry Oldenburg en de astronoom en bisschop Seth Ward.

In 1659 verhuisde de Society naar een onderkomen in Gresham College in Londen en drie jaar later kreeg ze koninklijke goedkeuring van Charles II, een steunpilaar van wetenschap en filosofie. Vanaf die tijd stond het genootschap bekend als de Royal Society.

In 1672, tien jaar na de officiële oprichting, trad ook Newton toe. Inmiddels hadden al enkele van de beroemdste mannen uit die tijd zich bij de Royal Society aangesloten, onder wie Samuel Pepys, Christopher Wren en Robert Hooke.

De opdracht van de Royal Society was de studie van wat toen de natuurfilosofie werd genoemd (tegenwoordig gedefinieerd als 'natuurwetenschap'). Daartoe voerden de leden experimenten en demonstraties uit, lazen hun werk voor aan bijeenkomsten van leden en publiceerden enkele van de oudst bekende wetenschappelijke verhandelingen. Ook hadden veel leden belangstelling voor zaken die wij nu occult zouden noemen, en er zijn aanwijzingen dat sommigen van hen intensief betrokken waren bij de vrijmetselaars en de tempeliers.

Een bijeenkomst van de Royal Society in Crane Court, Fleet Street, Londen. Isaac Newton is voorzitter, en de scepter van de Royal Society, een geschenk van Charles II, ligt voor hem op tafel. De Royal Society, gesticht in 1660, was van 1710-1782 gehuisvest in Crane Court.

Deze protowetenschappers, onder wie enkele van de grootste namen uit die tijd – Isaac Newton, Robert Boyle, Robert Hooke – leidden een dubbelleven. Voor de buitenwereld gedroegen ze zich als conventionele filosofen en wetenschappelijke onderzoekers, maar achter gesloten deuren stortten ze zich op hun grote belangstelling voor alchemie, astrologie en andere aspecten van de occulte traditie.

Aanbevolen literatuur: *The Invisible College: The Royal Society, Freemasonry and the Birth of Modern Science*, Robert Lomas, Headline, 2003.

De scytale en cryptografie

Er zijn twee methoden van codering, *steganografie* en *cryptografie*. Steganografie is de fysieke geheimhouding van een bericht. Het beroemdste voorbeeld hiervan komt uit de geschriften van Herodotus, waarin hij melding maakt van een code die door de Pers Histiaeus werd gebruikt. Histiaeus zou een bericht aan Aristagoras, de tiran van Miletus, hebben gestuurd door het op de hoofdhuid van een slaaf te tatoeëren en te wachten tot het haar weer was aangegroeid. Vervolgens stuurde hij de slaaf naar Aristagoras met instructies om de man kaal te scheren.

Een ingenieuze variatie op dit thema was de *scytale* of 'riem', die voor het eerst door Griekse bevelhebbers werd gebruikt. Hierbij werden er in een boodschap willekeurige letters of woorden toegevoegd op een vel papyrus. Als deze papyrus rond een stok werd gewikkeld kon de boodschap worden gelezen langs de lengte van de stok. Het bericht werd vervolgens verstuurd zonder de stok. De ontvanger moest de dikte van de oorspronkelijke stok weten en de juiste manier waarop hij de rol eromheen moest wikkelen om de boodschap te kunnen ontcijferen.

Cryptografie, een veelzijdiger codesysteem, wordt al sinds het eerste begin van het schrift toegepast door militaire strategen, bevelhebbers en regeringen. Julius Caesar zou een van de eerste aanvoerders in het veld zijn geweest die een code gebruikte door berichten over zijn veldtochten in Groot-Brittannië naar Rome te verzenden met de eenvoudigste van alle codes: een verschuiving van de letters van het alfabet met drie, zodat de A een D wordt, de B een E, enzovoort. Alleen wie die code kende kon de boodschap ontcijferen. Tegenwoordig lijkt dat wat al te simpel, maar als een van de eerste codes bleef het geheim – althans enige tijd – bewaard, omdat het nog zo nieuw was.

In de donkere middeleeuwen raakten codes in Europa in onbruik omdat er nog maar zo weinig mensen konden lezen en schrijven, maar in de renaissance ontdekten militairen en filosofen de code opnieuw. Leonardo da Vinci verborg zijn meest geheime onderzoeken met behulp van spiegelschrift. Roger Bacon was gefascineerd door codes en schreef halverwege de dertiende eeuw een veelgelezen verhandeling over het onderwerp met de titel *Secret Works of Art and the Nullity of Magic*. Het veelzijdige genie Leon Alberti, die Leonardo zoveel jaren beïnvloedde en inspireerde, is bekend geworden als de 'vader van de westerse cryptografie' omdat hij een groot aantal belangrijke ideeën introduceerde die nog altijd door hedendaagse analisten worden toegepast. Tot die ingenieuze systemen behoren de *frequentieanalyse*, een techniek gebruikt om patronen in een tekst te ontdekken en te definiëren die een belangrijke aanwijzing kunnen geven over de codesleutel. Alberti bedacht ook de eerste polyalfabetische codes en het oudste codewiel, een serie radertjes met cijfers en letters erop gegraveerd, die konden worden gebruikt om de letters in elk willekeurig bericht te vervangen.

Alberti's principe van polyalfabetische codesystemen werd verder ontwikkeld door de Duitse geleerde Johannes Trithemius, die in 1518 zijn *Polygraphiae* publiceerde. En Alberti's codewielen werden overgenomen door Thomas Jefferson, die een ingewikkeld stelsel van zesentwintig van zulke raderen verwerkte in een codeermachine, die in gebruik bleef vanaf de negentiende eeuw tot in 1942, toen het Amerikaanse leger er eindelijk afscheid van nam.

Misschien wel het beroemdste codeverhaal uit de moderne tijd is dat van de Enigma Machine, een codeersysteem dat werd ontwikkeld door de Duitsers voor het begin van de Tweede Wereldoorlog, voor het coderen van veldoperaties en contacten met de onderzeebootvloot. Het kraken van de Enigmacode kreeg de hoogste prioriteit bij de geallieerden. Er werd een speciaal team van Britse cryptografen en wiskundigen geïnstalleerd in Bletchley Park in Buckinghamshire. Zij begonnen in april 1940 met het ontcijferen van de Enigmaberichten en bleven de hele oorlog actief. Hun werk redde niet alleen duizenden geallieerde levens, maar bespoedigde ook de ontwikkeling van de eerste computer. Het belangrijkste was de bouw van een apparaat dat Colossus werd genoemd, een project onder leiding van Alan Turing en een kleine groep analisten, in feite de eerste computerspecialisten ter wereld, die met hun werk de basis legden voor de enorme vlucht die de computertechnologie na de oorlog zou nemen. Het is dus niet verwonderlijk dat de ontwikkeling van de computer sindsdien onverbrekelijk met codes verbonden is gebleven. De lessen die we van cryptografen hebben geleerd zijn tegenwoordig van het grootste belang voor het bedrijfsleven en de wetenschap, en de cryptografie blijft een waardevol hulpmiddel voor militaire strategen en politici.

Aanbevolen literatuur: *The Code Book*, Simon Singh, Fourth Estate, 2000.

Het Sheldonian Theatre

Het Sheldonian Theatre in Oxford, deel van de universiteit, een ontwerp van Christopher Wren.

Dit theater was een ontwerp van Christopher Wren. In 1664 werd begonnen met de bouw, die in 1668 was voltooid. Oorspronkelijk was het een onderdeel van de universiteit van Oxford, bedoeld voor lezingen en bijzondere evenementen. Tegenwoordig is het open voor het publiek en worden er concerten gegeven en conferenties gehouden. Het theater ligt dicht bij de Radcliffe Camera, de Bodleian Library en Hertford College, en de fundamenten zijn bijna zeker verbonden met de beroemde tunnels die zich vanaf de Bodleian onder de stad uitstrekken. In werkelijkheid echter heeft Christopher Wren nooit melding gemaakt van de ontdekking van een vreemd labyrint tijdens het leggen van de funderingen.

De Smaragden Tafel

Voor de alchemist is de Smaragden Tafel een van de heiligste teksten. De beroemde tablet zou hebben toebehoord aan Hermes Trismegistus, de peetvader van de alchemie, en alle latere alchemisten moesten naar kopieën van kopieën van kopieën van de oorspronkelijke tekst werken. Geen wonder dat er in de loop der eeuwen grote verschillen ontstonden tussen de versies.

De Smaragden Tafel was zo belangrijk omdat deze tekst een beproefde methode zou geven voor het verkrijgen van de Steen der Wijzen: een ongelooflijk ingewikkeld recept dat van generatie op generatie werd doorgegeven. Het oudst bekende exemplaar van de Tafel verscheen in het westen omstreeks het midden van de twaalfde eeuw, in edities van wat bekendstaat als de pseudoaristoteliaanse *Secretum Secretorum*, in werkelijkheid een vertaling van de *Kitab Sirr al-Asar*, een adviesboek voor koningen, dat in het Latijn was vertaald door Johannes Hispalensis. De *Kitab Sirr al-Asar*, de oudst bekende versie van de tekst, waar ook ter wereld, zou dateren uit omstreeks 800, maar volgens sommige geleerden bestond er nog een oudere voorloper, de *Kitab Sirr al-Khaliqa wa San 'at al-Tabi'a* ('Het Boek van het Geheim van de Schepping en de Kunst van de Natuur'), uit het jaar 650.

De robijnsteen uit *Equinox* is geheel denkbeeldig.

De Trill Millstream

De Trill Millstream bestaat zoals hij in *Equinox* wordt beschreven, maar tegenwoordig is het nog slechts een bleke schim van de oorspronkelijke stroom. Het is een kleine zijtak van de Theems, die in de middeleeuwen als open waterweg door het centrum van Oxford stroomde en als doorvaart voor kleine boten werd gebruikt. Maar halverwege de negentiende eeuw was de Trill Millstream zo vervuild geraakt dat het bijna een open riool was geworden. Ten slotte werd het risico voor de volksgezondheid te groot. De stroom werd ondergronds geleid en de gemeente bouwde eroverheen.

Zowel het verhaal over T.E. Lawrence als de vondst van de victoriaanse skeletten in *Equinox* is waar, maar voor zover ik weet bestaat er geen geheime ingang naar een verborgen ondergronds labyrint via de Trill Millstream.

John Wickins (1643-1719)

Isaac Newton ontmoette John Wickins achttien maanden nadat hij op Trinity College in Cambridge was gearriveerd en ze werden al snel kamergenoten. Wickins, zoon van de rector van het gymnasium in Manchester, kwam in 1663 naar Trinity. Volgens zijn eigen herinneringen liep hij op een wandeling Newton tegen het lijf, die een mistroostige en eenzame indruk maakte. De twee raakten in gesprek en ontdekten algauw dat ze veel gemeen hadden.

Het is een van de grote mysteries van Newtons leven dat hij weliswaar meer dan twintig jaar een aantal vertrekken met Wickins deelde, maar dat Wickins nauwelijks enige vermelding over hun hechte samenwerking heeft nagelaten. Ze gingen in 1683 met onenigheid uit elkaar en ondanks het feit dat Wickins nog zesendertig jaar zou leven, hebben de twee mannen elkaar nooit teruggezien.

Jarenlang werkte Wickins als Newtons assistent. Hij schreef regelmatig de verslagen van de experimenten uit en hielp bij het opstellen van de apparatuur en het volgen van het onderzoek. Hun kamers werden het laboratorium waar ze tegelijkertijd woonden. Aanvankelijk lag alles bezaaid met documenten en eenvoudige, zelfgemaakte optische instrumenten, maar later stond het er vol met smeltkroezen en flessen chemicaliën. Toen hij uit Cambridge vertrok werd Wickins dominee, trouwde en stichtte een gezin. Jaren na Wickins' vertrek stuurde Newton hem een pakketje bijbels om te verspreiden onder zijn gemeente in het dorpje Stoke Edith, bij Monmouth. De enige andere bewaard gebleven correspondentie tussen hen is een brief die Wickins jaren later aan Newton schreef en waarin hij zijn vroegere kamergenoot om nog een zending bijbels vroeg.

Christopher Wren (1632-1723)

Sir Christopher Wren.

Christopher Wren, die in 1673 in de adelstand werd verheven, was waarschijnlijk de grootste encyclopedische geleerde van Engeland. Hij werd geboren in bevoorrechte omstandigheden. Zijn vader was hofprediker, en Wren groeide op met de toekomstige koning, Charles II.

Christopher Wren wordt vooral herinnerd als architect. Hij ontwierp veel beroemde gebouwen in Londen, zoals de huidige kathedraal van St.-Paul's, de Royal Exchange en het Drury Lane Theatre. Maar hij was ook een begaafd kunstenaar, wiskundige en astronoom. Hij werd ooit benoemd tot Saviliaanse professor in de sterrenkunde aan de universiteit van Oxford. Wren was een van de eerste leden van de Royal Society toen die naar Londen verhuisde, en dankzij zijn connecties met koning Charles II kon hij de positie van de Society aanzienlijk versterken.

Na 1660 voerde Wren enkele van de eerste (geheel mislukte) bloedtransfusies uit. Maar hij deed ook een onderzoek naar de bewegingswetten, dat Isaac Newton later inspireerde tot zijn eigen experimenten. Als een van de weinigen genoot hij respect bij Newton, die publiekelijk verklaarde hoeveel hij aan de oudere man te danken had. Wren stierf in 1723, negentig jaar oud, en was de eerste die in St.-Paul's begraven werd.

Aanbevolen literatuur: *On A Grander Scale: The Outstanding Career of Christopher Wren*, Lisa Jardine, HarperCollins, 2003.

Dankwoord

Veel mensen hebben mij geholpen om dit boek van een idee tot publicatie te brengen. Ik dank mijn agent Carole Blake, die iets in het oorspronkelijke manuscript zag en ermee op stap ging. Die dank strekt zich uit tot iedereen bij Blake Friedmann, de beste literaire agenten ter wereld.

Mijn warme dank gaat naar enkele goede vrienden, die me advies gaven bij de vele verschillende versies van het manuscript: Tim Alexander, Kevin Davies, David Michie en Jules Watson. Maar ik ben toch vooral dankbaar voor de grote bijdrage van mijn vrouw Lisa, die vanaf het eerste concept van het verhaal tot aan de laatste, definitieve versie met ideeën, kritiek en waardevolle opmerkingen kwam.

Over de auteur

Michael White was onder meer musicus, natuurkundedocent, dagbladcolumnist, wetenschapsredacteur bij het tijdschrift *GQ* en adviseur van de tv-serie *The Science of the Impossible* van Discovery Channel.

In 1991 verscheen zijn eerste boek, en inmiddels heeft hij vijfentwintig titels op zijn naam staan, waaronder de internationale bestsellers *Stephen Hawking: A Life in Science*, *Leonardo: The First Scientist* en *Tolkien: A Biography*.

Voor zijn biografie van Isaac Newton, *The Last Sorcerer*, ontving hij in de Verenigde Staten de Bookman Prize voor het beste populairwetenschappelijke boek van 1998. Met *Rivals* was hij in 2002 genomineerd voor de prestigieuze Aventis Award, en zijn boek *The Fruits of War* stond in 2006 op de groslijst.

Michael White is Honorary Research Fellow aan Curtin University en woont in Perth, Australië, met zijn vrouw en vier kinderen.

Ga voor meer informatie naar de website van Michael White, michaelwhite.com.au.